# Romance com o Duque

~ *Série Castles Ever After* ~

# Tessa Dare

# *Romance com o Duque*

4ª REIMPRESSÃO

TRADUÇÃO: A C Reis

Copyright © 2014 Eve Ortega

Título original: *Romancing the Duke*

Todos os direitos reservados pela Editora Gutenberg. Nenhuma parte desta publicação poderá ser reproduzida, seja por meios mecânicos, eletrônicos, seja via cópia xerográfica, sem a autorização prévia da Editora.

EDITORA
*Silvia Tocci Masini*

EDITORAS ASSISTENTES
*Carol Christo*
*Nilce Xavier*

ASSISTENTE EDITORIAL
*Andresa Vidal Vilchenski*

REVISÃO
*Pausa Dramática*

CAPA
*Carol Oliveira*
*(Sobre as imagens de DarkBird e Christopher Day)*

DIAGRAMAÇÃO
*Carol Oliveira*

**Dados Internacionais de Catalogação na Publicação (CIP)**
**Câmara Brasileira do Livro, SP, Brasil**

Dare, Tessa

  Romance com o Duque / Tessa Dare ; tradução A C Reis. – 1. ed.; 4. reimp. – São Paulo : Gutenberg, 2022. – (Série Castles Ever After, 1)

  Título original: *Romancing the Duke.*
  ISBN 978-85-8235-365-3

  1. Ficção histórica 2. Romance norte-americano I. Título. II. Série.

16-00935                                                          CDD-813

**Índices para catálogo sistemático:**

  1. Romances históricos : Literatura norte-americana 813

A **GUTENBERG** É UMA EDITORA DO **GRUPO AUTÊNTICA** 🍥

**São Paulo**
Av. Paulista, 2.073, Conjunto Nacional
Horsa I . Sala 309 . Cerqueira César .
01311-940 São Paulo . SP
Tel.: (55 11) 3034 4468

**Belo Horizonte**
Rua Carlos Turner, 420
Silveira . 31140-520
Belo Horizonte . MG
Tel.: (55 31) 3465 4500

www.editoragutenberg.com.br
SAC: atendimentoleitor@grupoautentica.com.br

*Para todos que já foram fãs de alguma coisa.*
*E para Tessa Woodward, que não possui fã maior do que esta.*

*"É isso", ele disse, afinal.
"Você vai embora deste lugar do
mesmo jeito que entrou."*

Ele se abaixou, agarrou as pernas dela e a colocou no ombro – com a facilidade de um homem que já carregou muitas mulheres dessa forma. Com certeza essa não era a primeira vez que Ransom jogava uma mulher na rua.

Mas era, com certeza, a primeira vez que Izzy seria jogada. E ela não fazia ideia de como reagir. Bater os punhos nas costas dele? Espernear e gritar? Mais tarde ela pensaria em uma dúzia de reações, respostas espirituosas e tréplicas inteligentes. Mas naquele instante, todo seu sangue corria para a cabeça e sua mente era um vazio quente e latejante.

Ele a chacoalhou no ombro e apertou suas nádegas com o braço.

"Aqui não tem nada para você!"

As palavras desdenhosas libertaram a língua de Izzy.

"Você está errado!", ela exclamou. "Tem, sim, Alteza. Mais do que você pode imaginar. Mais do que qualquer um pode imaginar. Você pode me carregar para fora, se quiser. Mas eu vou voltar. De novo e de novo. Quantas vezes forem necessárias. Porque agora este é o meu castelo. E eu não vou embora daqui!"

## Capítulo Um

O nome Isolde Ophelia Goodnight prometia, de fato, uma vida de tragédias. Izzy percebia isso ao analisar sua situação: órfã de mãe, ainda nova, e agora também de pai. Sem dinheiro. Sem amigos. Mas nunca sem esperança. Não ainda. Não muito...

Porque o nome Isolde Ophelia Goodnight também sugeria romance. Um romance arrebatador, impossível, legendário. E desde que se conhecia por gente, Izzy esperava – com pouca fé e muita impaciência – que essa fase de sua vida começasse.

Depois que ficou velha o bastante para entender a morte de sua mãe, Izzy se consolou com a ideia de que tudo isso fazia parte de sua própria história épica. As heroínas dos contos de fada eram sempre órfãs de mãe.

Quando seu pai gastou mais do que podia e a empregada teve que ser dispensada, ela disse para si mesma que o trabalho duro um dia seria recompensado. Todo mundo sabe que a Cinderela teve que esfregar o chão antes de conquistar o príncipe encantado.

Na época dos seus 15 anos, as finanças tinham melhorado, graças ao sucesso literário de seu pai. Não foi nesse momento que o príncipe apareceu, mas ainda havia tempo. Izzy dizia para si mesma que seu corpo também cresceria – não só o seu nariz – e que seus cachos, um dia, iria se acalmar.

Ela não cresceu mais que o nariz e o cabelo não se acalmou. O patinho feio não se transformou em cisne naquela casa.

Seu aniversário de 17 anos chegou sem que ela tivesse espetado o dedo em uma roca de fiar.

Aos 21, a vida lhe impôs uma verdade difícil em algum ponto da estrada entre Maidstone e Rochester. Os ladrões reais não eram diabolicamente charmosos nem brutalmente atraentes. Eles queriam dinheiro, e queriam logo, e Izzy devia se dar por satisfeita por eles não terem se interessado por ela.

Um a um, ela foi perdendo todos os seus sonhos de menina. Então, no ano passado, seu pai morreu, e todas as histórias se acabaram por completo. O dinheiro acabou logo depois disso. Pela primeira vez em sua vida, Izzy estava à beira do mais puro desespero.

Sua sede de romance desapareceu. No momento, ela se contentaria com pão. Quais contos de fada restavam para uma mulher comum, empobrecida, de 26 anos e que nunca tinha sido beijada?

Apenas este. Ela apertou a carta em sua mão. Lá estava, em tinta preta no papel branco. Sua última esperança. Ela fez força para não apertar demais, com receio de esmigalhar a carta.

*Prezada Srta. Goodnight,*

*É meu dever como executor informar-lhe que o Conde de Lynforth faleceu. Em seu testamento, ele deixou para você – e para cada uma de suas afilhadas – um legado. Por favor, procure-me no Castelo Gostley, perto de Woolington, no condado de Northumberland, no próximo 21 de junho para resolvermos os detalhes da sua herança.*

*Atenciosamente,*
*Frederick Trent, Lorde Archer*

Uma herança. Talvez pudesse chegar a cem libras. Até vinte seriam uma fortuna. Ela estava reduzida a moedas.

Quando o Castelo Gostley apareceu à sua frente, Izzy engoliu em seco. A distância, até que ele parecia romântico. Uma série de torres desiguais e muralhas compridas, com ameias, elevando-se em meio a campos verdejantes. Mas a vegetação ao redor havia se tornado tão densa e desordenada, devido à falta de cuidado, que quando o castelo se elevou à sua frente, Izzy se encolheu, amedrontada, sob sua sombra.

O castelo não era acolhedor nem encantador. Era sombrio. Ameaçador. Izzy quase teve medo que o castelo pulasse em cima dela.

"Chegamos, senhorita." O cocheiro não pareceu ter uma impressão melhor que a de Izzy. Ele fez seus animais pararem junto ao barbacã, uma guarita de pedra construída a certa distância do castelo.

Após ajudá-la a descer da carruagem, ele levantou o colarinho do casaco e descarregou a bagagem – uma única valise surrada. Ele a carregou até os degraus de pedra da antiga guarita e voltou rapidamente para trás, enfiou as mãos nos bolsos e pigarreou, esperando.

Izzy sabia o que o homem queria. Ela o pagou em Woolington – ele não aceitou transportá-la sem que recebesse o pagamento adiantado –, mas agora ele queria uma manifestação adicional de gratidão. Izzy pescou uma moeda em sua bolsa. Restavam tão poucas moedas que sua bolsa nem tilintava.

O cocheiro guardou a moeda e tocou o chapéu em reconhecimento.

"Qual é o seu nome mesmo, senhorita?"

"Goodnight. Srta. Izzy Goodnight."

Ela esperou para ver se ele teria alguma reação. A maioria das pessoas alfabetizadas da Inglaterra reconheceria o nome, bem como muitos de seus criados domésticos.

"Tá", foi só o que o cocheiro resmungou. "Eu só queria saber. Alguém pode perguntar. Se a gente nunca mais ouvir falar de você."

Izzy riu, esperando que ele também risse. Mas ele não riu.

Logo, condutor, animais e carruagem não eram nada além das rodas rangendo ao longe na estrada.

Izzy pegou sua valise e entrou no barbacã. Uma ponte de pedra atravessava o que já tinha sido um fosso, mas que agora era apenas um fio de água verde e cheia de limo.

Ela tinha pesquisado um pouco antes da viagem. Não havia muito o que ler. Apenas que o Castelo Gostley tinha sido, no tempo dos normandos, a sede do Ducado de Rothbury.

Não parecia habitado agora. Não havia vidro em muitas janelas. Nenhuma luz nelas, também. Deveria existir uma grade corrediça ali, que pudesse ser baixada para fechar a entrada, mas não havia nada. Nem porta nem portão.

Ela passou por baixo da arcada e chegou ao pátio central.

"Lorde Archer?" A voz dela sumiu no ar. Ela tentou de novo. "Lorde Archer, você está aí?" Dessa vez, sua voz ganhou um eco respeitável nas pedras. Mas nenhuma resposta. Ela estava sozinha.

Atordoada pelo local estranho em que se encontrava e fraca de fome, Izzy fechou os olhos e respirou profundamente.

Você não pode desmaiar. Só tolinhas e tuberculosas desmaiam e você não é nada disso.

Então começou a chover. Gotas grandes e pesadas de uma chuva de verão – do tipo que sempre lhe pareceram libidinosas e pervertidas, aquelas gotas de verão bêbadas e gordas, gargalhando e se jogando alegremente na terra.

Ela estava ficando toda molhada, mas a alternativa de buscar abrigo debaixo de um dos arcos sombrios era muito menos atraente.

Um farfalhar abafado fez com que ela pulasse e se virasse. Era apenas um corvo alçando voo. Ela assistiu ao pássaro sobrevoar a muralha do castelo e se afastar.

Izzy soltou uma risada. Sério. Aquilo era demais. Um castelo imenso, desocupado, chuva e também corvos? Alguém estava lhe pregando uma peça de mau gosto.

Então ela viu um homem do outro lado do pátio, parado sob uma arcada escura. E se ele fazia parte daquela peça, não era nem um pouco de mau gosto.

Existem coisas na natureza cuja beleza vem de sua estrutura delicada e simetria perfeita – flores, conchas marinhas, asas de borboleta –, e existem as coisas que são lindas por seu poder natural e por sua recusa em serem dominadas, como montanhas cobertas de neve, nuvens de tempestade, leões descabelados com dentes afiados.

Aquele homem diante dela? Ele pertencia, sem nenhuma dúvida, à segunda categoria. Assim como o lobo sentado aos pés dele.

Não podia ser um lobo, Izzy disse para si mesma. Devia ser um tipo de cachorro. Fazia tempo que os lobos tinham sido extintos daquela região. O último lobo da Inglaterra morreu décadas atrás.

Se bem que ela pensava que esse tipo de homem também estava extinto...

Ele se mexeu e uma fenda de luz fraca revelou a metade inferior de seu rosto. Izzy reparou nos lábios largos, finos e sensuais. Um maxilar anguloso, escurecido pela barba por fazer. O cabelo comprido que roçava o colarinho. Ele vestia apenas uma camisa, aberta no pescoço por baixo do paletó. Calças de camurça justas da cintura magra até as coxas musculosas... E dali suas pernas desapareciam dentro de botas encharcadas e sujas.

Oh, céus. Izzy tinha mesmo uma queda por homens calçando botas surradas. Elas a deixavam desesperada para saber por onde aqueles pés tinham andado.

O coração dela bateu mais rápido. Isso não a ajudou com sua tontura.

"Você é Lorde Archer?", ela perguntou.

"Não." A palavra saiu em voz baixa, implacável.

A fera a seus pés rosnou.

"Oh. Lorde Archer está aqui?"

"Não."

"Você é o zelador?", ela perguntou. "Lorde Archer está para chegar?"

"Não. E não."

O que era aquilo na voz dele? Ele estava achando graça?

Izzy engoliu em seco.

"Eu recebi uma carta de Lorde Archer. Ele me pediu que o encontrasse aqui, nesta data, a respeito de negócios com o espólio do finado Conde de Lynforth. Parece que ele me deixou algum tipo de herança." Ela mostrou a carta, que lhe estendeu com a mão trêmula. "Aqui está. Você gostaria de ler?"

"Não." A sombra de um sorriso surgiu em seus lábios.

Izzy retraiu a mão com o máximo de calma que conseguiu reunir e guardou a carta no bolso.

Ele apoiou um ombro na arcada.

"Nós não vamos continuar?"

"Continuar o quê?"

"Com o jogo." A voz dele era tão baixa que parecia rastejar até ela pelas pedras que pavimentavam o pátio, para então penetrar nela pelas solas de seus pés. "Eu sou um príncipe russo? Não. Minha cor favorita é amarelo? Não. Eu me oporia a você entrar e tirar cada peça de roupa molhada?" A voz dele fez o impossível. Ficou ainda mais baixa. "Não."

Agora ele estava só se divertindo com ela. Izzy apertou sua valise junto ao peito. Ela não queria que Bola de Neve ficasse molhada.

"Você trata todas as suas visitas assim?"

Idiota. Ela se xingou mentalmente e se preparou para outro "não" debochado.

"Só as bonitas", ele respondeu.

Oh, Senhor. Ela já devia ter imaginado. A fadiga e a fome estavam afetando seu cérebro. Ela podia acreditar no castelo, nos corvos, na aparição repentina de um homem alto, sensual e atraente. Mas agora ele estava flertando com ela? Izzy só podia estar alucinando.

A chuva continuava se derramando, impaciente para chegar das nuvens à terra. Izzy ficou observando as gotas que pingavam nas pedras do pátio. Cada uma delas parecia tirar uma lasca da força de seus joelhos.

As paredes do castelo começaram a girar. Sua visão escureceu nas bordas.

"Eu... Me desculpe, eu..."

A valise caiu no chão. A fera rosnou para ela. O homem saiu das sombras. E Izzy caiu desmaiada.

A garota desabou no chão com um baque, espirrando água para todo lado.

Ransom estremeceu com aquela ironia. Apesar de tudo que tinha acontecido, ele ainda fazia as mulheres desmaiarem. De um jeito ou de outro.

Ele deu um comando em voz baixa ao cachorro. Depois que este terminou sua inspeção com o focinho molhado, Ransom afastou o animal e fez sua própria investigação.

Ele passou as mãos pelo amontoado inerte de articulações e membros diante de si. Musselina molhada, botas gastas. Mãos pequenas, punhos finos. Não havia muita mulher ali. Ela parecia ser metade anáguas e metade cabelo.

E, Deus, que cabelo. Espesso, cacheado e abundante.

Ele sentiu o bafo quente da respiração dela em sua pele e desceu a mão, à procura das batidas do coração da garota.

Sua palma roçou um seio arredondado.

Um surto de... alguma coisa... passou por ele, de repente. Não foi desejo, apenas um despertar de sua virilidade. Aparentemente, ele devia parar de pensar nela como "uma garota". Ela era, com certeza, "uma mulher".

Ransom praguejou. Ele não queria visitas. Principalmente visitas femininas. A filha do vigário local, a Srta. Pelham, fora o suficiente. Ela aparecia no castelo quase toda semana, oferecendo-se para ler sermões ou alguma outra bobagem. Pelo menos, quando a Srta. Pelham fazia sua marcha colina acima sob o sol, com a cesta de boas ações pendurada em um braço, ela vinha esperando encontrar um homem em ruínas, cheio de cicatrizes e com a barba por fazer. E ela era sensata demais para desmaiar ao vê-lo. A mulher esparramada diante dele, por outro lado, não esperava encontrar Ransom.

O que ela tinha dito sobre um certo Lorde Archer? Ela tinha uma carta, em algum lugar, que explicava tudo, mas ele não podia se preocupar com isso. Ransom precisava levá-la para dentro – aquecê-la, dar-lhe um pouco de uísque e chá com leite. Quanto antes ela recobrasse os sentidos, tanto antes iria embora.

Ele pegou aquela mulher encharcada e inconsciente em seus braços e se levantou. Depois distribuiu o peso dela, encontrando o ponto de equilíbrio entre os quadris e os ombros da moça, para então começar a subir os degraus que os levariam para dentro.

Ele contou os passos. Cinco... seis... sete... No oitavo passo, ela se remexeu em seus braços. Ele congelou, preparando-se para algo desagradável. Ela desmaiou quando o viu pela primeira vez, se ao acordar se visse sendo carregada por ele, talvez morresse de choque. Ou estourasse os tímpanos dele com um grito. Era tudo que ele não precisava – um problema de audição.

Ela murmurou algo com a voz fraca, mas não acordou. Não, ela fez algo muito pior: se aconchegou.

Virando para o lado, ajeitando-se nos braços dele, ela encostou o rosto em seu peito, em busca de calor. E soltou um gemido tênue e rouco.

Outro surto de... algo... passou por ele. Ransom parou por um momento, absorvendo a energia que o invadiu antes de continuar a subir.

Malditos fossem os deuses. A única coisa que Ransom queria menos do que uma mulher desmaiada era uma mulher aconchegada. Desde que tinha se machucado, ele não gostava de ninguém perto demais. E ele não precisava de aconchego, obrigado. Ele tinha um cachorro.

O animal foi na frente quando ele chegou ao alto da escada e virou para entrar no grande salão do castelo. Aquele espaço era, mais ou menos, seu acampamento. Ele dormia ali, comia ali, bebia ali, ele... praguejava e se preocupava ali. Seu criado, Duncan, estava sempre querendo que ele abrisse mais aposentos do castelo, mas Ransom não via o porquê disso.

Ele ajeitou a garota – a mulher – no decrépito sofá de crina de cavalo e aproximou o móvel da lareira. Os pés do sofá rangeram no chão de pedra. Ele esperou para ver se ela se mexia... Nada. Ele chacoalhou de leve o ombro dela... Nada.

"Acorde", ele disse em voz alta. "Olhe só, é Lorde Archer." Nada.

Ransom puxou uma cadeira e se sentou ao lado dela. Cinco segundos depois ele se pôs outra vez de pé e ficou andando de um lado para o outro. Vinte e três passos para a janela mais à esquerda e de volta. Ele tinha seus pontos fortes, mas paciência não era um deles. Inatividade o tornava um animal rabugento, mal-humorado.

Quando Duncan voltasse, Ransom poderia enviá-lo à procura de um médico. Mas o criado ainda deveria demorar horas para chegar.

Magnus ganiu e focinhou suas botas. Ransom mandou o cachorro se deitar em seu tapete, perto da lareira. Então ele se agachou ao lado do sofá e colocou a mão no pescoço da mulher. Ele deslizou as pontas dos dedos por aquela coluna delgada e delicada até encontrar o pulso dela. Os batimentos cardíacos estavam mais fracos do que ele achava correto, e rápidos como um coelho. Droga.

Ela virou a cabeça, deslizando a face macia para cima de sua mão. E lá estava ela de novo, aconchegando-se. O toque liberou a sugestão tênue de uma fragrância suave e feminina.

"Tentadora", ele murmurou com amargura.

Se ele era obrigado a receber em sua casa uma mulher que desmaiava e que gostava de se aninhar, por que não podia ser uma que cheirasse a vinagre e queijo velho? Não, ele tinha que receber uma que cheirasse a alecrim e talco.

Ele apertou o polegar na bochecha molhada de chuva.

"Pelo amor de Deus, mulher, acorde."

Talvez ela tivesse batido a cabeça nas pedras do piso. Ele levou os dedos ao cabelo desgrenhado dela e puxou os grampos. Havia uma dúzia, pelo que lhe pareceu, e a cada um que Ransom tirava, a massa de cabelo parecia ficar mais revolta. Mais indomada. Os cabelos cacheados se enroscavam e emaranhavam entre seus dedos, obstruindo o exame que pretendia fazer. Quando ele, afinal, se deu por satisfeito que o crânio dela estivesse intacto, Ransom podia jurar que aquela cabeleira estava viva. E faminta.

Mas o crânio estava intacto, sem calombos ou inchaços que ele pudesse detectar. E ainda assim ela não produzia nenhum som.

Talvez ela tivesse se machucado em outro lugar. Ou talvez o espartilho estivesse muito apertado. Só havia um modo de saber.

Com um suspiro impaciente, ele tirou o paletó e arregaçou as mangas. Rolando-a de lado, ele afastou aquele cabelo predador e lançou os dedos à tarefa de desabotoar a parte de trás do vestido dela. Fazia tempo que Ransom não praticava, mas existem certas coisas que um homem não esquece. Desabotoar a roupa de uma mulher é uma delas... E desamarrar um espartilho é outra.

Enquanto soltava os laços do espartilho, ele sentiu a caixa torácica dela se expandir debaixo de suas mãos. Ela se remexeu e soltou um suspiro gutural, sensual.

Ele congelou. Outro surto de... alguma coisa... pulsou em suas veias, e dessa vez ele não podia ignorar, como se fosse alguma bobagem. Dessa vez era desejo, puro e simples. Ransom estava há um longo e perigoso tempo sem ter uma mulher em seus braços.

Ele procurou ignorar sua reação física. Com movimentos ágeis e decididos, ele puxou as mangas do vestido pelos braços dela, procurando sentir alguma fratura nos ossos. Então ele começou a baixar o corpete até a cintura dela. Ransom não podia deixá-la com aquelas roupas molhadas, pois ela poderia se resfriar.

Ele mereceria muita gratidão dela, quando acordasse, mas por algum motivo ele duvidava que a mulher demonstrasse esse sentimento.

Izzy recuperou a consciência com um sobressalto.

Ela estava em um ambiente fechado, dentro do castelo. Colunas se erguiam ao redor dela como árvores antigas, elevando-se para apoiar o teto arqueado de um grande salão cavernoso.

Olhando em volta, ela viu móveis em diferentes níveis de degradação espalhados pelo salão. A extremidade mais próxima da parede abrigava uma lareira imensa. Izzy teve certeza que, se não fosse o fogo ardendo, ela caberia ali dentro sem precisar se abaixar. As chamas daquela fornalha não eram alimentadas por madeira partida, mas por troncos inteiros de árvore.

Ela estava deitada em um sofá velho e empoeirado. Um cobertor áspero de lã tinha sido jogado sobre seu corpo. Ela espiou por baixo dele e estremeceu. Izzy tinha sido despida de vestido, espartilho, anáguas e botas. Restavam apenas a chemise e as meias.

"Oh, céus."

Ela levou a mão ao cabelo solto. Sua tia Lilith tinha razão. Ela sempre implicou com Izzy durante os verões que a garota passou em Essex. "Não importa que ninguém vai ver", a tia guinchava. "Sempre – sempre – use roupa de baixo e meias limpas. Você nunca sabe quando um acidente pode acontecer."

Oh... bom... Deus. De repente, ela recordou de tudo. A chuva... o desmaio... Izzy olhou para cima e lá estava ele. O Acidente.

"Você acordou", ele disse, sem se virar para confirmar.

"Acordei. Onde estão minhas coisas?"

"Sua valise está a dois passos da entrada, à direita."

Izzy torceu o pescoço e olhou para a valise, bem onde ele disse que estaria. Ela não estava aberta nem se mexendo. Bola de Neve devia continuar dormindo. Isso era um alívio.

"Seu vestido está ali." Ele fez um gesto na direção em que a peça de roupa estava pendurada, no encosto de duas cadeiras, secando junto ao fogo. "Suas anáguas estão penduradas naquela outra mesa, e o espartilho está no outro..."

"Obrigada." Izzy queria morrer. Toda aquela situação era humilhante. Desmaiar aos pés de um estranho já era constrangedor o bastante, mas ela tinha que ouvi-lo catalogando sua roupa de baixo? Izzy apertou o cobertor junto ao peito. "Você não precisava se incomodar."

"Você precisava respirar. E eu precisava ter certeza que você não estava sangrando nem tinha quebrado alguma coisa."

Ela não sabia ao certo por que isso exigia que ele a despisse, deixando-a só com a roupa de baixo. Uma olhada rápida bastaria para verificar se ela estava sangrando.

"Você está doente?", ele perguntou.

"Não. Pelo menos, não que eu saiba."

"Está grávida?"

A gargalhada de Izzy assustou o cachorro.

"Com certeza, não. Não sou o tipo de mulher que fica desmaiando, prometo. Só não comi muita coisa hoje." Nem ontem, nem anteontem.

A voz dela estava rouca e rascante. Talvez estivesse pegando um resfriado. Isso ajudaria a explicar o desmaio.

Durante toda essa conversa, seu anfitrião permaneceu junto à lareira, de costas para Izzy. O paletó ficava justo nos ombros dele, e um pouco mais solto ao redor do tronco. Talvez ele tivesse perdido peso recentemente. Mas ainda restava bastante corpo ali, magro e firme. Aquele homem era muito parecido com o grande salão que os abrigava. Um pouco mal cuidado, mas de constituição impressionante e forte até os ossos.

E aquela voz. Oh, como era perigosa.

Ela não sabia o que a incomodava mais: que aquele estranho belo e misterioso tivesse tomando tanta liberdade com sua pessoa – carregando-a nos braços, desamarrando seu espartilho, soltando seu cabelo e deixando-a apenas com a mais fina de suas roupas de baixo –, ou que ela, de algum modo, tivesse ficado desacordada durante tudo isso.

Ela olhou mais uma vez para ele, uma silhueta recortada pelas chamas alaranjadas.

A segunda opção. Com certeza, a segunda. Os quinze minutos mais excitantes da sua vida, e ela ficou o tempo todo desacordada. Izzy, sua idiota.

Mas embora ela não se lembrasse de ser carregada da chuva para dentro do castelo, seu corpo tinha memória própria. Por baixo do que restava de suas roupas, ela queimava com a sensação de mãos fortes em sua pele fria. Como se o toque dele estivesse impresso em seu corpo.

"Obrigada", ela disse. "Foi muita gentileza sua me carregar para dentro."

"Tem chá. À sua esquerda."

Uma caneca lascada com líquido fumegante descansava sobre uma mesa próxima – à esquerda dela, como ele disse. Izzy a pegou com as duas mãos, deixando o calor penetrar em sua pele antes de dar um gole longo e revigorante.

Fogo desceu por sua garganta e ela tossiu.

"O que tem aqui?"

"Leite", ele respondeu. "E uma gota de uísque."

Uísque? Ela bebeu de novo, já que não estava em condições de ser exigente. Quando encarada com o devido cuidado, a bebida não era tão ruim. Ao engolir, um calor forte, fumacento, espalhou-se por ela.

Na mesma mesa ela encontrou um pequeno pedaço de pão, que atacou, faminta.

"Quem é você?", ela perguntou, entre um bocado de pão e outro. A tia Lilith não aprovaria seus modos.

"Sou Rothbury. Você está no meu castelo."

Izzy engoliu em seco. Aquele homem afirmava ser o Duque de Rothbury? Parecia demais para que ela pudesse acreditar. Duques não deveriam ter criados, que faziam o chá e os vestiam da forma correta?

Que Deus a ajudasse. Talvez ela estivesse com um louco.

Izzy apertou ainda mais o cobertor. Apesar de suas dúvidas, ela não se arriscaria a provocá-lo.

"Eu não me dei conta", ela disse. "Eu devo tratá-lo por 'Alteza'?"

"Não vejo motivo para isso. Dentro de algumas horas eu espero que você se refira a mim como 'Aquele desgraçado mal-educado que eu importunei em uma tarde chuvosa e nunca mais incomodei'."

"Eu não pretendia causar problemas."

"Mulheres lindas sempre causam problemas. Queiram elas ou não."

Mais provocação. Ou mais loucura. Izzy não sabia bem o quê. A única coisa que Izzy sabia, com certeza, era que ela não era nenhuma beleza. Não importava o quanto beliscasse as faces ou prendesse o indomável cabelo cacheado. Ela era comum e não tinha como mudar essa verdade.

Esse homem, por outro lado, era tudo menos comum. Ela o observou jogar mais lenha na lareira. Ele pegou um tronco, grosso como a coxa dela, e o manuseou como se fosse de papel.

"Eu sou a Srta. Isolde Goodnight", ela decidiu informar. "Talvez você já tenha ouvido falar nesse nome."

Ele atiçou o fogo.

"Por que eu teria ouvido esse nome?"

"Meu pai era Sir Henry Goodnight. Ele era um intelectual e historiador, mas foi mais conhecido como escritor."

"Então isso explica por que não o conheço. Não sou leitor."

Izzy olhou para as janelas em arco. A tarde começava a escurecer. As sombras, cada vez mais compridas, a preocuparam, assim como o fato de que ela ainda não tinha visto bem o rosto de seu anfitrião. Izzy começava a ficar ansiosa para vê-lo, para olhar em seus olhos. Ela precisava saber que tipo de homem a tinha à sua mercê.

"Parece que Lorde Archer ainda vai demorar", ela se arriscou a dizer. "Será que nós podemos acender uma ou duas velas enquanto esperamos?"

Após uma pausa relutante, ele pegou um pedaço de palha, acendeu-o na lareira, e, protegendo a chama com a mão, aproximou-se de uma vela estreita e longa presa sobre a cornija.

Essa pareceu ser uma tarefa difícil para ele. O pavio foi aceso, mas ele manteve a palha no lugar até ela queimar a ponta de seus dedos. Ele praguejou baixo e sacudiu a mão, apagando o fogo.

"Eu não queria incomodar. É só que eu..." Ela não sabia por que iria admitir isso, talvez porque se sentisse culpada por ele ter se queimado para lhe proporcionar conforto. "Eu não gosto do escuro."

Ele se virou para Izzy, segurando a vela. Um lado de sua boca larga foi baixado. "Eu também não me sinto à vontade."

A nova chama projetou uma luz dourada naquele rosto másculo. Izzy estremeceu. As feições dele, aristocráticas e esculpidas, ajudavam a sustentar a afirmação de que ele era um duque. Mas outra característica de seu rosto contava uma história diferente.

Uma cicatriz dramática e irregular, cortava da testa à têmpora, terminando no alto da maçã do rosto. Embora a chama da vela tremulasse e soltasse fagulhas, ele não piscava nem apertava os olhos.

Claro. Aquela constatação ribombou dentro dela. Afinal, alguma coisa naquele dia fazia sentido. Tudo fazia sentido.

O ambiente escuro, sua recusa em ler a carta que ela trouxe, a avaliação manual da saúde de Izzy. As repetidas menções que ele fez à beleza dela, apesar do que deveriam ser amplas as evidências do contrário.

Ele era cego.

## Capítulo Dois

Ransom continuou imóvel, deixando que a vela iluminasse sua face mutilada. Ele esteve mantendo distância para poupá-la dessa visão, mas ela pediu mais luz.

Então ele esperou pela reação dela, permitindo-lhe uma inspeção demorada.

Nada de guincho, exclamações de horror ou o baque surdo produzido pelo corpo dela caindo no chão. Não dessa vez. Ela não transpirou nada, a não ser a mesma fragrância provocante de alecrim.

"Obrigada pela vela", ela disse.

A voz dela era ainda mais atraente do que o aroma. Ela tinha o sotaque de uma moça inglesa protegida – mas com uma característica rouca e sensual.

"Faz muito tempo que você se machucou?", ela perguntou. "Você se machucou em combate? Em um duelo? Acidente?"

"É uma longa história."

"Eu gosto de histórias longas."

Ele depositou a vela sobre a mesa.

"Não desta."

"Perdão. Eu sei que é muita ousadia minha perguntar. Eu tinha decidido não tocar no assunto, mas então eu pensei, é claro que você deve *saber* que eu estou pensando nisso. Se eu fingisse um interesse repentino no teto ou no tempo, isso também seria um tipo de insulto. E você parece o tipo de homem que prefere a honestidade – mesmo que seja negativa – à falta de sinceridade. Então, eu só...", a voz dela caiu meia oitava, "... decidi perguntar."

Ela ficou quieta. Enfim.

Ele estava irritado com a reação do próprio corpo à presença dela, cuja feminilidade era como um lençol de renda ocupando sua cadeira favorita. Não era algo que ele colocaria em sua sala, mas já que estava lá... ele não podia negar que uma parte machucada e negligenciada de sua alma ansiava por aquela suavidade. E a ânsia era tamanha que doía em seus ossos.

"Muito bem, não vou insistir em ouvir a história por trás disso", ela falou, o tom de voz despreocupado. "Mas saiba que, provavelmente, vou inventar uma."

"Invente quantas histórias você quiser. Só não faça de mim o herói em nenhuma delas."

"Quando Lorde Archer chegará?"

Como se Ransom soubesse... Ele não tinha a menor ideia de quem podia ser esse tal de Archer.

"Deve ter havido alguma confusão. Seja quem for que você está procurando, ele não está aqui. Meu criado vai retornar em breve. Vou pedir a ele que acompanhe você até Woolington."

Ela hesitou.

"Então eu acredito que deva me vestir."

"Fique à vontade." Ele fez um gesto de estímulo. "Não tenho um quarto para lhe oferecer. Mas se você ainda não percebeu, não precisa esperar que eu olhe para o outro lado."

Ainda assim, ele se virou para a parede. Ransom estalou a língua, chamando Magnus para perto.

Atrás dele, passos ligeiros atravessaram a sala. O farfalhar das anáguas provocou seus sentidos. Ele estendeu a mão para baixo, para afagar o cachorro.

"Há uma verdadeira montanha de correspondência na sua mesa", ela reparou. "Tem certeza de que Lorde Archer não escreveu para você?"

Ransom ponderou. Ele não podia ter certeza de nada que dissesse respeito à correspondência escrita. Duncan tinha muitas habilidades, mas nenhuma delas o qualificava como um bom secretário.

"É só que... estou grata pela oferta de transporte até Woolington", ela disse. "Mas eu não sei para onde ir a partir de lá. Vejo que você esvaziou minha bolsa sobre a mesa e deve ter reparado como estava vazia."

Ele tinha reparado. Ela possuía exatamente três xelins e dez centavos na bolsa. Nenhuma joia de valor. Ele não examinou a valise, mas esta não pesava quase nada.

"Se você me colocar para fora esta noite, não terei para onde ir."

Ransom percebeu o ligeiro tremor na voz dela.

Ele decidiu não dar atenção a isso. Não conseguia imaginar por que uma jovem faria, sozinha, uma viagem ao centro de Northumberland dispondo de uns poucos xelins.

Mas essa Srta. Goodnight precisava dizer adeus. Ele não lhe queria mal, mas também não tinha nada para lhe oferecer. Se ela procurava por um salvador, tinha encontrado o homem errado.

"Meu criado pode levar você até a igreja da vila", ele disse. "Talvez o vigário..."

Magnus levantou as orelhas sob sua mão. O crânio do cachorro vibrou com um rosnado baixo, quase inaudível.

Um instante depois, Ransom também ouviu o som. Cascos vindo pela estrada em um ritmo desconhecido. Não podia ser Duncan.

"Pode ser que esse Lorde Archer tenha vindo encontrar você, afinal."

"Graças a Deus." Ela soltou um suspiro de alívio.

"É mesmo", ele concordou.

Em questão de instantes, os passos do intruso soaram no pátio.

"Alguém aí? Srta. Goodnight?"

Ela correu para a janela e gritou.

"Aqui em cima, meu lorde. No salão principal."

Depois que o homem entrou no salão, caminhou com decisão na direção dos dois, perto da lareira. Confiante, seguro. Rápido demais.

Ransom cerrou os dentes. Droga, ele detestava isso. Estar sempre em desvantagem, incapaz de controlar a situação.

O atiçador da lareira estava perto de sua mão. Ele o pegou.

"Pare aí mesmo", ordenou Ransom.

Os passos cessaram a cerca de três metros. Ele sentiu uma nova fonte de escrutínio queimar em seu rosto marcado.

"Você é...? Não pode ser." O recém-chegado deu um passo adiante. "Rothbury? Bom Deus! É como ficar diante de um fantasma."

"Eu não conheço você", afirmou Ransom.

"Não, mas eu conheço você." Archer baixou a voz para um sussurro. "Eu estava na lista de convidados. Do lado da noiva."

Ransom rangeu os dentes e manteve o rosto impassível. Ele não daria àquele vira-lata o prazer de uma reação.

"Ninguém vê você há meses", Archer continuou. "Na cidade todos pensam que está morto."

"Bem, os boatos estão errados."

A verdade era ainda pior.

Ransom deu uma batida significativa com o atiçador na pedra. Aquele era o castelo *dele*. Ele não respondia perguntas ali. Ele as fazia.

"Explique-se", ordenou Ransom. "O que você está fazendo, atraindo mulheres inocentes para a minha casa?"

"*Sua* casa?" Archer riu de forma baixa e desconcertante. "Isso vai ser interessante..."

Izzy sentia como se tivesse entrado no terceiro ato de uma peça de teatro. Ela não fazia ideia do que estava acontecendo, mas era algo insuportavelmente dramático.

Lorde Archer realmente tinha o jeito de um ator de boa aparência. Ela se sentiu reconfortada pela gravata engomada e pelas luvas bem ajustadas. Sinais de que a civilização ainda existia em algum lugar do mundo.

"Se você me permitir conversar com a Srta. Goodnight", disse Archer, sem se amedrontar com a arma improvisada que apontava para seu peito, "acredito que todas as suas dúvidas serão esclarecidas."

O Duque de Rothbury – parecia que ele *era* o duque, afinal – baixou o atiçador. De má vontade.

"Fale", ele ordenou.

Lorde Archer se virou para Izzy. Ele sorriu e esfregou as palmas das mãos.

"Eu estava muito ansioso para conhecer a famosa Izzy Goodnight. Minhas sobrinhas vão ficar verdes de inveja." O entusiasmo dele foi diminuindo enquanto ele a observava. "Mas devo dizer que você não é exatamente o que eu esperava."

Izzy conteve um suspiro. Ela nunca correspondia às expectativas.

"Eu sempre imaginei você como uma criança de olhos grandes", ele disse.

"Eu tinha 12 anos quando as histórias do meu pai começaram a aparecer na *Revista dos Cavalheiros*. Mas isso já faz quase catorze anos. E, como manda a natureza humana, eu envelheci um ano a cada ano que se passou."

"Sim", ele balançou a cabeça. "Eu imagino que você tenha envelhecido."

Izzy apenas sorriu como resposta. Há muito ela tinha desenvolvido o hábito de racionar seus comentários quando falava com os admiradores de seu pai. Os Lordes Archers desse mundo não queriam que Izzy fosse uma mulher crescida com seu próprio conjunto de gostos e desgostos, sonhos e desejos. Eles queriam que ela fosse a garota de olhos grandes das histórias. Dessa forma eles poderiam continuar a ler e reler seus amados contos, imaginando-se no lugar dela.

Pois esse era o encanto dos *Contos de Goodnight*. Quando os leitores deleitavam-se com cada episódio semanal, sentiam-se aconchegados debaixo daquela colcha púrpura. Eles se viam olhando para o teto pintado com luas prateadas e estrelas douradas, o cabelo espalhado sobre o travesseiro para a mão de um pai amoroso acariciar. Eles esperavam pela mesma promessa, já conhecida, dos textos do pai:

*Feche os olhos, minha querida Izzy, que eu vou lhe contar uma história...*

A verdade sobre a infância dela não combinava com o que foi impresso naquelas revistas. Mas quando ela deixava isso escapar – oh, como as pessoas se ressentiam dela. Esses leitores olhavam para Izzy como se ela tivesse arrancado as asas da Fada Madrinha.

Lorde Archer sentou no braço do sofá, inclinando-se na direção dela, confiante.

"Diga, eu sei que devem perguntar isso para você o tempo todo. Mas minhas sobrinhas me matariam se eu não tentasse. Será que seu pai..."

"Não, meu lorde." Ela forçou um sorriso. "Eu não sei como Cressida foge da torre. E receio não ter ideia de qual seja a verdadeira identidade do Cavaleiro das Sombras."

"E Ulric continua pendurado naquele parapeito?"

"Até onde eu sei. Sinto muito."

"Deixe para lá." Ele lhe deu um sorriso simpático. "Não é sua culpa. Você deve se sentir mais torturada pelas dúvidas do que qualquer outra pessoa."

*Você não faz ideia.*

Izzy, com certeza, era quem se sentia mais torturada pelas dúvidas. Ela ouvia essas mesmas perguntas pelo menos três vezes por semana, pessoalmente ou por meio de cartas. Quando seu pai morreu de repente devido a uma apoplexia, sua saga – que ainda estava sendo escrita – também foi interrompida. Seus amados personagens foram deixados em todos os tipos de situações perigosas. Trancados em torres e pendurados em precipícios.

Izzy se via na situação mais desesperadora. Despojada de todas as suas posses e expulsa do único lar que tinha conhecido. Mas ninguém pensava em perguntar como *ela* estava. Todos se preocupavam com Cressida trancada na torre e seu amado Ulric pendurado no parapeito.

"Meu pai ficaria muito grato pelo seu interesse", disse Izzy. "Eu também fico." E era verdade. Apesar de sua situação atual, ela sentia orgulho do legado de Goodnight.

O duque pigarreou, junto à lareira.

"Meu lorde", Izzy disse. "Acredito que nosso anfitrião gostaria que fôssemos embora. Posso lhe perguntar sobre a herança que meu padrinho me deixou?"

"Ah, sim." Lorde Archer remexeu em uma pequena maleta. "Eu trouxe todos os documentos. Podemos resolver tudo hoje. Rothbury pode entregar a chave hoje, se houver alguma."

"Chave?", ela se endireitou no sofá. "Não estou entendendo."

"Sua herança, Srta. Goodnight, é isto aqui. O castelo."

Ela ficou sem fôlego.

"*O quê?*"

Com uma voz sombria, o duque também protestou.

"Impossível!"

Lorde Archer apertou os olhos para os documentos.

"Aqui estamos", ele começou. "'Para a Srta. Isolde Ophelia Goodnight eu deixo a propriedade conhecida como Castelo Gostley'. Pronuncia-se 'Ghostly' ou 'Ghastly'?", perguntou Lorde Archer. "Parece certo dos dois jeitos."

"Eu pensei que a herança fosse dinheiro", disse Izzy, sacudindo a cabeça. "Cem libras, talvez duzentas."

"Não tem dinheiro, Srta. Goodnight. Apenas o castelo. Lynforth tinha várias afilhadas, e parece que ele as presenteou com poucos cavalos ou fitas para o cabelo ao longo dos anos. Nos últimos meses de sua vida ele decidiu dar o sonho de toda garota para cada uma das afilhadas; seu próprio castelo."

"Espere um pouco", o duque interrompeu. "Este castelo está na minha família há centenas de anos."

Archer consultou os papéis antes de falar.

"E parece que foi vendido para Lynforth alguns meses atrás." Ele olhou por sobre os papéis, observando Izzy. "Eu estou vendo que você parece surpresa com isso."

"Estarrecida, na verdade", Izzy admitiu. "O conde era gentil comigo, mas ele nem mesmo era meu padrinho. Não de verdade. Ele foi o patrono do meu pai na Corte."

Izzy tinha encontrado Lorde Lynforth algumas vezes, sendo a mais recente quando seu pai recebeu o título de cavaleiro. Nessa ocasião ilustre, o querido velhinho entregou para Izzy um bombom, que trazia no bolso do colete, e lhe fez um cafuné. Não importava que ela estivesse a alguns dias de seu aniversário de 22 anos. A intenção dele foi boa.

E agora o bom velhinho tinha lhe deixado um castelo? *Um castelo!*

Archer colocou um maço de papéis na mão de Izzy.

"Está tudo aí. Uma cópia do testamento, a escritura da propriedade. Este castelo – e tudo dentro dele – agora é seu."

Ela piscou várias vezes, encarando o calhamaço de papéis.

"O que eu vou fazer com este lugar?"

"Se não quiser morar nele?" Lorde Archer olhou para o teto muito alto e deu de ombros. "Eu imagino que você possa reformá-lo. E tentar vend..."

Um estrondo.

Izzy se abaixou quando alguma coisa explodiu na parede oposta. Ela olhou ao redor em busca da origem da explosão, mas não precisou procurar muito. Em outra assustadora explosão de fúria, o duque ergueu mais uma cadeira e a arremessou contra a parede.

Outro estrondo.

Pedaços de madeira caíram no chão. Em seguida, o duque ficou parado, ofegante, com cada músculo tensionado e retesado. Ele era um retrato magnífico, etéreo e inegavelmente *viril* da raiva. Izzy estava dividida entre admiração e medo.

"Ela não pode ficar com o castelo!", ele exclamou. "Ela não pode morar nele ou reformá-lo para vender." Ele bateu o punho fechado no peito e os pelos no braço de Izzy ficaram eriçados. "Eu sou Ransom William Dacre Vane, o décimo-primeiro Duque de Rothbury. Este é o *meu* castelo."

O cachorro-lobo rosnou. A tensão cresceu e tomou conta do salão, chegando até o teto arqueado.

Lorde Archer mexia nos papéis à vontade. Ignorando o fato de que parte da mobília tivesse explodido há pouco.

"Sim, bem, duque ou não... as coisas não parecem estar dando certo para você ultimamente. Certo, Rothbury?"

O duque não respondeu. A não ser que fúria incontrolável pudesse ser considerada uma resposta – e nesse caso, sua resposta foi veemente.

"Receio que os documentos sejam bem claros", afirmou Archer. "O castelo agora pertence à Srta. Goodnight."

"Não pode ser", respondeu o duque. "Porque eu não o vendi."

"Quando um homem desaparece da face da Terra por sete meses, acredito que seus advogados começam a cuidar das coisas." Archer olhou para a comprida mesa atulhada de envelopes não abertos. "É provável que a informação esteja em algum lugar daquela avalanche postal."

Izzy olhou para os papéis em sua mão. Ela chegou com uma bolsa vazia e a barriga roncando. E ela continuava com a bolsa vazia e a barriga roncando. Mas agora possuía um castelo. E não qualquer castelo, mas um que já vinha com um duque.

"Muito bem, então. Está feito. Vou embora." Depois de fechar a maleta com um estalido, Lorde Archer pegou sua mala e se moveu em direção à saída.

"Espere!" Izzy correu atrás dele, segurando-o pela manga. Ela baixou a voz. "Você pretende simplesmente me deixar aqui? Sozinha, neste... neste castelo assustador e fantasmagórico? Certamente não."

"Srta. Goodnight, por mais que eu adorasse a possibilidade de passar mais tempo neste lugar encantador, sou um homem muito ocupado. O testamento de Lynforth está me fazendo percorrer toda a Inglaterra, distribuindo estas montanhas de pedra para jovens desavisadas. Eu poderia lhe oferecer uma carona até a vila. Mas com certeza seu cocheiro virá buscá-la em breve, não é mesmo?"

*Cocheiro?* Claro. Lorde Archer nunca acreditaria que ela estava desamparada – sem dinheiro, lar ou transporte. Ele pressupunha que a magnífica carruagem dela, com seus cavalos brancos, estivesse por perto. E a menos que ela quisesse manchar a memória de seu pai, expondo-o como um perdulário descuidado, Izzy não poderia corrigir essa presunção.

"Sim, ele virá me buscar logo", ela disse, a voz fraca. "Sem dúvida."

Lorde Archer olhou ao redor do castelo e depois para ela. Ele franziu o cenho, divertindo-se com alguma coisa, e então fez a coisa mais imperdoável de todas.

Afagou, de modo paternal, a cabeça dela.

"Essa é a pequena Izzy Goodnight. Você adora mesmo uma aventura."

## Capítulo Três

"Bem", Izzy se arriscou a falar, alguns minutos depois do silêncio sombrio em que Lorde Archer os deixou quando foi embora, "esta situação é constrangedora."

"Constrangedora." O duque andava de um lado para outro, balançando os braços ao lado do corpo. Então ele parou de repente e repetiu, "*constrangedora*."

A palavra ecoou no grande salão, ricocheteando nos arcos do teto.

Izzy ficou parada onde estava. Constrangida.

"A adolescência", ele começou, "é constrangedora. Comparecer ao casamento de uma antiga amante é constrangedor. Fazer amor andando a cavalo pode ser constrangedor."

Ela concordava com ele, pelo menos no primeiro exemplo. Izzy teria que aceitar sua palavra com relação aos itens dois e três.

"Esta situação não é constrangedora", ele declarou. "Isto é traição."

"Traição?", ela apertou o maço de papéis. "Tenho certeza de que não fiz nada traiçoeiro, Alteza. Eu não pedi a Lorde Lynforth que me deixasse um castelo. Eu não o conhecia melhor do que conheço você."

"Este castelo não era de Lynforth para que ele pudesse dá-lo." A voz dele era baixa e severa. "E você não me conhece nem um pouco."

Talvez não. Mas bem que ela gostaria. Izzy não podia evitar, ele era interessante demais.

Agora que estavam a sós outra vez, ela aproveitou a oportunidade para estudar o rosto dele. Tirando a cicatriz, a anatomia facial do duque era um cenário altivo e nobre, com maças do rosto fortes e um maxilar largo, quadrado. O cabelo era castanho claro, uma cabeleira marrom banhada por fios dourados. Mas os olhos... aqueles eram olhos celtas. Escuros, puxados, penetrantes e totalmente reservados.

Seria difícil ler aqueles olhos mesmo se ele tivesse visão perfeita. Se não fosse pela dificuldade do duque em manusear a vela, Izzy poderia ter demorado horas para perceber que ele era cego.

Havia uma centena de perguntas que ela queria fazer para ele. Não, eram mil perguntas. E as mais idiotas eram as que clamavam por respostas.

*Você já fez mesmo amor enquanto cavalgava?*, ela queria perguntar. *Isso é possível? Foi assim que você se machucou?*

"Alteza, eu não pretendo despejá-lo." Ela imaginava que um homem daqueles não poderia ser *obrigado* a fazer alguma coisa. "Eu não sou sua inimiga. Mas parece que sou sua senhoria."

"Minha *senhoria*", ele repetiu, incrédulo.

"Isso. E com certeza nós podemos chegar a um entendimento."

"Um *entendimento*."

Ele andou a passos largos até o outro lado do salão, percorrendo o espaço entre os móveis com tanta facilidade que Izzy até sentiu inveja. *Ela* tropeçava mais do que ele, pois mesmo tendo uma visão perfeita, era totalmente desastrada.

Caso estivesse se recuperando no Castelo Gostley desde o acidente, ele devia ter trabalhado sem descanso para mapear o local em sua cabeça. Ela começou a entender por que ele odiaria ter que ir embora dali. Mesmo que tivesse propriedades melhores em outros lugares, mudar de casa significaria começar tudo outra vez. Izzy não queria ser a proprietária sem coração que expulsaria um cego de sua casa.

Ransom pegou a valise dela no lugar em que jazia, perto da entrada – dois passos à direita da porta, como ele havia dito antes. Então ele andou a mesma distância de volta e a colocou sobre a mesa.

"Entenda uma coisa", ele disse. "Você vai embora."

"O quê?" Pânico começou a se formar no peito de Izzy enquanto ela olhava para a valise. "Mas eu não tenho para onde ir, nem meios de ir para algum lugar!"

"Eu não acredito nisso. Se o seu pai era tão conhecido por toda a Inglaterra – com título de cavaleiro, até – você tem que ter dinheiro. Ou pelo menos amigos."

Aos pés dele, o cachorro-lobo começou a rosnar.

"O que tem nesta valise?", ele perguntou, franzindo o cenho.

"É minha..." Ela fez um gesto de pouco caso. "Não é nada importante. Eu já lhe disse que não vou pedir que vá embora, Alteza. Mas você também não pode me expulsar."

"Ah, eu não posso?" Ele abriu o fecho da valise.

"Não, por favor!", Izzy pediu, pulando para a frente. "Tenha cuidado. Ela está dormindo. Se você a assustar, vai..."

Tarde demais.

Com um grito primitivo de dor, ele puxou a mão de dentro da valise.

"Filha da..."

Izzy estremeceu. Como ela temia, tinha algo pendurado no dedo dele. Uma coisa pequena e dentuça. Um predador branco e marrom.

"Bola de Neve, *não*."

O cachorro enlouqueceu e começou a pular e latir, tentando alcançar a criatura feroz que atacava seu dono. Ransom xingou e levantou o braço, recuando em círculos, tentando manter os dois animais afastados. Mas Bola de Neve *sendo* Bola de Neve, apertou ainda mais os dentes.

"Bola de Neve!" Izzy tentou cercar as duas feras. "Bola de Neve, solte-o!"

Finalmente, ela subiu na mesa e agarrou o pulso do duque. Izzy utilizou os dois braços para segurar o punho dele e usou todo seu peso para mantê-lo no lugar.

Então ela fez uma pausa, esforçando-se para ignorar a intimidade acidental que aquela posição provocava. O ombro dele era uma pedra encostada na barriga dela. E o cotovelo dele se abrigava, apertado, entre seus seios.

"Fique parado, por favor", ela disse, esbaforida. "Quanto mais você se debater, mais forte ela aperta os dentes."

"Não estou me *debatendo*. Eu não me debato."

Não, ele não se debatia. Ao agarrar o braço dele daquela forma, Izzy percebeu a força que havia naquele corpo. Mas ela também percebeu outra força. O autocontrole dele.

Se ele quisesse, poderia jogar tanto Izzy quanto Bola de Neve contra a parede, com a mesma facilidade com que destruiu aquelas cadeiras.

Ela concentrou até as mãos pararem de tremer e as levou até Bola de Neve. Com os dedos, Izzy obrigou o animal a abrir as mandíbulas pequeninas.

"Solte-o, querida. Pelo bem de todos nós, solte o duque."

Ela conseguiu, enfim, fazer com que Bola de Neve soltasse o dedo sangrento do duque.

Todos os seres vivos naquele salão suspiraram.

"Pelos céus, Goodnight!" Ele chacoalhou a mão. "O que é isso? Um rato?"

Izzy desceu da mesa apertando Bola de Neve junto ao peito.

"Não é um rato. É uma doninha."

Ele xingou.

"Você carrega uma fuinha em sua valise?"

"Não. Eu carrego uma *doninha*."

"Doninha, furão, fuinha. São todos a mesma coisa", ele exclamou.

"Não são, não", Izzy retrucou, afagando a cabeça da pequena Bola de Neve, para acalmá-la. "Bem, talvez sejam... mas *doninha* parece mais digno."

Ela deitou Bola de Neve em uma mão e coçou a barriga dela com a outra, então a recolocou na valise e abriu a portinha da bola dela – uma gaiola esférica feita de arame dourado.

"Pronto", Izzy suspirou. "Agora seja boazinha."

O cachorro rosnou para Bola de Neve. Em resposta, esta retraiu os lábios, mostrando dentes afiados como agulhas.

"Seja uma boa menina", Izzy sussurrou, mas com firmeza dessa vez. Ela se voltou para o duque. "Alteza, deixe-me ver sua ferida."

"Não é nada."

Sem lhe dar ouvidos, ela segurou o pulso dele e examinou a ponta do dedo.

"Tem bastante sangue aqui. É melhor limparmos o machucado. Isso não pode esperar. Talvez nós possamos... Oh."

Enquanto Izzy tagarelava, Ransom pegou uma garrafa de uísque na mesa e despejou uma dose farta do líquido âmbar sobre a ferida.

Izzy estremeceu só de olhar.

Ele nem piscou.

Então ela pegou um lenço limpo em seu bolso.

"Aqui. Deixe-me ver."

Enquanto enxugava o ferimento, ela estudou a mão dele. Grande, forte e marcada por todo tipo de pequenos cortes e queimaduras – alguns ferimentos recentes, outros cicatrizados. No dedo anelar, ele ostentava um anel de sinete de ouro. O brasão oval era imenso. Aparentemente, todas as posses dos duques eram *grandes*.

"A ferida ainda está sangrando", ela disse. "Devo supor que você não tem um emplastro?"

"Não."

"Então vamos só aplicar pressão para estancar o sangramento. Pode deixar que eu faço, já cuidei de casos assim antes." Ela enrolou o lenço no dedo dele e apertou forte. "Pronto. Agora nós esperamos uns dois minutos."

"Eu aperto." Ele se afastou com um repelão e pressionou a ferida ele mesmo.

Assim começou o minuto mais longo e carregado de sensualidade da vida de Izzy.

No passado ela sofreu muitas ilusões românticas e amores não correspondidos. Mas Izzy perdeu a paciência com intelectuais melancólicos de tweed e poetas com cabelo desgrenhado e alma angustiada.

O Duque de Rothbury era diferente de qualquer cavalheiro por quem ela tinha se interessado. Ele era firme, inflexível, e mesmo antes de seu acidente, não gostava de ler. E mais, os dois estavam envolvidos em uma disputa pela propriedade, e ele ameaçou jogar Izzy na noite fria de Northumberland. Apesar de tudo isso, a barriga de Izzy abrigava uma festa vertiginosa de grilos e borboletas.

Ele estava tão *perto*. E era tão *alto*. E tão *autoritário*. Tão *másculo*.

O seu corpo, repleto de desejos femininos, queria aceitar esse desafio. Talvez essa fosse a sensação que os alpinistas sentem quando estão diante de uma montanha altíssima, coberta de neve. Exultantes com as possibilidades, mas aterrorizados pelo perigo inerente. Sentindo fraqueza nas pernas.

"Bola de Neve", ele debochou, apoiando seu peso na borda da mesa. "Você devia mudar o nome dela para Lampreia. Quem tem uma fuinha de estimação, afinal?"

"Eu a ganhei de presente."

"Quem dá uma fuinha de presente?"

"Um dos admiradores do meu pai."

"Parece mais é que foi um dos inimigos dele."

Izzy se colocou ao lado dele e apoiou-se na borda da mesa, resignada a explicar a história toda. Esse era um bom exemplo de como o sucesso literário do pai e a adoração de seu público nunca se traduziram em benefícios práticos.

"Meu pai escrevia uma saga com cavaleiros, donzelas, vilões e feiticeiros... castelos. Tudo que estivesse relacionado ao cavalheirismo romântico. E os contos eram todos desenvolvidos como histórias para a hora de dormir, contadas para mim, a pequena Izzy Goodnight."

"Por isso Archer estava esperando uma garotinha?"

"Sim. As pessoas sempre esperam encontrar uma garotinha", ela disse. "A heroína dos contos tinha uma doninha de estimação. Uma doninha *fictícia*, é claro. Um animal corajoso, leal e tão majestoso, pálido e esguio quanto sua dona. E essa doninha *fictícia* conseguia realizar todo tipo de feito astucioso, corajoso e *ficcional*, como libertar sua dona – mastigando suas amarras – quando ela foi sequestrada, pela terceira vez, pelo Cavaleiro das Sombras, que também é *ficcional*. Assim, um entusiasta das histórias do meu pai pensou que seria um lindo gesto dar para a Izzy Goodnight da vida real uma doninha real para ela ter como animal de estimação."

*Isso não seria maravilhoso?*, o tolo deve ter pensado. *Não seria maravilhoso e encantador?*

Bem, não. Não era, na verdade. Nem para Izzy, nem para Bola de Neve.

Uma doninha de verdade não era um animal corajoso, leal e carinhoso. Bola de Neve era esguia e elegante, sim – especialmente quando o inverno transformava sua pelagem espessa e branca. Mas embora pesasse meros duzentos gramas, ela era uma predadora violenta. Ao longo dos anos, Izzy sofreu diversos cortes e mordidas.

"Um presente idiota", o duque afirmou.

Ela não podia contestar aquela afirmação. Ainda assim, não era culpa de Bola de Neve. Ela não podia deixar de ser uma doninha. Ela nasceu daquele jeito. E estava velha, agora, com quase 9 anos. Izzy não podia simplesmente jogá-la aos lobos. Ou aos cachorros-lobos.

"Eu só consigo pensar", ela disse, "que Lorde Lynforth seguiu um impulso parecido. Ele pensou que seria um gesto encantador dar à pequena Izzy Goodnight um castelo de verdade."

"Se você não quer este presente exagerado", disse Ransom, "fique à vontade para recusá-lo."

"Ah, mas este presente não é a mesma coisa que uma doninha. Isto é uma propriedade. Você não entende como isso é raro para uma mulher? A propriedade sempre pertence aos pais, irmãos, maridos e filhos. Nós nunca ficamos com nada."

"Não me diga que você é uma daquelas mulheres com ideias radicais."

"Não", ela retrucou. "Eu sou uma daquelas mulheres que não possuem nada. Existem muitas assim."

Ela baixou os olhos para o chão.

"Quando meu pai morreu", Izzy começou, "tudo de valor passou para o meu primo. Ele herdou o lar da minha infância, com todos os móveis. Cada prato no armário e cada livro da biblioteca. Até a renda dos escritos do meu pai. O que restou para mim? Apenas Bola de Neve."

As mãos dela começaram a tremer. Izzy não podia evitar; ela continuava brava com o pai. Brava por ele ter morrido e brava por ter morrido daquele jeito. Ela o ajudou durante tantos anos, esquecendo-se de construir sua própria vida, e ele nunca pensou em revisar seu testamento para que Izzy ficasse em segurança quando o pior acontecesse. Ele estava sempre ocupado demais *interpretando* o papel de pai amoroso que conta histórias para a filha.

O duque não pareceu se emocionar com aquela história injusta.

"Então você *tem* para onde ir", ele sugeriu. "Você tem um primo, ele pode sustentar você."

"Martin?", ela riu da sugestão. "Ele me despreza desde que éramos crianças. Nós estamos falando do mesmo garoto que me empurrou para dentro de um lago quando eu tinha 8 anos, e ficou rindo na margem enquanto eu me debatia e cuspia água suja. Ele não me ajudou naquele dia e não vai me ajudar agora. Só tem uma coisa que eu posso fazer. A mesma coisa que eu fiz naquele dia."

"O quê?", Ransom perguntou.

"Aprender a nadar", ela respondeu. "E rápido."

Ele torceu um canto da boca. Izzy não soube dizer se aquele meio sorriso era de admiração ou de deboche. De qualquer modo, o gesto a deixou ansiosa.

"Como eu sou tagarela." Ela inclinou a cabeça e levantou a compressa improvisada, examinando a ferida. "Eu acho que o sangramento estacou."

Com os dentes, Ransom rasgou uma faixa de tecido de um canto do lenço, que usou para envolver o dedo, dobrando as pontas com cuidado e as amarrando apertado.

"Eu entendo que você não queira ir embora do Castelo Gostley", Izzy disse. "Mas talvez nós possamos pensar em um aluguel trimestral."

Com certeza o aluguel de uma propriedade desse tamanho seria suficiente para lhe garantir um chalé bem cuidado em outro lugar. Izzy não precisava de muita coisa. Depois de vários meses vivendo como hóspede itinerante, ela ansiava por pequenos confortos. Cortinas, velas, dormir debaixo de lençóis bordados com seu monograma.

Apenas uma coisa, qualquer coisa, que ela pudesse chamar de sua.

"Isso é loucura", ele disse. "Eu não vou pagar aluguel para viver na minha propriedade."

"Mas esta propriedade não é sua. Não mais. O Conde de Lynforth a comprou e deixou para mim."

Ele sacudiu a cabeça.

"Lynforth foi enganado. Algum vigarista deve ter falsificado documentos para tirar dinheiro de um homem à beira da morte. Eu emprego mais de uma dúzia de administradores e advogados para que cuidem dos meus negócios, e eles não venderiam uma propriedade sem meu consentimento."

"Tem certeza?", arqueando as sobrancelhas, ela observou a montanha de cartas fechadas sobre a mesa. "Como você pode saber se não tem lido sua correspondência há meses?"

Ela retirou um envelope da pilha e o examinou.

"Eu poderia ajudar você a ler e responder essas cartas, se quiser. Eu trabalhei como secretária do meu pai durante anos."

"Eu não preciso da sua ajuda", afirmou Ransom.

Ele disse isso com tanta decisão que ela largou o envelope.

"Deixe-me lhe dar uma pequena lição de moral", Ransom disse. "Meus ancestrais se tornaram duques porque defenderam bravamente a fronteira com a Escócia. Durante séculos! E eles não fizeram isso jogando as mãos para o alto e dizendo 'Ah, tudo bem, então', quando aparecia alguém no portão do castelo querendo lhes tomar a propriedade."

"Mas eu não sou um bando de escoceses invasores." Izzy deixou escapar uma risada. "E nós não vivemos mais no século dezesseis."

"Não, não vivemos", ele declarou. "Nós temos leis e tribunais. Se você pretende reivindicar este castelo, vá procurar um advogado. Peça-lhe que examine seus documentos e que escreva para os meus advogados. Eles podem debater a questão o quanto quiserem. O caso vai acabar nos tribunais superiores, um dia. Talvez em três anos, se você tiver sorte."

Três *anos?*

Izzy não tinha três anos. Se fosse obrigada a sair, ela não sabia como iria se virar nos próximos três dias. E ela não tinha dinheiro para advogados – muito menos para advogados qualificados para enfrentar um duque.

Ela não tinha outra escolha que não manter sua posição. Comportar-se como se o lugar fosse dela. Se ele tivesse sucesso em expulsá-la agora, ela nunca mais conseguiria passar por aquela porta.

"Se os seus advogados quiserem vir para examinar os documentos, serão bem-vindos, mas eu não vou embora."

"Eu também não." Ele franziu o cenho, mas a expressão só marcava o lado de sua testa em que não havia cicatriz. *Se Ransom pudesse enxergar*, pensou Izzy, *ele iria fuzilá-la com os olhos.*

"Não adianta ficar bravo", ela lhe disse. "Pode ficar furioso à vontade. Pelo amor de Deus, você me pegou nos braços e me tirou da chuva! Eu posso desmaiar de novo só de pensar nisso."

"Não pense que foi um ato de cavalheirismo."

"Então o que foi?"

"Senso prático. Eu não poderia deixar você lá. Iria começar a atrair bichos."

"Minha nossa", ela sorriu. "Além de tudo também tem senso de humor."

Aparentemente, ninguém o tinha elogiado recentemente. Parecia até que alguém tinha jogado uma granada nele. Ou um gatinho molhado.

Ele podia ser rico, poderoso, bravo e grande. Mas em pelo menos um aspecto Izzy era melhor que ele. Sobrevivência. Ela sabia como lidar com criaturas espinhosas e também como tirar o melhor de uma situação complicada.

Quando jogada no lago, ela aprendeu a nadar.

"Esta situação não é tão difícil quanto parece", ela afirmou. "Você quer ficar. Eu quero ficar. Até resolvermos as questões legais, nós vamos dividir o castelo."

"*Dividir?*"

"Isso, dividir. Esse é um castelo imenso, construído para abrigar centenas de pessoas. Eu pego uma torre ou uma ala para mim. Você nem vai perceber que estou aqui."

Ele se aproximou.

"Ah, mas eu vou perceber que você está por aqui. Não existe castelo grande o bastante para evitar que um homem como eu não repare em uma mulher como você. Não precisa falar nenhuma palavra para que eu sinta sua presença nesse castelo. Eu posso ouvir o farfalhar das suas anáguas, eu sinto o cheiro da sua pele, eu sinto seu *calor*."

Céus. Se ele realmente podia sentir o calor dela, devia estar sentindo naquele momento. Era como se o seu corpo estivesse pegando fogo.

"Eu não sou Lorde Archer", ele continuou naquele tom de voz baixo e sedutor. "Eu nunca li as histórias melosas do seu pai e você não é uma garotinha para mim. Eu já passei minhas mãos por todo seu corpo, e estas mãos possuem uma memória excelente."

Oh... Deus.

Ela não sabia. Ela não *podia* saber, protegida como vivia. E Ransom não tinha como adivinhar, mas ele acabara de articular tudo que ela vinha querendo há muito tempo. *Ser notada.* Não apenas ser conhecida como a garota de uma série de contos famosos, mas notada como mulher.

"Você entende o que estou falando para você?", ele perguntou.

"Entendo", ela suspirou. "E você está louco se pensa que vou recuar agora."

Eles permaneceram alguns instantes em um silêncio cruel.

"É isso", ele disse, afinal. "Você vai embora deste lugar do mesmo jeito que entrou."

Ele se abaixou, agarrou as pernas dela e a colocou no ombro – com a facilidade de um homem que já carregou muitas mulheres dessa forma. Com certeza essa não era a primeira vez que Ransom jogava uma mulher na rua.

Mas era, com certeza, a primeira vez que Izzy seria jogada. E ela não fazia ideia de como reagir. Bater os punhos nas costas dele? Espernear e gritar? Mais tarde ela pensaria em uma dúzia de reações, respostas espirituosas e tréplicas inteligentes. Mas naquele instante, todo seu sangue corria para a cabeça e sua mente era um vazio quente e latejante.

Ele a chacoalhou no ombro e apertou suas nádegas com o braço.

"Aqui não tem nada para você!"

As palavras desdenhosas libertaram a língua de Izzy.

"Você está errado!", ela exclamou. "Tem, sim, Alteza. Mais do que você pode imaginar. Mais do que qualquer um pode imaginar. Você pode me carregar para fora, se quiser. Mas eu vou voltar. De novo e de novo. Quantas vezes forem necessárias. Porque agora este é o meu castelo. E eu não vou embora daqui!"

## Capítulo Quatro

Ransom meneou a cabeça. Um discurso corajoso para uma mulher tão pequena e que naquele momento estava vulnerável, pendurada em seu ombro. A Srta. Goodnight podia dizer o que quisesse, mas a verdade era que ela era uma mulher solteira, indefesa, praticamente sem dinheiro, e ele era um duque. As decisões cabiam a ele.

O que restava de seu pensamento lógico – junto com o dedo latejante da mão direita – insistia que ela era um problema. Com sua falta de visão, Ransom dependia de um complexo mapa mental daquele lugar. O mapa incluía todos os aposentos, todas as escadas, todas as pedras dali. E não tinha lugar para fuinhas malucas nem mulheres tentadoras e perturbadoras.

Ela precisava ir embora.

Mas naquele momento em que ele a tinha sob controle, com os seios pressionados contra suas costas e o traseiro docemente arredondado sendo comprimido por seu braço, outras partes do corpo *dele* – partes localizadas bem longe do cérebro – começavam a fazer sugestões perigosas.

O que significava que ela precisava *mesmo* ir embora.

Mesmo antes de se machucar, ele não permitia que as mulheres se aproximassem. Ah, claro que ele levou muitas mulheres para a *cama*, mas ele sempre lhes pagou muito bem pelo conforto – com prazer, ouro ou as duas coisas – e então lhes disse adeus. Ransom nunca acordou do lado delas pela manhã.

A primeira – e única – vez que ele tentou estabelecer um relacionamento mais duradouro não acabou bem. Ele foi parar ali, naquele castelo decrépito, cego e machucado.

Mas então, uma parte dele – um canto melancólico e esquecido de sua alma – começou a adquirir uma consciência dolorosa de quão pequena a Srta. Goodnight era e quão sozinha ela estava. E que apesar de todas as suas palavras corajosas, ela tremia.

*Bom Deus, Goodnight. O que eu faço com você?*

Ele não podia deixá-la ocupar o castelo. Qualquer tipo de acordo para que "compartilhassem" o lugar estava fora de questão. Mas, afinal, que tipo de pessoa era ele? Um bruto cruel, insensível, disposto a enxotar de casa, à noite, uma jovem indefesa?

Ransom não queria acreditar nisso. Não ainda. Ele não desistia de nada com facilidade. E isso incluía os poucos cacos que sobravam de sua alma ferida.

Ele baixou a Srta. Goodnight ao chão, recolocando-a de pé. O corpo dela deslizou pelo seu, como uma gota de chuva descendo pela superfície de uma pedra.

Ransom sabia que iria se arrepender das palavras que diria a seguir. Porque aquilo era a coisa certa a fazer, e se ele tinha aprendido uma coisa na vida, era que toda vez que fazia a coisa certa, ele pagava caro por isso mais tarde.

"Uma noite. Você pode ficar uma noite."

Ele foi um tolo por gastar todo aquele tempo tentando discutir sobre a posse legal do patrimônio. O próprio castelo a convenceria a ir embora. Depois que passasse uma noite no Castelo Gostley, ela não conseguiria sair correndo dali tão rápido quanto gostaria.

A Srta. Isolde Goodnight teria uma *noite ruim*...

*Você pode ficar uma noite.*

Izzy sentiu vontade de gritar por sua vitória, mas preferiu se conter.

Ela deu um passo para trás, alisando as saias e o cabelo. Seu rosto queimava, mas pelo menos o duque não podia ver que ela estava corada.

"Só uma noite", o duque repetiu. "E eu só sugiro isso porque suponho que uma noite neste lugar será suficiente para você."

Uma vitória pequena, ela admitiu, mas era um começo.

"Venha comigo, então. Vou levar você até um quarto. Mais tarde meu criado levará suas coisas."

Izzy o seguiu através do salão principal e depois pela escada espiralada. A escadaria estreita a fez estremecer. Depois que o breu da noite tomasse conta daqueles corredores e escadas de pedra, aquele castelo iria parecer um mausoléu.

"Sem dúvida você deve querer o melhor quarto, já que parece acreditar que o castelo agora é seu."

A escada dava para um corredor comprido. Ransom pareceu calcular os passos, andando decididamente até a metade da passagem. Ele não contava em voz alta, mas Izzy percebeu que ele tomava as medidas mentalmente. O domínio que ele tinha do lugar era espantoso.

Finalmente ele parou e girou o corpo, olhando para ela.

"Aqui está. Espero que este sirva."

Quando Izzy olhou para dentro, ficou surpresa ao encontrar um quarto suntuosamente decorado. Uma cama de dossel imensa ocupava metade do ambiente. Ela estava disposta sobre um estrado elevado e tinha pilares de mogno que chegavam quase ao teto. Era circundada por cortinas de veludo bordadas. Mas não havia muito mais do que aquilo – uma cadeira com assento afundado, alguns baús de viagem abandonados e uma penteadeira coberta de poeira. Uma galeria de janelas góticas em arco ocupava a parede em frente à porta, mas os vidros de quase todas estavam quebrados.

"Oh", ela disse, esforçando-se para assimilar o estado decrépito do quarto. "Minha nossa."

"Observe tudo muito bem", ele disse, irônico. "Veja todo o esplendor da sua suposta herança. Até eu me instalar aqui, há alguns meses, fazia décadas que ninguém residia neste lugar. Foi completamente saqueado. Restaram apenas alguns quartos mobiliados, todos em diferentes estados de ruína."

"Se esse é o caso, fico grata por estes móveis terem sobrevivido." Izzy entrou no quarto. O chão era coberto por um carpete puído, que para ter durado tanto tempo, só podia ser muito bem feito. "Olhe só esta cama!"

"Grande o bastante para um duque e meia dúzia de mulheres. Faz um homem ter saudade da Idade Média."

"Não era uma cama para se dormir", ela lhe disse. "Quero dizer, não era para... *isso*. Aqui devia ser a câmara principal do castelo. Os lordes medievais conduziam seus negócios a partir de camas assim, do mesmo modo que os reis em seus tronos. Por isso é feita sobre uma plataforma e tem esse tamanho impressionante."

"Fascinante."

"Meu pai era especialista nesse tipo de coisa." Izzy se aproximou da cama e examinou as cortinas. Ela fez uma careta. "Parece que as traças fizeram um banquete com estas cortinas. Que pena."

"Pois é. E os ratos fizeram a festa com o colchão."

*Ratos?!* Izzy deu um pulo para trás. Ela cobriu o rosto com as mãos e espiou por entre os dedos a cama rodeada por cortinas em farrapos. Sim, o colchão tinha sido eviscerado – seu forro de palha e crina puxado para fora e disposto como...

Ah, não! Aquelas coisas podiam ser ninhos.

Olhando com bastante atenção, ela podia jurar que viu a palha podre se *mover*.

"Bola de Neve vai ficar feliz", ela se obrigou a dizer, forçando um sorriso. "E muito bem alimentada." Um gemido quase inaudível assustou Izzy. "Que barulho é esse?"

"É provável que seja um dos fantasmas", ele deu de ombros.

"Fantasmas?"

"Este é um castelo fronteiriço, Srta. Goodnight. Se você sabe alguma coisa de castelos, deve saber o que isso significa."

"Eu sei."

O objetivo original do Castelo Gostley devia ter sido reprimir uma rebelião escocesa. Reprimir uma rebelião significava capturar rebeldes – e não para recebê-los como hóspedes. Não havia como saber quantas pessoas foram aprisionadas naquele castelo, ou mesmo torturadas e mortas, ao longo dos séculos. E pelos próprios ancestrais do duque.

"Eu não acredito em fantasmas", ela disse.

"Passe uma noite aqui antes de afirmar isso." Ele fez uma careta de deboche.

*Noite.* Logo anoiteceria... O estômago de Izzy revirou quando ela pensou nisso.

"Eu espero que você esteja satisfeita com suas acomodações." Ele apoiou um ombro na arcada. "Mas 'satisfeita' não deve ser bem a palavra."

A palavra seria algo como "horrorizada". A ideia de passar a noite naquele quarto macabro fez com que Izzy se sentisse um filhotinho trêmulo e chorão. Mas ela não podia deixar isso transparecer. Afinal, era o que ele estava esperando. Ele queria que Izzy fugisse.

O aposento teria que servir por aquela noite. Com ratos, traças e tudo.

Ela se obrigou a mostrar um entusiasmo que não sentia.

"Estou certa de que este será um quarto encantador, com um pouco de trabalho e imaginação. As dimensões são majestosas. A cama só precisa de um colchão e cortinas novas." Ela caminhou até a fileira de janelas. "E a vista do pôr do sol é incrível."

"Para quem pode ver."

Izzy franziu o cenho, lamentando seu comentário insensível.

"Eu poderia descrevê-lo para você."

"Não precisa. Já vi outros poentes."

"Mas você não viu *este*."

A vista da janela era de tirar o fôlego. O céu nublado tinha se fragmentado em rolos cinza com rasgos de azul vibrante e coral. Daquele ponto era possível ver as muralhas do castelo em meio a brumas românticas que vinham flutuando desde o mar.

"O sol está se pondo bem atrás da torre. Mas 'pondo' é a palavra errada para descrever... É uma palavra tranquila demais. O sol está lutando. Caindo como um guerreiro ensanguentado nos dentes de um enorme monstro de pedra."

Ransom caminhou até ficar atrás dela.

"O sol já desapareceu?"

"Quase. Mais um raio dourado, enquanto ele mergulha no horizonte e..." Ela soltou um suspiro. "Pronto. Desapareceu."

"Existe uma regra sobre poentes neste castelo, Srta. Goodnight."

"Existe?"

"Sim." Ele a virou para que o encarasse. "E um homem e uma mulher parados neste exato lugar são obrigado a obedecê-la. Não têm escolha. Só existe uma coisa a ser feita."

"O que?"

O pulso dela acelerou. Com certeza ele não estava falando em...

Ele abaixou a cabeça e falou em um sussurro sedutor.

"*Abaixar.*"

*Abaixar?*

Ela ainda olhava para ele, confusa, quando um barulho estranho chamou sua atenção. O som era como se muita roupa lavada e ainda molhada balançasse no varal durante uma ventania.

Ela se afastou da janela.

Oh, Deus.

Diante dela, o imenso dossel da cama pareceu ganhar vida. Primeiro ele começou a vibrar, depois a ondular – como uma camada de mercúrio ao vento. Então partes dele começaram a se soltar, um por um, um seguindo o outro.

"Ah, não." Ela ficou rígida. "Não podem ser..."

Mas *eram*.

Morcegos.

Uma colônia de morcegos morava nas partes mais altas do dossel. Eles tinham começado a levantar voo um a um, depois em um pequeno bando... e, de repente, eram centenas de morcegos batendo asas ao mesmo tempo.

Ela se virou – bem a tempo de ver outra nuvem preta, fervilhante, descendo pela chaminé. Deviam ser milhares! E todos estavam voando diretamente para as janelas.

"*Abaixe-se*", ele ordenou. "Agora."

Como ela não reagiu de imediato, o duque a envolveu em seus braços e a puxou para o chão.

Os morcegos invadiram o local em segundos, pululando acima deles em uma nuvem preta. Izzy baixou a cabeça e aceitou a proteção que ele oferecia. Ele encostou o queixo na cabeça dela, e Izzy sentiu a barba por fazer raspando em seu couro cabeludo.

O tempo todo o coração dele martelou forte e estável. Izzy agarrou a camisa do duque com as duas mãos, enterrando o rosto em seu peito, escutando o ritmo constante, até aquele ser o único som que ela conseguia ouvir. Nada de asas batendo, nada de guinchos. Apenas o *tum-dum, tum-dum*.

Enfim, ele levantou a cabeça e Izzy fez o mesmo.

"Eu pensei que este era o melhor quarto", ela disse.

"Não há nada de errado com ele", Ransom afirmou. "Eles foram embora. Não vão voltar até de manhã. Está seguro, agora."

Ah, aquilo não tinha nada de seguro. A noite tinha caído e Izzy estava presa naquele castelo assombrado e infestado. Nos braços daquele duque torturante, intrigante e malicioso. Ela não sabia o que fazer com ele. Ela nem mesmo sabia o que fazer consigo mesma.

Ela só conseguia tremer e gaguejar. Nenhuma ideia lhe parecia boa. E então... ela sentiu algo arranhá-la de leve. Bem atrás da orelha.

Ela gritou...

Ransom estava para soltá-la quando Izzy se agarrou a ele com uma força repentina.

"Ajude-me", o sussurro dela foi trêmulo. Seu corpo também tremia.

"O que foi?", ele perguntou.

"M-m-morcego."

"Os m-m-morcegos já foram embora, Srta. Goodnight." Ele respondeu tentando controlar o riso.

"Não, não foram. Não foram. Tem um preso no meu cabelo."

"Não tem nada no seu cabelo. Esse é um conto da carochinha. Morcegos não ficam presos no cabelo das pessoas."

"Tem. Um. No. Meu. Cabelo." Ela pronunciou as sílabas uma a uma, levantando meio tom em cada palavra. Para então soltar um guincho frenético e estridente: "Tire isso daí!"

Com certeza, morcegos normalmente não ficam presos no cabelo das pessoas. Mas ele tinha esquecido que o cabelo dela não era comum. Aquela cabeleira podia aprisionar um coelho. Ou talvez um cavalo, até!

Ransom teve receio, enquanto enfiava os dedos nos cachos densos dela, de que aquele cabelo pudesse *aprisioná-lo*.

Era certo que sua curiosidade tinha sido capturada. Aqueles cachos deviam ser morenos. Ela *soava* a cabelos escuros, com aquela voz sensual. E a maioria das mulheres com cabelo encaracolado eram morenas. E se o cabelo era escuro, provavelmente os olhos também eram.

Sem que ele pudesse evitar, uma imagem surgiu em sua mente. Uma bela mulher de cabelos escuros, olhos castanhos penetrantes e lábios cheios e vermelhos.

"Pare de se mexer", ele disse.

*Isso serve para você também*, ele disse para a agitação em sua virilha.

Ele enfiou os dedos até as raízes, junto ao couro cabeludo, e separou as mechas.

"Ele soltou?", Ransom perguntou.

"Não", ela respondeu. "Continua aí. Eu estou sentindo." Um tremor sacudiu o corpo dela.

"Estou percebendo como é. Você é uma mulher forte, independente, dona de um castelo. Até o momento em que aparece alguma coisa rastejante ou voadora. Então a coisa muda para 'Oh, céus! Oh, ajude-me!'"

Ela rosnou.

"É pequeno", Ransom disse após encontrar o animal. "Não é maior que um passarinho. Está com muito mais medo de você do que você dele."

"Por que as pessoas sempre dizem isso?", Izzy suspirou. "Não ajuda em nada."

"Eu diria para você se distrair olhando para o meu rosto, mas isso não iria ajudar. Da última vez eu fiz você desmaiar."

"Eu não desmaiei por causa do seu..."

Ele fez um som pedindo silêncio e desceu com os dedos separando o cabelo embaraçado. Ransom não queria ouvir explicações nem desculpas da parte dela.

Com a mão livre ele segurava o ombro de Izzy, massageando-o com o polegar, procurando acalmá-la.

*Só para que ela ficasse parada*, ele disse para si mesmo. *Não porque ele se importasse com ela.*

Ransom queria que ela sentisse medo. Ele queria que ela fugisse daquele lugar e dele. Do mesmo modo que qualquer mulher jovem e sensata faria.

Com certeza ele não a queria em seus braços, quente e vulnerável, com o coração batendo mais rápido do que as asas de um morcego.

Ele sentiu o momento em que o morcego se soltou e saiu voando. O animal tinha saído do cabelo dela, e aqueles cachos livres enchiam sua mão – macios, soltos e sensuais.

"Pronto", Ransom disse. "Ele foi embora."

"Você *sabia* que isso ia acontecer", ela acusou. "O pôr do sol. Os morcegos."

Ele nem tentou mentir.

"Considere isso como troco pela fuinha."

"Ah, seu... seu..."

"Bastardo cruel?", ele sugeriu. "Tratante desalmado? Canalha? Vilão? Já fui chamado de tudo isso e ainda mais. Meu favorito é 'patife'. É uma bela palavra, 'patife'."

"Seu desgraçado mal-educado que eu importunei em uma tarde chuvosa e nunca mais incomodei!" Ela se afastou dele e se levantou. "Você pode ficar com todos os seus morcegos. Eu vou embora."

Sério? Ela já estava indo? Aquilo foi quase fácil demais.

Ransom a seguiu enquanto Izzy saía do quarto, voltava pelo corredor e descia as escadas que levavam ao grande salão.

"Você não precisa ir embora neste momento", ele disse. "Espere pelo menos até meu criado voltar. Eu posso lhe dar um pouco de dinheiro e ele pode conseguir uma carruagem para você na vila."

"Eu não preciso de carruagem nem dinheiro. Vou andando."

"Andando?"

"Eu conheço algumas pessoas em Newcastle. Não pode ser tão longe."

"Oh, não é nada longe. Apenas... cerca de quarenta quilômetros."

Ela parou no meio do passo.

"Então vou ficar andando por um bom tempo. É melhor eu começar logo."

Ele a seguiu em direção à entrada. Andar até Newcastle coisa nenhuma. Que diabos ela estava pensando?! Talvez aqueles contos de fada com os quais cresceu tivessem afetado seus miolos. Como será que ela planejava atravessar pântanos e florestas? Usando cogumelos como guarda-chuva e deixando que animais silvestres amistosos a guiassem?

"Mas não pense que isto está encerrado", ela o alertou enquanto recolhia sua fuinha enjaulada e a valise. "Você tem razão. Eu tenho muitos amigos. Amigos influentes. Existem milhares de pessoas em toda a Inglaterra que adorariam ter a pequena Izzy Goodnight como hóspede. Entre elas, com certeza, existem alguns advogados." Ele ouviu o farfalhar de papéis. "Então vou entrar em contato com o Sr... Blaylock e o Sr. Riggett e verei você no tribunal superior em três anos. Adeus, Alteza."

Quando Izzy passou por ele, Ransom esticou o braço e a segurou pelo cotovelo.

"Espere um pouco. O que você sabe de Blaylock e Riggett?"

"Os nomes deles estão na escritura. Eu lhe disse que trabalhava como secretária para o meu pai. Eu sei ler um documento legal. Agora, se fizer a gentileza de me soltar, vou lhe dar adeus."

A mão dele apertou mais o braço dela.

"Não."

"Não?", ela repetiu.

"Não."

Ransom manteve a mão firme no braço da Srta. Goodnight. Depois do que ela tinha acabado de dizer, ele não a deixaria ir a lugar nenhum. Não nessa noite.

"Estou confusa, Alteza. Você acabou de se esforçar bastante para me afugentar."

Sim, ele tinha se esforçado. Mas isso foi antes de ouvi-la pronunciar os nomes de seus advogados mais confiáveis. Blaylock e Riggett eram os homens que cuidavam de seus negócios há anos. Eles tinham o poder de cuidar de tudo em sua ausência. Mas eles nunca deveriam se desfazer de uma propriedade sem o conhecimento e a anuência dele.

Alguma coisa estava acontecendo. Ransom não sabia o que era, mas ele sabia que não gostava disso.

"Seus esforços deram resultado, Alteza. Parabéns. Estou indo embora. Não tenho nenhum desejo de passar uma única noite naquele quarto horroroso."

"Você não vai embora."

Ela soltou uma risada que logo se tornou um soluço.

"Você está abrindo mão de sua pretensão à propriedade e entregando o castelo?"

"Não", ele disse. "E também não estou oferecendo hospedagem em minha casa."

"Então não consigo ver o que..."

"Estou lhe oferecendo um trabalho. Como minha secretária."

Ela ficou paralisada quando recebeu esse anúncio.

Diabos. Ransom também não gostava daquilo, mas com aqueles dois nomes – "Blaylock" e "Riggett" – ela deixou dolorosamente claro que Ransom precisava de alguém para ler a correspondência para ele. Ransom tinha propriedades e responsabilidades. Se os seus procuradores estavam cuidando mal dos seus negócios durante sua ausência, milhares de pessoas seriam afetadas. Ele precisava desvendar o que estava acontecendo.

"Eu vou contratar você para ler a correspondência para mim", ele disse. "Eu sei que está longe de ser o arranjo ideal."

"Você tem razão. Não é."

"Sob circunstâncias normais, eu nunca confiaria essa tarefa a uma mulher. Mas o tempo é essencial e não há outra pessoa disponível por perto."

Ele a ouviu inspirar lentamente.

"Eu pretendo compensá-la muito bem", ele disse. "Cinquenta libras."

"Por ano?", ela perguntou.

"Por dia."

Ela ficou sem fôlego.

"Pense bem. Você tem inteligência, ainda que não saiba muito bem como empregá-la. É provável que a resposta para nossa pequena disputa patrimonial esteja em algum lugar dessa pilha de cartas. Depois que nós confirmarmos que o castelo ainda é meu, você terá dinheiro para ir a algum lugar."

Ele sentiu que ela amolecia. Ou talvez seus sentidos o estivessem enganando.

"Cem libras", ela retrucou.

"O quê?!"

"Eu quero cem libras por dia. Vou usá-las para arrumar o castelo depois que confirmarmos que ele é meu." A voz dela assumiu um tom modesto. "E quero que você diga por favor."

Ele deu um puxão no braço dela, trazendo-a para si.

Izzy trombou com o peito dele.

"Não seja boba", ele murmurou. "Você precisa de dinheiro. Nós dois precisamos de respostas. Esse acordo faz todo o sentido para ambos."

"Então solte o meu braço e peça com educação."

Ele baixou a cabeça até sentir um cacho do cabelo dela em sua face.

"Duzentas. Duzentas libras por dia é uma quantia *muito* boa."

"Dizer 'por favor' não vai lhe custar nada."

Ele ficou em silêncio, recusando-se a ceder. Se Izzy iria se tornar sua empregada, ela precisava aprender que só ele daria ordens.

"Minha nossa", ela sussurrou. "Você tem tanto medo de pedir ajuda? Isso é tão assustador?"

"Não tenho medo de nada", ele retrucou.

"Eu ouço você dizer isso", ela colocou a mão no peito dele. "Mas essa coisa frenética no seu peito, que fica martelando, está me dizendo algo diferente."

Mocinha atrevida.

Havia exatamente um motivo para seu coração estar martelando e não tinha nenhuma relação com falar "por favor". Tinha a ver com "sim" e "Deus, sim" e "mais forte, mais forte".

"Perdão." A voz familiar veio da entrada. "Parece que estou interrompendo."

*Duncan.*

Ransom se chacoalhou.

"Não ouvi você entrar."

"Isso é óbvio, Alteza."

Óbvio e preocupante. A prova do efeito que aquela mulher tinha sobre ele estava no fato de Ransom não reparar que seu criado tinha voltado.

"Eu nunca pensei que diria isso, Alteza, mas é estranhamente animador ver que está voltando aos seus modos devassos. Vou me manter longe esta noite."

"Não!", Izzy se apressou a dizer. "Por favor, não nos entenda mal. Isto não tem nada de devassidão. Eu já estava in..."

"Duncan, esta é a Srta. Isolde Goodnight. Minha nova secretária. Amanhã nós vamos providenciar um lugar para ela ficar. Mas esta noite ela vai ficar aqui. Ela precisa de um quarto limpo e confortável, banho quente e um belo jantar." Ele apertou de leve o pulso dela antes de o soltar. "Não é isso mesmo?"

## Capítulo Cinco

Izzy sempre acreditou que "por favor" eram palavras mágicas. Mas ela estava enganada. Aparentemente, a palavra mágica era "jantar". Além do mais, as palavras "banho" e "quarto confortável" tinham seu próprio encanto. Quando faladas em rápida sucessão, essas palavras tinham a força de um feitiço. Izzy não conseguiu dizer não.

"Espero que sirva por esta noite, Srta. Goodnight." Duncan a conduziu até um quarto pequeno, com pouca mobília. "Eu sei que é pouco, mas é a única cama de verdade no castelo. A minha."

"É muita generosidade sua oferecê-la." E muito estranho que fosse a única. "O duque não tem um quarto?"

"Não." Duncan suspirou, como se para comunicar que esse era um ponto de atrito frequente. "Ele dorme no salão principal."

Izzy analisou o criado. Ele era alto e magro, com cabelo escuro no geral e grisalho nas têmporas. Ao contrário do duque, ele vestia um casaco preto escovado, uma gravata limpa e botas brilhantes.

"Então você é o criado pessoal de Rothbury?"

"Sou. Embora me doa afirmar isso quando a aparência dele está tão propositalmente desleixada. É um constrangimento."

"E há quanto tempo vocês estão morando aqui?"

"Sete meses, senhorita. Sete longos meses."

Céus. Sete meses *era* bastante tempo.

"O que aconteceu?", ela perguntou. "Como foi que o duque se machucou?"

"Srta. Goodnight, eu tenho servido esta família desde antes de Alteza nascer. Estou comprometido, pelo dever e pela honra, a não fazer comentários sobre meu empregador."

"Sim, é claro. Perdoe-me tomar essa liberdade, mas eu tinha que perguntar."

Izzy pensou que teria que arrancar aquela história do próprio duque.

Ao longo de várias viagens, Duncan levou para Izzy sua valise, uma bandeja de comida simples, mas nutritiva, um jarro de água quente e uma bacia.

"Causa-me constrangimento, Srta. Goodnight, que eu não possa lhe oferecer acomodações melhores."

"Por favor, não se preocupe. Está ótimo." Qualquer coisa seria ótima, se comparada àquela câmara de horrores com morcegos.

"É tão frustrante. Depois de longos meses vendo todas as minhas tentativas de oferecer um serviço perfeito de camareiro ser recusadas, nós afinal temos uma hóspede no Castelo Gostley. Uma hóspede que deveria ser colocada em uma verdadeira suíte e receber um jantar de sete pratos." Ele baixou a voz para um sussurro desnecessário. "Você é *a* Srta. Izzy Goodnight, estou correto?"

Ela aquiesceu.

"Estou surpresa que você tenha ouvido falar de mim. O duque não me conhecia. Ele disse que não é um leitor."

"Oh, ele não é. Não era. Nem eu, para dizer a verdade. Mas a governanta costumava ler a série do seu pai no alojamento dos empregados. O Cavaleiro das Sombras? Cressida e Ulric? Você pode me contar alguma coisa sobre eles?"

"Não." Ela balançou a cabeça com tristeza.

"Perdoe-me tomar essa liberdade, mas eu tinha que perguntar."

Izzy sorriu. Todo mundo tinha segredos.

"Eu compreendo", ela disse.

Ele saiu e fechou a porta atrás de si.

Quando se viu sozinha, Izzy tentou se sentir à vontade.

Bola de Neve, claro, sentia-se como se tivesse morrido e ido parar no céu. Esse castelo, com seu fornecimento contínuo de roedores, era, para aquele pequeno predador, o equivalente a um dos melhores hotéis de Londres.

Enquanto se despia e trançava o cabelo, Izzy lembrou da sensação das mãos do duque se embaraçando em seus cachos. A tensão aguda entre seus corpos quando os dois se abaixaram juntos, escondendo-se dos morcegos.

Ela ainda sentia aquela tensão fervendo dentro dela.

*Ele não está atraído por você*, ela disse para si mesma. Ele só queria intimidá-la, e além disso, qualquer flerte da parte dele estaria baseado em um engano. Ele não se interessaria se pudesse enxergar.

Antes de se deitar na cama estreita, ela acendeu um toco de vela com sua pederneira, e depois o fixou no chão com um pingo de cera.

Izzy então se preparou mentalmente para suportar aquela que seria uma noite fria e solitária.

Ela tinha ganhado a escritura daquele castelo. E agora tinha que conquistá-lo, fazer por merecer seu lugar de dona. E ela faria.

A não ser por suas roupas e um conjunto de brincos de pérola que sua tia Lilith lhe deixou, o Castelo Gostley era a primeira coisa que Izzy possuía que valia mais que uma libra.

Ela não iria abrir mão daquilo.

Nessa noite não haveria morcego, rato, fantasma ou duque que a assustaria.

Mas ela não podia escapar da escuridão.

Era infantilidade ter medo do escuro. Sendo uma mulher adulta, Izzy compreendia isso. Sua cabeça sabia disso e ela sentia em sua alma, mas seus instintos... Ah, seus instintos não permitiam se convencer. Muito menos seu coração, que a acordou com seu martelar insistente tanto que até poderia fixar alguns pregos no colchão.

Ela sentou na cama, desorientada e suando frio. A vela devia ter queimado completamente. O quarto estava um breu. Um mar preto espesso, opressivo, sem sequer um fio de luar que pudesse orientá-la.

Ela forçou os olhos, espiando em todas as direções, incapaz de se fixar em alguma sombra ou centelha, mas sem disposição de desistir de procurar. Ela tateou à procura de sua pederneira, mas não a encontrou. Onde tinha deixado aquela coisa?

Como Izzy odiava aquilo. Seu medo e como este a fazia parecer tola. No dia anterior ela viajou sozinha através de Northumberland, tomou posse de uma fortaleza medieval e enfrentou um duque furioso. Ela devia se sentir uma mulher forte. Mas na escuridão da noite, ela tinha sempre – *sempre* – a idade de uma criança. E ficava apavorada.

Lembranças distantes invadiram a sua mente. Ela engoliu em seco e sentiu a garganta pegar fogo, como se tivesse passado horas gritando.

Ela começou a tremer. Droga.

Izzy apertou ainda mais os joelhos junto ao peito e abraçou as pernas, curvando-se como uma bola, bem apertada.

Que horas seriam? Izzy esperava que tivesse conseguido dormir a maior parte da noite antes de acordar, mas ela sentia que provavelmente era apenas meia-noite, ou um pouco depois disso. Uma eternidade antes da alvorada. Cada batida do seu coração se arrastava. Ela teria que ficar ali durante horas e horas, encarando a escuridão e vivendo em pura agonia.

*Só esta noite*, ela disse para si mesma. *Você só tem que aguentar uma noite e nunca mais vai ser assim tão ruim.*

Foi então que ela ouviu.

Nada de gemidos ou lamentos fantasmagóricos. Apenas um arranhar leve, ritmado. Para trás, depois para frente.

Para trás... depois para frente. Levantando cada pelo dos seus braços. Oh, Senhor.

Izzy sabia que podia escolher. Ela podia se esconder no quarto, acovardando-se pelo resto da noite, insone e infeliz. Ou ela poderia ir investigar. Se realmente quisesse ficar naquele castelo, ela precisava ser sua senhora.

Ela saiu do quarto com as pernas trêmulas, tateando seu caminho pela escada em espiral até chegar ao corredor principal. O som de algo arranhando continuava. Ela se moveu na direção dele.

Provavelmente era só um galho ou uma veneziana que balançava com o vento, ela pensou. Com certeza não era um fantasma. Nem uma cobra. Nem o corpo enforcado de um rebelde da fronteira, deixado ali, pendurado em uma viga, até que apodrecesse e se transformasse em ossos, balançando para trás e para frente de modo que os ossos do pé arranhassem o chão, deixando marcas na pedra, depois de séculos.

Ela parou e se chacoalhou. Imaginou o pai falando: *Pelo amor de Deus, Izzy, que imaginação horripilante você tem.*

Ela tinha mesmo, e era uma bênção em alguns momentos, mas no escuro era uma maldição.

Ela seguiu pelo corredor, apressando-se na direção da luz fraca e avermelhada, mas promissora, no salão principal. Ali havia luz e calor. O fogo na lareira devia continuar queimando – mais cedo o duque tinha colocado uma árvore pequena ali, além dos restos de duas cadeiras espatifadas.

Tudo que ela precisava era de um pouco de luz. Quando Izzy conseguisse ver um pouco – só um pouco – ela se sentiria muito melhor. Era sempre assim.

Ela foi na ponta dos pés até o salão e olhou na direção da lareira. Lá viu uma vela apagada em um castiçal sobre a cornija.

*Perfeito.*

Ela andou silenciosamente até o castiçal. A coisa pesava uns quinze quilos, enquanto a vela devia pesar cerca de trinta gramas. Desistindo do suporte de bronze, ela tirou a vela dali e a acendeu.

Com a claridade, ela conseguiu fazer sua respiração voltar ao normal. Ela ficou parada ali por um minuto inteiro, fazendo apenas isso. Respirando.

"Srta. Goodnight."

Izzy teve um sobressalto e quase derrubou a vela.

"Já está fugindo?", ele perguntou, seco. "Não consegue aguentar nem uma noite?"

Ela virou, segurando o decote aberto de sua camisola com uma mão. Lá estava o duque, a cerca de cinco passos, ainda vestido. Parecia que ele não tinha dormido. E provavelmente ficou andando, pois devia ser esse o som que ela tinha ouvido – seus passos raspando no chão de pedra.

"Não, eu... não estou fugindo." Ela tentou parecer jovial. "Eu só não conseguia dormir."

"Medo demais, eu imagino." Ele guardou uma garrafinha no bolso do paletó.

"Animada demais", ela mentiu. "Eu herdei um castelo inteiro e quase não vi nada, ainda. Estou ansiosa para explorar o local."

"No meio da noite? Volte para seu quarto. Você não pode vagar por aí no escuro. Não é seguro para você."

Ela se aproximou dele.

"Você quer me acompanhar, então?"

"Isso também não é seguro", ele murmurou.

Apesar de tudo, ele pôs a mão nas costas dela, acompanhando-a de perto enquanto ela saía do salão e começava a subir a escada. No alto da escadaria, ela virou para o corredor na direção do quarto. Foi o que ela pensou.

"Está vendo?", ele disse. "Você já virou no lugar errado."

Izzy ficou quieta, decidida a não admitir seu erro.

"Não estou perdida", ela disse, afinal. "Estou explorando."

Ele fez um ruído de descrédito.

"Vou ficar bem", ela afirmou. "Não tenho medo de ratos. Os morcegos estão fora, por enquanto. E eu não acredito que fantasmas sejam reais."

"Você acredita que eu seja real?", ele perguntou.

Para ser honesta, Izzy tinha suas dúvidas. Ele era tão diferente dos outros homens que já viu. Mesmo ela, com sua imaginação fértil, nunca tinha sonhado com alguém sequer parecido com o Duque de Rothbury.

Enquanto percorriam o corredor, a mão dele não largou da cintura dela. A pele de Izzy queimava com o contato.

Ela apontou a vela para uma série de quartos cavernosos, na maioria vazios.

"Amanhã vou fazer uma pesquisa minuciosa desses aposentos e escolher um para que seja meu quarto."

"E como você pretende fazer isso? Vai precisar de tecido, móveis, criados. Você ainda não tem dinheiro e eu não vou adiantar o salário."

Uma triste verdade. Izzy *tinha* pensado nisso, é claro.

"Enquanto estiver fazendo minha pesquisa amanhã, vou catalogar os itens de valor. Deve ter alguma coisa neste lugar que valha algo."

Ele negou rapidamente.

"Se tivesse algo de valor para ser vendido, teria sido roubado há muito tempo. Não há nada de valor aqui. Nada que valha a pena salvar."

Nada de valor? Nada que valha a pena salvar?

Ele não se incluía naquela declaração, incluía?

Preocupada, ela se virou para observá-lo. O brilho trêmulo da vela dançava, refletido no lado esquerdo do rosto dele. Mas a cicatriz do lado direito desafiava a iluminação, fugindo do calor dourado da luz. À noite aquele ferimento parecia ainda maior, mais dramático.

Ele parecia não ter cicatrizado.

"O que faz você ter tanta certeza?", ela perguntou.

"Eu conheço cada canto deste castelo", ele disse. "Do porão mais baixo à torre mais alta."

Um arco pequeno e obscuro se abria à esquerda dela. Seu olho foi atraído para lá e para o sussurro tímido de uma escadaria mais adiante. Um vestígio de intriga que subia e sumia de vista.

"Estamos ao lado de um arco", ela disse. "Se você conhece o castelo de trás para frente, o que há lá em cima?"

"Trinta e quatro degraus e um quarto redondo no último andar, com cerca de seis passos de diâmetro."

"Nossa", Izzy exclamou, impressionada. "Foi uma resposta bem específica."

"Conte você mesma, se duvida de mim."

Ela saiu do lado dele e subiu pela pequena escada em espiral, iluminando seu caminho com a vela. O vão da escada era estreito e mesmo sendo pequena, Izzy teve que subir curvando o corpo. O duque, com seus ombros largos, ficou para trás.

"Trinta e um, trinta e dois, trinta e três..."

Ele tinha razão. Exatamente trinta e quatro degraus depois, ela emergiu em um cômodo pequeno e arredondado. Não havia morcegos. Nem ratos. Nem fantasmas. Apenas uma janela com o vidro trincado. Ela atravessou o espaço a passos cuidadosos por causa do piso irregular de pedra e espiou pela janela.

*Oh.*

*Oh, meu coração.*

Ela teve que levar a mão ao peito para evitar que o coração pulasse para fora do corpo e caísse no chão lá embaixo.

Que maravilha.

A torre ficava bem acima do castelo e oferecia uma visão ampla das árvores e colinas. A lua brilhava acima deles. Era como se Izzy flutuasse em meio às estrelas.

Com a vela cintilando em sua mão, ela podia quase se imaginar como uma estrela. Isolada. Insignificante em meio às multidões. Ainda assim reluzente.

Estranho como contemplar a vastidão fez com que ela se sentisse menos solitária. Talvez em algum outro mundo, muito tempo atrás, ela tivesse feito parte de uma constelação.

"É isso." Ela falou em voz alta, para que não pudesse mais retirá-las. "Isto é meu. Não me importam os morcegos, os ratos, os fantasmas. Esta torre vai ser meu quarto e o castelo vai ser meu lar."

O duque se juntou a ela após subir o trigésimo quarto degrau.

"Pela última vez, você não pode ficar aqui", ele disse.

"Por quê?" Ela olhou ao redor. "Essa torre não é segura?"

"Não. O perigo não está na possibilidade de as paredes desabarem. Não está nos ratos, morcegos ou fantasmas." Percorrendo a parede com os dedos, ele circundou o perímetro da torre, até seus dedos roçarem o braço dela. "O perigo está em mim."

Ele era um homem grande e forte. Se quisesse mesmo machucá-la, Izzy não poderia fazer nada a respeito. Mas ela não acreditava que ele a machucaria.

Ela não podia assegurar que ele não faria mal a uma mosca, mas o duque tinha evitado fazer mal a uma doninha e isso parecia um bom testemunho de seu caráter.

"Srta. Goodnight, eu sou um homem que passou muito tempo na solidão. Você é uma mulher indefesa e sedutora. Preciso soletrar? Você corre P-E-R... igo."

Ela abafou uma risada.

"Sua capacidade de soletrar é um pouco assustadora."

"Eu poderia deflorar você."

Ele falou com tanta solenidade que Izzy não conseguiu evitar rir.

Ele franziu a testa.

"Você acha que estou brincando."

"Ah, não", ela disse. "Não estou rindo de você. Desculpe-me. Não duvido da sua capacidade de deflorar mulheres. Tenho certeza de que você é um... *deflorador* muito talentoso. Um especialista, até. Eu ri porque ninguém nunca ameaçou me seduzir."

"Não acredito nisso. Com esse cabelo?" O toque dele chegou ao pescoço dela. "E esta pele macia? Você tem uma das vozes mais sedutoras que já ouvi."

O que Izzy tinha era o começo de um resfriado e ela poderia ter dito isso para ele. Ela poderia ter explicado que havia uma razão lógica para nunca ter corrido risco de ser assediada, porque ela era comum.

Mas será que ela era mesmo comum, ali, naquele momento? Com um homem cego, no escuro?

Se ele se sentia seduzido... Isso fazia dela uma sedutora?

Ela sempre invejou as mulheres bonitas. Não só pela beleza em si, mas porque quando as qualidades eram concedidas pela divindade responsável por distribuí-las, beleza parecia sempre estar acompanhada de autoconfiança. E ela ansiava por isso mais que qualquer outra coisa.

Ele subiu com a mão pela coluna dela, colocando o cabelo trançado de lado e parando no pescoço nu.

Um surto de poder acendeu nela, magnífico e inebriante.

"Quem deixa uma mulher dessas viver sem ser tocada?" Ele acariciou a nuca de Izzy. "Não acredito que homem algum tenha tentado."

"Ah, você sabe como é", ela disse com pouco caso. "Deve ser meu grau *espantoso* de beleza que afasta os homens." Com certeza ele perceberia o tom de ironia. Mas se ele a levasse a sério... quem ficaria magoado? "Acho que todos os cavalheiros ficam intimidados."

Ele passou o polegar pelos lábios dela.

"Eu não estou intimidado."

De repente ela não se sentia mais tão atrevida.

"Nossa, olhe só a hora", ela exclamou. "Se vou fazer algo para arrumar este lugar amanhã, acho que devo voltar agora para o meu..."

Uma gota de cera derretida rolou para baixo, queimando sua mão. Izzy derrubou a vela. A chama se apagou antes mesmo de chegar ao chão.

A torre mergulhou na escuridão.

Os batimentos cardíacos dela dispararam. Oh, droga. Logo quando ela estava demonstrando tanta segurança diante dele. Izzy não iria mais parecer uma mulher aos olhos do duque. Não iria mais ser sedutora. Ele riria dela se soubesse como ela se sentia. Como aquela garotinha podia tomar posse de um castelo? Ela era uma pateta que desmaiava na chuva, guinchava de medo diante de morcegos e tremia desamparada no escuro.

Talvez ele não reparasse na tremedeira.

Ele levou as mãos aos ombros dela.

"Você está tremendo", Ransom disse.

Droga, droga, *droga*.

"Eu estou bem. Só derrubei a vela, só isso. Se você puder fazer a gentileza de..." Ela engoliu em seco. "De me mostrar o caminho até lá embaixo."

"Acho que não."

*Oh, Senhor.* O estômago se agitou. Ele iria deixá-la ali. Sozinha. No quarto mais alto do castelo, naquela escuridão miserável e assustadora. E isso lhe ensinaria uma lição, não é?

Mas ele não a deixou. Na verdade, ele a pegou nos braços e a puxou para perto.

Izzy não sabia como resistir. Aquelas mãos fortes eram seu único ponto de apoio na escuridão vertiginosa. Ela ficou atordoada e assustada com a surpresa.

Então, de repente... Ela foi beijada.

## Capítulo Seis

Ransom a beijou.

Segurou seu rosto com as mãos, manteve-a parada e tomou seus lábios nos dele. Não houve prelúdio nem delicadeza. Apenas uma pressão forte, inflexível, de seus lábios contra os dela.

Izzy precisava entender algumas coisas e ele estava cansado de tentar explicá-las com palavras.

Aquela garota era tão inocente. Ela cresceu com histórias de cavalaria e romance. Ela não tinha ideia do perigo que um homem como Ransom representava.

Muito bem. Não lhe custava nada demonstrar isso para ela. Aquele beijo roubado deveria bastar para fazer Izzy se refugiar em seu quarto nessa noite – fazendo com que, pela manhã, ela fosse embora.

"Pronto", ele disse, interrompendo o beijo. "Você parece ter me confundido com algum homem decente. Espero que isso esclareça o assunto para você."

Ele a soltou, dando-lhe espaço para que fugisse.

Em vez disso, ela fechou os punhos na camisa dele, segurando firme.

"De novo", ela pediu.

Ransom ficou um instante sem conseguir falar. Nada fazia sentido.

"Faça de novo", ela sussurrou. "Rápido. E desta vez, faça direito."

"Do que é que você está falando?"

"Esse foi meu primeiro beijo. Você sabe há quanto tempo eu sonho com meu primeiro beijo?"

Ransom não sabia. Ele não dava a mínima importância para isso.

"Toda minha vida." Ela bateu os punhos no peito dele para enfatizar isso. "Então vamos, Alteza, não vou deixar que você estrague isso."

"Acho que você não entendeu. Destruir suas fantasias românticas era o objetivo desse pequeno exercício."

"Não, *você* não está entendendo." Ela se aproximou, ainda segurando firme nele. "Eu sempre procurei tirar o melhor do que a vida me dá. Quando eu era uma garotinha, eu queria muito um gatinho. Em vez disso, ganhei uma fuinha. Não era o animal de estimação que eu queria, mas fiz o meu melhor para amar Bola de Neve mesmo assim."

Ele recuou um passo.

Ela o acompanhou.

"Desde que meu pai morreu, estou desesperada por um lugar para chamar de lar. A cabana mais humilde serviria para mim. Em vez disso, herdei um castelo assombrado e infestado em Lugar Nenhum, Northumberland. Não era a casa que eu queria, mas estou decidida a transformá-lo em meu lar."

Ela inclinou o rosto para ele. Ransom podia sentir a respiração dela em seu pescoço. Sopros suaves de calor.

"E desde muito nova", ela sussurrou, "eu sonho com meu primeiro beijo. Eu sabia, no fundo do meu coração, que seria romântico, carinhoso e tão doce que deixaria minhas pernas bambas."

"Bem, agora você sabe que estava errada. Com essa idade, já deveria estar acostumada com decepções."

"É aí que você se engana", ela replicou, apertando ainda mais os punhos na camisa dele. "Eu comecei resistindo. E você não vai arruinar meu primeiro beijo. Não vou deixar. Você vai me beijar de novo, agora mesmo. E vai beijar melhor."

Ele sacudiu a cabeça, incrédulo.

"Acabou. Já está feito. Mesmo se eu beijar você de novo, não vai mais ser seu primeiro beijo."

"Ainda conta como o primeiro", ela disse. "Desde que faça parte do mesmo abraço, conta como o primeiro."

Maldição. De onde as mulheres tiravam todas essas regras? Será que era de algum livro? Às vezes ele se perguntava se todas as mulheres seriam advogadas, e dominavam um extenso *Código de Direito Romântico*, que escondiam obstinadamente dos homens.

"Pare de hesitar", ela pediu. "Com certeza esse não foi o seu melhor beijo."

Aquilo atingiu os brios dele.

"É claro que não."

"Quero dizer, você já fez amor andando a cavalo tantas vezes que pode tirar conclusões generalizantes. Você tem que saber beijar melhor que isso. Não vou sair desta torre até..."

Ele agarrou os ombros dela e a beijou novamente. Mais firme dessa vez. Para fazer com que ela parasse de tagarelar, mas também para enfatizar sua mensagem original. Se ela queria interlúdios carinhosos à luz das estrelas, Ransom não era o homem para ela. Quando se tratava de prazer, ele era agressivo, ousado e não tinha vergonha disso. Se ele tinha que bater o pé nisso, tudo bem.

Mas enquanto ele a beijava, algo saiu muito, muito errado.

Dessa vez ela retribuiu o beijo. Não com mera curiosidade ou entusiasmo inexperiente, mas com uma paixão encantadora, desenfreada, que fez doer seus ossos.

Ransom abriu os olhos, chocado – não que isso fizesse alguma diferença. Ele ainda não podia enxergar, apenas sentir.

E, céus, como ele *sentiu*.

Aquilo não... aquilo não deveria ter acontecido.

Os lábios dela eram ainda mais sedutores do que ele ousava imaginar. Carnudos, grandes e sensuais. Ele saboreou um de cada vez, então passou a língua entre eles. Ela o igualou em cada movimento, em cada provocação.

Ele a puxou para perto com um braço. Quando Ransom enfiou a língua mais fundo, a boca de Izzy ficou ainda mais macia sob a dele. Mais generosa. Mais entregue.

Aquilo era tudo que ele desejava há tempo. Intimidade, calor, doçura, entrega.

Ele podia ter se confinado naquele castelo por meses desde seu acidente, mas não parou de se mexer. Ransom tinha caminhado pelo castelo todas as noites, atravessando as galerias, subindo as escadas, medindo os aposentos em passos e aprendendo o som que seus pés produziam ao tocar na pedra. Hora após hora, dia após dia, mês após mês.

Primeiro ele começou a andar para reconquistar a força que havia se esvaído de seus membros. Depois passou a caminhar para aprender a topografia do castelo sem a visão. Ele podia ser deficiente, Ransom disse para si mesmo, mas nunca seria um inválido.

Mas havia algo mais que o mantinha caminhando, perambulando pelos corredores e torres do Castelo Gostley. Mesmo que ele quisesse descansar, não conseguiria. Pelo menos não sem quantidades indecentes de uísque. Ele nunca se sentia à vontade. Não sabia o que era paz de espírito e começava a pensar que jamais saberia.

E agora... agora essa mulher agarrou aquela parte atormentada e errante de Ransom e a beijou. Como se fosse uma namorada há muito perdida que o recebia em casa.

*Bom Deus. Bom Deus.*

Ela o beijou com *tudo* que tinha. Como se ela também quisesse. Como se ela o quisesse desde *sempre*. Como se o corpo pequeno e esguio dela não fosse nada além de um frasco criado ardilosamente para armazenar uma poção sedutora. Uma essência de desejo, guardada, esperando há anos. Como se em um único beijo ela tivesse percebido sua chance de derramar tudo sobre ele, porque estava cansada de carregar aquele fardo.

*Tome doçura*, dizia o beijo dela. *Tome paixão. Tome tudo de mim.*

Ele explorou sua boca minuciosamente, desesperado por mais.

Ele deveria ter recusado aqueles presentes temerários. Mas Ransom não foi capaz de se afastar. Os desejos dele também estavam reprimidos há muito tempo. Ele não conseguiu evitar o anseio que ela atiçou. Não pôde negar a reação dura e quente de seu corpo – não com seu membro latejando em vão dentro da calça de camurça.

Deus, ele se sentia vivo. Completamente vivo, pela primeira vez desde... Desde que morreu.

Ransom não sabia dizer se sua estratégia de Cuidado-Com-Meus-Beijos-Perigosos estava tendo algum efeito em Izzy Goodnight, mas ele sabia de uma coisa... Aquele beijo o deixou *completamente* sem chão.

Bem, Izzy pensou, seu primeiro beijo não foi o que ela esperava ou sonhava que pudesse ser.

Foi mil vezes mais.

*Aquele* era um beijo de verdade.

Não uma pressão apressada de lábios rígidos, mas um beijo real, verdadeiro, dado por um homem que sabia o que estava fazendo. Ele a beijava não apenas com habilidade, mas com *paixão, ardor*. E *língua*.

E o melhor de tudo, de algum modo ela estava conseguindo agir de maneira que o fazia gemer em seus lábios. *Pura sorte*, Izzy imaginou. Ou talvez ele fosse um daqueles que fazia a garota parecer graciosa e competente quando tudo que ela fazia era se deixar conduzir.

Não importava. Ela estava sendo beijada, retribuía o beijo, e até ali não tinha sido um desastre humilhante.

Aquilo... era... a glória.

Pela segunda vez em um único dia, Ransom fez os joelhos dela fraquejarem.

Izzy passou os braços ao redor do pescoço dele para se equilibrar. E então ela os manteve ali pelo puro prazer de passar seus dedos pela nuca dele, subindo até os cachos macios.

Ele cheirava tão bem. Tão simples e masculino. Não fazia sentido para ela como os aromas mais humildes e improváveis podiam se somar para formar uma colônia exótica. Se alguém pegasse uma garrafa de uísque, uma tira de couro velho, uma barra de sabonete comum, e então amarrasse tudo isso junto com alguns pelos de cachorro, ninguém iria esperar que o "buquê" resultante cheirasse melhor que uma braçada de rosas. Mas de algum modo, *cheirava*.

Depois tinha o *calor* dele. Ransom parecia feito daquilo. O homem era uma fornalha a carvão. Ele irradiava calor através das mãos, do peito forte, dos lábios.

Ah, os lábios dele. A barba por fazer no queixo e no maxilar arranhava, mas os lábios eram... não exatamente macios. Macio era algo relacionado a travesseiros ou pétalas, mas os lábios dele eram a mistura perfeita de resiliência e suavidade. Mais ou menos.

Quando Ransom, afinal, chegou novamente à sua boca, o gosto dele era fácil de identificar. Uísque e chá. E quando aprofundou a língua, uísque e carência. Tanta carência.

Essa era a parte mais comovente e inebriante. Tudo naquele abraço contava para Izzy do que ele precisava. E o que era realmente espantoso: ele buscava *nela* o que precisava. Ransom virou a mão nas costas da camisola dela e a beijou ainda mais fundo, decidido, como se estivesse atrás de algo. Procurando algo.

E parte dela não queria nada além de se render. De oferecer aquilo de que ele precisava – e oferecer com alegria.

*Tome cuidado, Izzy.*

"Chega", ele disse com a voz firme e a soltou, de modo tão repentino que ela quase caiu.

O som das respirações pesadas preencheu a torre.

Depois de um tempo, Ransom praguejou.

"Isso foi um desastre", ele vociferou.

Izzy levou a mão à têmpora. Ela estava sozinha no escuro de novo e sua cabeça girava. Aquele era o momento para um comentário espirituoso e sofisticado.

"Você me beijou primeiro." Foi o que acabou saindo da boca de Izzy.

"Você correspondeu ao beijo."

"E aí você me beijou mais." Ela suspirou. Aquela conversa não tinha nada de sofisticada. "Não vou valorizar demais esse acontecimento, se é isso que o preocupa. Eu sei que você só me beijou para me intimidar, mas saiba de uma coisa: não funcionou."

"Eu acho que funcionou." Ele a puxou para perto de novo. "Eu senti seu coração acelerado."

Bem, se um coração acelerado era sinal de medo...

Ela apoiou a palma da mão no peito dele, sobre as batidas que martelavam ali. Aquele homem devia estar aterrorizado.

Izzy sentiu uma estranha pontada de simpatia por ele. Crescer como filha de Sir Henry Goodnight lhe ensinou tudo a respeito do orgulho masculino. Seu pai trabalhou durante anos no anonimato como um intelectual mal pago e frustrado. Depois que suas histórias começaram a fazer sucesso, a adulação dos leitores foi o alimento que o sustentou. Ele não conseguia passar uma única semana sem bajulação.

E se orgulho era tão importante para um intelectual de meia-idade, Izzy só podia imaginar como devia ser vital para um homem como o Duque de Rothbury. Como devia ser difícil a adaptação à cegueira para um homem como ele, jovem, forte, no auge de sua vida. Pela primeira vez forçado a depender dos outros. Ele devia detestar aquele sentimento.

Então ele mapeou o Castelo Gostley, passo a passo, mês após mês, criando em sua cabeça um mapa meticuloso de cada aposento. A essa altura, o castelo era uma fortaleza para seu orgulho. O único lugar em que ele ainda se sentia no controle.

E no dia em que Izzy apareceu... graças a algum equívoco legal, ele perdeu sua fortaleza. Para uma solteirona sem graça e sem um tostão.

Não era de admirar que ele a desprezasse.

Mas ainda que Izzy entendesse a situação e se compadecesse dele, isso não significava que ela iria desistir. Ela não podia abrir mão de seus interesses só para preservar o orgulho dele. Ela tinha cometido esse erro antes e era por isso que se encontrava ali, sem dinheiro e abandonada em um castelo em ruínas, sem ter para onde ir.

Izzy tinha que pensar em si mesma, porque ninguém mais faria isso por ela.

"Não precisa ficar ansioso, Alteza. Nós vamos fazer tudo que for preciso para entendermos os documentos e aspectos legais. Enquanto isso, prometo que não vou causar problemas." Ela deu um tapinha amistoso no peito dele.

Ele fechou a mão no antebraço dela e o empurrou.

"O que você vai fazer de manhã, Srta. Goodnight, é partir. Eu vou acompanhá-la até seu quarto, agora. E quando a manhã chegar, eu *irei* encontrar outro lugar para você ficar."

Izzy decidiu não responder e guardar suas forças para o dia seguinte. Pela manhã ele *tentaria* fazê-la partir. Ele tentaria amedrontá-la, gritaria com ela, enchendo-a de ameaças ou beijos.

Mas Izzy seria forte como os muros do castelo. Ela não cederia nem um centímetro.

## Capítulo Sete

Na manhã seguinte, Ransom acordou excitado. Seu membro rijo pressionando a parte da frente de sua calça.

Imagens nebulosas, oníricas, permaneciam na sua cabeça. Imagens de cabelos escuros presos em seus dedos e uma boca exuberante se movendo sob a dele. Uma mão macia espalmada em seu peito.

Ele virou para o lado e gemeu. *Deus*, aquele beijo. Aquele beijo estúpido, mal concebido, excitante, que mexeu com sua alma.

Ela não poderia passar as noites no castelo. Ele tinha que encontrar outro lugar para ela ficar. Ainda hoje.

Ransom sentou e passou as mãos pelo cabelo. Ele precisava de um banho. De preferência, um banho frio.

"Duncan", ele chamou.

Sem resposta. E também nenhum ruído do tipo que os criados fazem.

Ele foi, então, até o poço ao lado do pátio e puxou um balde de água. Lá, tirou as peças de roupa da parte de cima, levantou o balde e despejou seu conteúdo gelado em sua cabeça e seu tronco.

*Afogando o desejo.*

O choque frio da água começava a passar quando Magnus se juntou a ele perto do poço. Ransom pegou um pouco de água para o cachorro e aproveitou para coçar a orelha do animal.

"Bom dia, Alteza."

*Maldição*. Bastava um dia para ele reconhecer aquela voz em qualquer lugar. Rouca. Suave. E, infelizmente, perto demais. Como é que aquela mulher conseguia se aproximar sem que ele percebesse?

"Goodnight", ele murmurou.

Os passos dela atravessaram o pátio, destruindo sua calma.

Ransom se preparou para sua primeira visão dela.

Ninguém sabia disso, a não ser Duncan e uns poucos médicos inúteis, mas o ferimento dele não o deixou *completamente* cego.

Ah, ele era praticamente cego, a maior parte do tempo. Formas indefinidas e sombras eram o máximo que ele conseguia enxergar. E, às vezes, ele ficava completamente cego. Tudo ficava um cinza escuro e sombrio.

Mas havia algumas poucas e preciosas horas do dia em que ele era apenas *parcialmente* cego.

Nessas horas, ele possuía a visão de um nonagenário sem óculos. Ele conseguia distinguir contornos vagos e algumas cores difusas. Uma árvore parecia um borrão irregular frente ao céu, com sua folhagem em um tom de verde cinzento, como mofo no queijo. Se ele olhasse fixamente para a página de um livro, conseguia separar em linhas um quadrado escuro de texto. Mas ele não era capaz de distinguir quaisquer palavras ou letras. Ele conseguia ter uma noção vaga de um rosto – as feições mais proeminentes se destacavam, como o rosto simples de uma boneca de pano. Dois olhos que pareciam botões, uma linha horizontal como boca. Nenhuma sutileza de expressão.

Era isso que ele conseguia enxergar nos seus melhores momentos. E, para variar, isso lhe pareceu uma bênção. Ele podia ter sido enfeitiçado pelo toque, aroma e sabor da Srta. Goodnight na noite anterior... Mas pelo menos ele não foi dominado pela aparência dela. Para ele, ela parecia ser uma mulher. Sem graça e pouco inspiradora.

Ele contava com isso.

Mas quando ela entrou no campo de visão dele, ela fez o desfavor de parar bem na frente da arcada oriental do castelo, inundada pelo sol matinal.

Sua primeira visão de Izzy Goodnight foi dela banhada em ouro. A luz do sol revelou para ele, uma silhueta cintilante e esguia, com curvas graciosas e cabelos soltos exuberantes, que pareciam estar em chamas.

Santo Deus. Se ele estivesse de pé, poderia ter caído de joelhos. Ele teve certeza de que ouviu um coro de anjos cantando. Aquele era o tipo de beleza que alguém chamaria, com toda razão, de impressionante.

Pois ele se sentia impressionado. E bastante.

*Mexa-se*, ele pediu em silêncio. *Dê dois passos para a direita ou para a esquerda. Não, não. Vá embora de uma vez.*

"Não achei que você estivesse acordada", ele disse.

"Oh, eu estou." Ele viu um sorriso, uma curva ampla e avermelhada, florescer no rosto dela.

Ele passou os olhos pelo corpo dela, assimilando as curvas nebulosas mas muito evidentes do busto e do quadril. Ele segurou tudo aquilo contra seu corpo na noite passada. E agora ele não conseguia imaginar por que diabos a tinha deixado ir.

"Acredite em mim", ela disse, "estou acordada desde a revoada matinal dos morcegos. Estive explorando meu castelo."

Certo. Foi por causa disso.

Com um assobio para Magnus, ele se dirigiu para a entrada.

Ela o seguiu o caminho todo até o salão principal, claro.

"Sabe", ela comentou, soltando um bocejo abafado, "este lugar é realmente lindo pela manhã. O modo como a luz do sol entra pelas janelas, iluminando a poeira no ar e transformando-a em ouro. Nós tivemos um começo difícil, ontem, mas hoje... o Castelo Gostley está começando a parecer um lar."

Não, não, não. Esse não era um lar. Não para ela e, com toda certeza, não para *eles*.

"Você... não gostaria de vestir uma camisa, Alteza?", ela sugeriu.

Como resposta, ele cruzou os braços sobre o peito nu. Ele não iria fazer nada para deixá-la mais à vontade.

"Eu vou fazer chá", ela disse, indo em direção à lareira. "Oh, veja, pão fresco." Quando falou de novo, ela o fez com a boca cheia. "Duncan foi buscar ou alguém traz o pão? Eu sei que ontem havia leite." Ela mexeu em algumas coisas, produzindo barulhos metálicos. "Eu imagino que não tenha ovos? Modéstia à parte, eu faço panquecas muito boas."

Ah, não. Aquilo estava ficando cada vez pior.

*Eu faço panquecas muito boas.*

Assustador.

Mais assustador ainda, foi Ransom sentir à vontade repentina de comer uma panqueca muito boa. Seu estômago até roncou. Droga, ele delirava de vontade de uma panqueca muito boa.

Qualquer libertino de respeito tinha dois tipos de mulheres na sua vida: as que ele leva para cama à noite e as que fazem panqueca para ele de manhã. Quando ele quisesse as duas coisas da mesma mulher era um sinal de alerta. Um sinal vermelho e grande o bastante que até um cego conseguia enxergar.

*Vá embora agora mesmo. A ameaça está vindo de dentro do castelo.*

"Não exagere no café da manhã", ele disse. "E seja rápida. Duncan vai levar você para a vila logo mais. Vamos procurar alojamento para você na pousada, ou..."

"Oh, eu adoraria ir até a vila", ela exclamou. "Mas só para comprar comida. Que tipo de peixe nós temos por aqui? Eu aposto que esse rio tem trutas lindas."

Ransom rilhou os dentes. Havia, de fato, trutas lindas no rio. Mas a Srta. Goodnight nunca as provaria.

Ele se colocou de pé.

"Você precisa entender uma coisa. Não pode ficar aqui. Não depois do que aconteceu entre nós ontem à noite."

"Ontem à noite", ela repetiu. "Sim. Você está se referindo à parte em que tentou me assustar para que eu fosse embora de uma propriedade que é legalmente minha?"

"Não. Eu estou me referindo à parte em que nos beijamos como amantes clandestinos."

"Oooh!" Ela arrastou a exclamação. "Isso. Mas nós dois sabemos que isso não foi nada."

*Nada?* Ofendido, ele passou a mão pelo cabelo.

"Bom. Foi alguma coisa", ele disse.

"Foi um beijo. Um beijo não muda nada."

"É claro que um beijo muda alguma coisa. Se for bem dado, um beijo pode mudar *tudo*. O beijo é o primeiro passo de um caminho sensual, longo, tortuoso e bastante perigoso. Esta manhã, Srta. Goodnight, você vai embora."

Ela ficou quieta por um instante.

"Eu prometo, Alteza, que não vou mais me jogar em você. Eu queria um beijo e você me deu um. Agora está a salvo da minha curiosidade."

Deus. Então era assim. A garota o estava dispensando com educação. Em sua ansiedade para vê-la pela primeira vez, ele esqueceu que ela estava fazendo a mesma coisa – vendo-o bem iluminado pela primeira vez, e vendo assim todas as suas cicatrizes. Era a segunda avaliação dela, se Ransom contasse a vez em que Izzy desmaiou.

*Você não é mais um jovem atraente e confiante, seu bobo.*

"Quando não estivermos trabalhando na sua correspondência", ela continuou, "o castelo irá me manter totalmente ocupada. Há muito que ser feito aqui. Quartos a examinar, pragas para exterminar. Um quarto para ser decorado." Ela sentou em uma cadeira ao seu lado. "Pão?"

Ela encostou um pedaço de pão na mão dele. Ele o aceitou, ressentido, e arrancou um bocado com os dentes.

Ransom começava a pensar que teria que retornar à sua primeira estratégia – colocá-la no ombro e jogá-la na rua. O problema era que, considerando o quanto ele gostava de tê-la no ombro, Ransom tinha certeza de que não iriam muito longe.

"Mas antes que eu possa pensar em qualquer coisa", ela virou a cabeça e aquela massa de cachos soltos se transformou em um redemoinho fogoso, "eu preciso encontrar meus grampos de cabelo. Você sabe onde os colocou ontem?" Ela esticou o braço e cutucou as almofadas do lado dele. "Talvez estejam no sofá."

Ele tentou – e fracassou – ignorar o aroma de alecrim.

"Arrá." Ela pulou ao encontrar algo e seu braço roçou no dele. "Aqui está um. E outro."

Malditos fossem os grampos dela. Ransom se levantou.

"Você não vai ficar aqui."

"Alteza, você fez um belo esforço para me assustar, mas não funcionou, mesmo fazendo seu melhor. Não acha que está na hora de desistir?"

"Não." Ele espetou um dedo no próprio peito. "Eu não desisto. De nada."

"Você não desiste?" Ela soltou uma risada curta. "Desculpe-me, mas pelo que eu entendi, você se machucou muitos meses atrás e não saiu deste castelo desde então. As pessoas em Londres pensam que você está morto. Sua correspondência não tem sido respondida, seus criados não conseguem servi-lo e você não fez nada para melhorar suas condições de moradia em um castelo mofado e decrépito. Eu não sei que definição de 'desistir' você está usando, Alteza, mas tudo isso se encaixa na minha."

Ransom ficou furioso. Como ela ousava? Ela não tinha ideia do que ele tinha passado. Ela não tinha noção de como ele teve que trabalhar duro nos primeiros meses para recuperar as habilidades mais simples. A habilidade de caminhar sem tropeçar, de contar mais do que trinta. Droga, ele demorou séculos só para reaprender a assobiar para seu cachorro. E ele não teve nenhum auxílio, nem qualquer tipo de mulher para incentivá-lo a continuar. Ele fez tudo sozinho, um passo doloroso de cada vez. Porque a alternativa seria sentar e morrer.

"Eu... não... desisto." Ele pronunciou as palavras lentamente.

"Então prove."

***

*Calma*, Izzy disse para seu coração disparado. *Vá com calma agora.*
Os minutos seguintes exigiriam extrema cautela.

Na verdade, ela precisava ter cuidado com cada passo, movimento, palavra e respiração que usasse com aquele homem... Mas isso era diferente.

Rothbury estava de pé perto dela. Sem camisa, molhado, cabelos revoltos. Lindo como um deus e furioso como o diabo. Um duque acostumado a ter tudo ao seu modo. E ela não só o provocou, como também o desafiou abertamente.

As palavras dele saíram em voz baixa e equilibrada, mas fumegavam como o pavio de um canhão.

"Eu não preciso provar nada para você."

Ele apoiou as mãos nos quadris. Um dos seus músculos de seu peitoral começou a vibrar, furioso. Como se fosse uma exclamação de indignação. Uma gotícula de água escorreu através dos pelos dourados do peito dele.

Izzy apertou os grampos com tanta força que eles machucaram a pele macia da sua mão.

Ela se pôs de pé. Era isso que alguém fazia quando movido por um temor genuíno.

"Claro que não, Alteza", ela respondeu, a boca na altura do peitoral, juntando o máximo de calma possível. "Mas existem coisas que precisam ser provadas. Como a validade da transferência da propriedade e o... e o..."

Oh, céus. Então foram os mamilos *dela* que quiseram participar da conversa. Estar assim tão perto dele trouxe para Izzy todas as lembranças do encontro dos dois na noite anterior. Sensações perturbadoras percorreram seu corpo. Para não falar daquelas emoções reprimidas que Izzy despejou no beijo.

Ela cruzou os braços sobre o peito.

"Eu tenho uma boa caligrafia, falo vários idiomas, dos quais apenas dois estão mortos, e sou bastante discreta. Vou ajudá-lo a organizar todos os seus negócios, e nós iremos resolver o mistério de como este castelo foi vendido."

"Ele *não* foi vendido."

"Mas eu não vou ser intimidada." Izzy abriu os olhos. Céus, como aquele homem era teimoso.

Devia ser a tensão causada pela proximidade, mas ela teve a estranha sensação de que ele estava olhando para ela. Ou através dela. E de repente ela ficou com muita vergonha de estar admirando o peito dele.

"Eu sei que você está apreensivo", ela tentou suavizar a voz.

"Eu não estou apreensivo." Ele passou a mão pelo cabelo. Os músculos do braço se contraíram e agruparam de modos perturbadores. "Bom Deus, Goodnight. Você é a mulher mais inoportuna que existe."

Apesar de tudo, Izzy sorriu para si mesma. Ela não pôde evitar. Afinal, ele a chamou de mulher.

"Nós dois morando neste castelo... Não é possível. Se você pretende estabelecer residência aqui, vai precisar de mais do que palavras corajosas. Você vai precisar de móveis, criados. E, o mais importante, de uma acompanhante."

"Por que uma acompanhante? Já tenho o Duncan e você."

"Eu não sou acompanhante de mulher", ele bufou.

"Você ainda está preocupado com aquele beijo bobo? Eu pensei que já tivéssemos nos entendido."

"Oh, aquele beijo me deu muito entendimento." Ele se aproximou dela e baixou a voz para um rugido. O ar esquentou entre eles, e ela poderia jurar que as gotas de água no peito dele ferveram e evaporaram. "Eu entendo a sensação do seu corpo no meu. Eu entendo como é doce seu sabor. E eu entendo – muito bem – como nós podemos ficar bem juntos. Na cama, em cima de uma mesa, ou contra uma parede. O problema de entendimento parece ser seu."

O ar saiu dos pulmões de Izzy com um suspiro sonoro.

"Oh", ela fez.

Izzy o encarou. Aquele pobre homem. Tão confuso. Ele parecia acreditar que aquele tipo de declaração libidinosa e rosnada faria com que ela saísse correndo e gritando para as colinas. Ao contrário, aquelas palavras tiveram o efeito oposto. A cada sugestão carnal que ele fazia, a autoconfiança dela crescia e atingia alturas novas e vertiginosas.

Ele a *queria*. Ele *a* queria. E ela queria entrar nesse jogo.

"Alteza?" Uma voz feminina animada ecoou no pátio, parecendo o canto de um passarinho. "Fique calmo. Estou a caminho. Seja o que for que você precisa, estou aqui."

Ransom estremeceu e começou a se mexer. Girando para o lado, ele pegou uma camisa pendurada nas costas do sofá. Ele tateou por alguns segundos até conseguir colocar a mão na peça de roupa.

"Quem é?", Izzy perguntou, pegando o paletó dele.

Quem quer que fosse a visita, o duque queria ficar apresentável para *ela*.

"É a Srta. Pelham" Ele enfiou a camisa pela cabeça, soltando os braços em diferentes direções até conseguir passá-los pelas mangas, e então aceitou o paletó que Izzy lhe estendia. "A filha do vigário. Outra mulher intrometida da qual eu não consigo me livrar."

Bom Deus. Até a filha do vigário estava se atirando nele? Izzy não achou difícil de acreditar, mas achou um pouco decepcionante.

Não era como se Izzy tivesse algum direito sobre o duque. Bastou um beijo no escuro para que ela se tornasse uma fera ciumenta. Ela procurou afastar o sentimento.

Então uma mulher jovem entrou no salão principal e o ciúme voltou à tona.

Izzy tinha estado na corte, em muitas festas e até mesmo em um ou dois bailes de Londres. Ela podia dizer, com toda honestidade, que aquela era a mulher mais linda que já tinha visto. Cabelo dourado, com cachinhos dispostos com cuidado ao redor do rosto. Fitas esvoaçando no vestido de musselina azul. Sorriso ensaiado. Luvas imaculadas de renda. Uma figura adorável.

"Alteza?" A jovem soltou as palavras como um suspiro de alívio, levando a mão ao peito. "Você está bem. Graças ao Senhor! Eu esperava encontrá-lo prostrado e delirante, com febre, depois da história que ouvi do Sr. Duncan. Simplesmente não pode ser verdade. Você não pode ter recebido uma visitante chamada..." Então seus olhos pararam em Izzy e ela se calou de repente. "Oh, é verdade. Ela *está* aqui."

A cesta que a Srta. Pelham carregava caiu no chão e ela levou as duas mãos ao rosto. "Você é Izzy Goodnight?"

Izzy fez uma mesura.

"A *famosa* Izzy Goodnight?"

"Sim, sou eu mesma."

A jovem soltou um gritinho de empolgação.

"Desculpe-me. Eu não consigo acreditar que você esteja aqui. Realmente aqui, tão perto da minha casa. Oh, por favor, diga que vai visitar a casa paroquial."

"Eu... tenho certeza de que adoraria fazer isso, Srta. Pelham."

"Que honra! Mas não posso imaginar o que a traz a Northumberland."

"Isto." Izzy fez um gesto, indicando a construção. "O Castelo Gostley. Eu herdei a propriedade do falecido Conde de Lynforth."

"Herdou? O castelo?" A jovem arregalou os olhos. "Não posso acreditar."

"É um choque para todos nós, creio", Izzy sorriu. "Alteza e eu estamos negociando como vai ser nossa relação proprietária-inquilino."

A Srta. Pelham praticamente pulava de empolgação, e seus saltos estalaram no chão de pedra.

"Eu vou ser vizinha de Izzy Goodnight!"

"Srta. Pelham..." O duque interrompeu.

"Eu já li todos os *Contos*! Inúmeras vezes. Quando era mais nova, eu cortava cada episódio da revista e colava nas páginas de um livro. Eu o trouxe comigo, para o caso de o boato ser verdadeiro." Ela enfiou a mão na cesta e tirou um volume grande, com a encadernação frouxa. "Eu ficaria tão honrada se você autografasse para mim."

"Srta. Pelham", disse o duque.

"Oh, eu não posso evitar de perguntar", ela disparou. "Você pode me dar uma mecha do seu cabelo, Srta. Goodnight? Para o livro."

"Srta. *Pelham*", ele interveio, assustando as duas. "A Srta. Goodnight está com a impressão errada de que seria seguro para ela residir no castelo até que resolvamos nossa disputa pela propriedade. Por favor, ajude-me a persuadi-la de que não é bem assim."

"Oh", a Srta. Pelham fez um esforço para exclamar. "Oh, não."

A jovem colocou seu livro de recortes de lado. Conforme ela se aproximou, seu perfume se mostrou avassaladoramente doce. Izzy reconheceu baunilha e... gardênias?

A mão dela, vestida com luva branca de renda, segurou o punho de Izzy de modo protetor.

"Srta. Goodnight, não pode morar sozinha, aqui, com ele. Faz meses que eu venho visitá-lo e nunca tive nenhum progresso. Ele é o pior tipo de trapaceiro."

Izzy a encarou, achando graça. Será que ela pensava que o duque não conseguia ouvir seus suspiros?

"Agora diga-lhe que a maior parte do castelo é praticamente inabitável", continuou o duque.

"Ele tem razão, Srta. Goodnight. Eu vivi no pé da colina a vida toda e alguns lugares estão em ruínas. Madeira podre, pragas. Muito inseguro."

"Ótimo, ótimo", ele a estimulou a continuar. "Agora faça a gentileza de lhe explicar que não estamos em Londres ou York. Estamos no interior e as pessoas dão importância aos valores tradicionais. Uma mulher solteira não pode morar no mesmo lugar que um homem solteiro."

"É verdade", confirmou a Srta. Pelham. "Teria muita fofoca. Os moradores da vila iriam lhe rejeitar."

O duque cruzou os braços.

"Muito bem, então. Está decidido, Srta. Goodnight. Você não pode continuar aqui, morando sozinha comigo. Simplesmente não pode ser assim. Tenho certeza de que a Srta. Pelham ficará feliz em..."

"Em ficar comigo?", Izzy o interrompeu.

"O quê?!", o queixo dele tremeu de surpresa.

Ah, aquilo era bom. A vantagem era toda dela, agora.

"A Srta. Pelham poderia ficar comigo", ela explicou. "Como minha acompanhante, apenas por algumas semanas. Se ela fizer a gentileza."

"Ficar? Como acompanhante *da* Izzy Goodnight?" A Srta. Pelham apertou o braço de Izzy a ponto de doer. "Mas eu adoraria poder ajudar você com o que precisar."

Estava ficando evidente que a Srta. Pelham era do tipo de jovem muito *prestativa*. Mesmo quando sua ajuda não era necessária ou desejada.

"Eu ficaria muito grata, Srta. Pelham", Izzy disse.

"Tenho certeza que meu pai pode me ceder. Que solução excelente para todos os envolvidos."

"Nós devemos agradecer ao duque. Afinal, foi sugestão dele." Ransom não enxergava, mas ainda assim Izzy lançou um sorriso desafiador na direção da carranca dele. "Não é ótimo?"

*Capítulo Oito*

Em questão de minutos estava decidido. A Srta. Pelham ficou felicíssima com a ideia. Duncan se ofereceu para acompanhá-la até a casa paroquial para ajudá-la a pegar suas coisas.

"Pronto", Izzy disse, batendo as mãos depois que os dois saíram. Ela se virou para o duque. "Está tudo acertado. Enquanto eles estão fora, nós podemos começar a trabalhar."

"O que diabos foi isso?", o duque perguntou.

"Do que você está falando?"

"De você. Seu comportamento desde o momento em que a Srta. Pelham chegou. Foi como se você se tornasse uma pessoa completamente diferente." Ele imitou o jeito dela, afinando a voz. "'Oh, sim, Srta. Pelham.' 'Eu ficaria tão grata, Srta. Pelham'."

Ela suspirou

"Você não precisa se preocupar com isso."

"Não estou preocupado. Estou com inveja. Por que *ela* fica com a Srta. Goodnight boazinha enquanto eu fico com a bruxa e sua fuinha?"

"Porque ela é uma morangliana."

"Uma o quê?"

"Uma morangliana. As histórias do meu pai aconteciam em um país ficcional chamado Morânglia. Seus admiradores mais devotados se autointitulam moranglianos. Eles têm clubes, reuniões e jornaizinhos. E esperam certa inocência de Izzy Goodnight. Eu não quero decepcioná-los, só isso."

Ele tamborilou os dedos no encosto de uma cadeira.

"Então, se eu ler as histórias do seu pai, isso significa que você vai ser amável e dócil comigo?"

"*Não!*"

Ela nunca seria amável e dócil com ele, e nunca o deixaria ler *Os Contos de Goodnight*. Essa possibilidade estava fora de questão. Na verdade, a possibilidade estava tão fora de questão que 'possibilidade' e 'questão' moravam em continentes diferentes.

"Mesmo que você lesse as histórias do meu pai, duvido que gostaria delas. É necessário que o leitor possua certa medida de..."

"Ingenuidade?", ele sugeriu. "Inexperiência? Estupidez?"

"*Coração*. Elas exigem que o leitor tenha um coração."

"Então você está certa. Elas não servem para mim. E com certeza eu nunca vou dizer que sou um morangueiro."

"Morangliano."

"Sério?", ele perguntou, realmente irritado. "Faz diferença?"

"Não faz. Não para você." Ela andou até a mesa. "E nós não temos tempo para ler histórias, de qualquer modo. Não com toda essa correspondência para ser lida."

Ela examinou a avalanche de cartas e pacotes, imaginando qual seria o melhor modo de proceder.

"Parece que elas estão em uma ordem mais ou menos cronológica. As cartas mais velhas são as que estão mais perto de mim, e as mais novas caíram para a outra extremidade da mesa. Você quer começar com as correspondências mais novas ou com as velhas?"

"Com as velhas", ele disse sem hesitar. "Se eu quero entender o que está acontecendo aqui, preciso começar do começo."

Era provável que levasse semanas para ler toda aquela correspondência, mas Izzy não podia reclamar. Mais trabalho significava mais dinheiro para seu fundo de reforma do castelo. E para ser honesta, por mais difícil que pudesse ser a convivência com o Duque de Rothbury, ela não estava com muita vontade de ficar sozinha naquele lugar. Não até que o castelo passasse por uma boa limpeza. E talvez um exorcismo.

"Muito bem", ela disse. "Vou começar do começo. Enquanto eu leio, vamos dividir os papéis em duas pilhas: importantes, para serem analisados mais tarde, e sem importância, para serem jogados fora. Concorda?"

"Sim." Ele se deitou no sofá, ocupando toda sua extensão. O sofá era bem grande, mas ele era um homem ainda maior. Magnus se esparramou aos pés dele.

"Então enquanto eu leio você vai ficar deitado aí. Como uma matrona espalhada em sua espreguiçadeira."

"Não. Eu vou ficar deitado aqui como um duque, repousando em seu próprio castelo."

Ah. Ele devia repousar enquanto podia, pois aquele castelo não seria dele em breve.

Utilizando um abridor de cartas que jazia sobre a mesa, Izzy começou a quebrar os lacres e a abrir os envelopes. Ela abriu o primeiro – e mais gordo – que seus dedos encontraram.

E pareceu que ela escolheu bem. Uma longa lista de linhas, números e contas caiu de dentro.

"Este parece promissor", ela disse.

"Não crie expectativa, Goodnight. Leia logo."

"'Queremos que Alteza saiba'", ela começou, "que ficamos muito apreensivos ao receber a notícia de seu ferimento recente. Por favor aceite nossos votos de um pronto restabelecimento à sua boa saúde. Atendendo à sua solicitação, vamos encaminhar todas as correspondências relativas às propriedades para o Castelo Gostley, em Northumberland, até o momento em que recebermos outra orientação. Por favor, receba anexa a lista de todos os pagamentos feitos com as contas das propriedades na quinzena...'"

"Você percebeu o que está fazendo?", o duque a interrompeu.

"O que eu estou fazendo?"

"Está lendo com uma voz diferente."

"Eu não estou fazendo nada disso." Ela sentiu o rosto corar. "Estou?"

"Está. Está sim. Eu nunca percebi que meu contador falava do mesmo jeito que o Papai Noel."

Muito bem. Ela *estava* lendo a carta com uma voz empostada de funcionário empolado. E daí? Izzy não acreditava que ele tivesse motivo para reclamar.

"Tudo fica mais divertido quando lido com vozes diferentes." Dando de ombros, ela continuou. "'Por favor, receba anexa a lista de todos os pagamentos feitos com as contas das propriedades na quinzena anterior.' E então vem a tal lista. Cento e quinze libras pagas ao comerciante de vinhos. Cavalos comprados em leilão, oitocentas e cinquenta. Crédito mensal no clube de jogos Leão Sombrio, trezentas."

Vinho, cavalos, jogatina... Quanto mais ela lia, menos favorável era o retrato que aquela lista desenhava.

Contudo, a próxima linha chamou a atenção dela.

"Contribuição mensal para apoiar a 'Campanha pela Temperança' das senhoras... Ela olhou para ele por sobre a folha. "Dez guinéus inteiros. Que generosidade."

"Ninguém pode dizer que eu não faço caridade", ele comentou.

"Depois vêm linhas de salários de empregados, a conta na mercearia... Nada parece fora do comum." Izzy apertou os olhos para uma linha. "A não ser esta. Cento e quarenta libras pagas à Pérola Oculta. O que é isso, uma joalheria?"

"Não." Os lábios dele se curvaram naquele sorriso irônico que ela já conhecia. "Mas eles têm algumas preciosidades à mostra."

"Oh."

Ela entendeu o significado por trás da resposta ambígua e da expressão maliciosa. A Pérola Oculta era uma casa de pecado, claro. E ela era uma tola.

"Dá para *dizer* que se trata de um estabelecimento caridoso, caso isso ajude", ele disse. "Algumas dessas pobres mulheres quase não têm o que vestir."

Izzy o ignorou e levantou a carta.

"Importante ou não?"

"Importante", ele disse. "Tudo que tenha relação com dinheiro é importante."

Ela colocou a carta em uma parte livre da mesa, estabelecendo a base do que seria uma pilha pequena, mas continuamente crescente.

Eles foram passando pelos envelopes, um por um. Alguns convites para eventos que tinham acontecido há muito tempo foram para a pilha dos sem importância, assim como jornais e pedidos de contribuição que chegaram vários meses atrás. Relatórios sobre as propriedades e tabelas de contabilidade iam para a pilha importante.

Izzy pegou um envelope fino do mar de cartas não lidas.

"Estou com um que foi postado por um membro do Parlamento. Deve ser muito importante."

"Se você acha que toda carta com o lacre de um parlamentar é importante, suas noções a respeito do governo também são baseadas em contos de fada. Mas, por favor, leia."

Ao abrir a carta, o odor de um perfume velho e azedo roubou seus sentidos. A caligrafia da carta era cheia de floreios – muito feminina. Parecia que não tinha sido escrita pelo próprio parlamentar, mas provavelmente por sua esposa.

"'Rothbury'", Izzy começou em voz alta.

Bem, aquele era um cumprimento bastante informal. A carta devia ser de alguém que ele conhecia muito bem.

"'Você vai ficar chocado por ter notícias minhas. Faz meses, e nós não somos do tipo que troca missivas carinhosas. Mas que notícia é essa de que você sofreu um ferimento misterioso? Em Northumberland, ainda mais, de todos os lugares esquecidos por Deus. Eu ouvi centenas de boatos. Alguns dizem que você perdeu um olho, o nariz, ou os dois. Outros insistem que foi a mão. Eu, é claro, não ligo para o que você pode perder, desde que nada de mal aconteça com aquela língua maravilhosa e danada que você tem. E que também não perca nenhum centímetro do seu magnífico..."

Izzy congelou, incapaz de continuar lendo.

"Vá em frente", o duque a provocou. "Eu estava gostando dessa carta. E mudei de ideia. Sinta-se à vontade para ser criativa com as vozes. Uma voz baixa e sensual seria excelente."

"Eu não acho que seja necessário que eu continue lendo. É claro que esta carta pertence à pilha das insignificantes."

"Oh, Srta. Goodnight." Ele levantou a sobrancelha sem cicatriz. "Você não estava prestando atenção? Não há nada de insignificante nisso."

Ela ficou vermelha de constrangimento.

"Não pense que consegue me envergonhar com seu silêncio", ele continuou. "Eu não sinto nem um pouco de vergonha. Só porque você faz amizades agindo como se tivesse sido encontrada embaixo de uma folha de nabo e criada por gnomos, não significa que todo mundo tem prazer em ser puritano."

"Puritano?", ela repetiu. "Não sou nada disso."

"É claro que não. O motivo de você ter parado de ler essa carta não tem nenhuma relação com o fato de você ser a queridinha inocente da Inglaterra."

Ele entrelaçou as mãos atrás da nuca e apoiou as botas no braço do sofá. Se um artista capturasse aquela imagem, o nome do quadro seria *Presunção: um retrato*. Ela sentiu vontade de sacudi-lo.

"Pau." Ela soltou. "Pronto. Eu disse. Em voz alta. Escute, vou dizer de novo. Pau! Pau, pau, pau. E não qualquer pau." Ela olhou para o papel e baixou a voz para um tom rouco e sensual. "'Seu magnífico pau, que eu anseio por sentir bem dentro de mim outra vez.'"

Ele ficou quieto, então.

Ela abriu a mão, deixando a carta cair.

"Satisfeito?"

"Na verdade, Goodnight..." Ele sentou no sofá, remexendo-se com constrangimento. "Eu não estou nem um pouco satisfeito. E sinceramente arrependido de ter forçado a questão."

"Ótimo."

Izzy bufou, soprando um cacho rebelde para fora de sua testa. Ela sentia o corpo todo quente e dolorido, além de uma sensação latejante entre as coxas.

O pior de tudo é que sua cabeça tinha ficado agitada de curiosidade. No que se tratava de um órgão masculino, o que exatamente constituía algo "magnífico"? Ela imaginava que havia algumas dicas na carta, como centímetros preciosos e a capacidade de chegar "bem dentro" daquela mulher.

Ela apoiou os cotovelos na mesa e estendeu o dedo indicador. Quanto isso representava de fato, ela imaginou. Talvez dez centímetros, no máximo? Dez centímetros não pareciam, para ela, a medida que alguém pudesse associar a algo magnífico.

Ela estendeu os dois indicadores, um na direção do outro, deixando que as pontas se tocassem. A extensão combinada dos dois era mais impressionante. Mas também um pouco assustadora.

"Goodnight."

*Oh, Senhor.*

O cotovelo dela escorregou, fazendo um maço de papéis cair no chão. Graças a Deus ele não podia vê-la.

"Sim?", ela disse.

"Você pretende continuar com seu trabalho?"

"Sim. Sim, Alteza. É claro. Sim."

Chega dessas cartas de suas antigas amantes.

Izzy vasculhou as cartas, na esperança de encontrar algo entediante. Um relatório sobre as condições da cultura de cevada dos arrendatários dele. Alguma coisa que não fornecesse nenhuma evidência de sua carreira como um libertino viril, incorrigível e *magnífico*.

"Aqui está uma carta que foi enviada como urgente", ela disse, pegando um envelope maltratado na parte de baixo da pilha. "Foi endereçada a você em Londres, mas seus empregados devem tê-la encaminhado para cá."

Ele se endireitou, dando a Izzy toda sua atenção.

"'Alteza'", ela começou, mas antes de continuar, ela baixou o papel. "É tão estranho. Devo ter aberto umas vinte cartas até agora. Nenhuma delas começava com uma saudação amistosa. Nada de 'Meu caro duque' ou 'Prezado Rothbury'."

"Não é surpresa", ele disse, sem emoção. "É assim que as coisas são."

Ela riu baixinho.

"Mas nem sempre, eu imagino. Em algum lugar no meio dessas centenas e centenas de cartas deve haver uma que seja pelo menos um pouco afetuosa."

"Fique à vontade para pensar assim. Mas eu aconselho você a não criar expectativas."

Sério? Nenhuma?

Izzy mordeu o lábio, sentindo-se mal por tocar no assunto. Mas se ninguém ousava se dirigir a ele calorosamente, só podia ser por ele não dar oportunidade a isso, com aquela atitude severa. É claro que alguém, em algum lugar, o considerava digno de afeto – ou pelo menos admiração. E, ela esperou, por um motivo que não tivesse relação com os dotes financeiros ou físicos do duque.

Ela voltou para a carta que tinha em mãos. Após algumas linhas, ela percebeu que essa era muito diferente das outras cartas que tinha lido antes.

"'Alteza. A esta altura você já sabe que eu parti. Não pense que eu tenho arrependimentos. Só sinto muito – com todo coração – por uma única coisa, que é ter me faltado coragem para lhe dizer diretamente.'"

Os pés do duque atingiram o chão com um baque forte. Ele ficou de pé. Sua expressão era ameaçadora. Mas ele não disse a Izzy que parasse de ler.

"'Eu entendo'", Izzy continuou após pigarrear, "que o perdão seria difícil para você neste momento, mas eu sinto que preciso dar alguma explicação para as minhas ações. A verdade é que eu nunca poderia am...'"

O papel foi arrancado das mãos dela.

Rothbury o amassou com uma mão e jogou na lareira.

"Sem importância."

*Sem importância?*

Como assim?

Izzy sabia que o conteúdo daquela carta era importante. Tão importante que ele não suportava confrontá-lo, e assim arrancou a carta das mãos dela e destruiu a verdade.

Mas havia outro fato importante com o qual ela precisava lidar, e que não tinha nenhuma relação com a correspondência.

Ela o encarou.

"Seu trapaceiro mentiroso! Você não é cego."

## Capítulo Nove

"Você não é cego!", Izzy repetiu.

Aquela declaração o pegou de surpresa, mas não de um modo desagradável. Ele estava mais do que disposto a discutir sua maldita visão durante o dia inteiro se Izzy pudesse esquecer que tinha aberto aquela maldita carta. A garota tola que a escreveu deveria ter economizado a tinta. Se o perdão era difícil para Ransom naquele momento, agora era absolutamente impossível.

"Eu sou cego", ele informou a Srta. Goodnight. "Por que eu fingiria, se não fosse?"

"Mas você acabou de dar cinco passos na minha direção e arrancar a folha da minha mão, sem hesitar. Sem tatear." Ela fez uma pausa. "E de vez em quando, o modo como você olha para mim... me faz pensar. Às vezes parece que você é completamente cego, mas outras vezes não parece."

"Isso é porque às vezes eu sou completamente cego, mas às vezes não."

"Não estou entendendo."

"Você e todos os médicos. O que me falaram é que o nervo sofreu algum dano interno. E ele varia. Durante certas horas do dia, eu consigo distinguir formas e sombras. Algumas cores borradas. Em especial com o meu olho esquerdo. No resto do tempo tudo vira uma névoa escura. Fico melhor pela manhã."

Lentamente, ela empurrou a cadeira para trás e se levantou.

"O que você vê, precisamente, quando olha para mim?"

Ele passou os olhos por ela.

"Eu não vejo nada 'precisamente'. Mas consigo ver que você é magra. Vejo que está usando branco, ou alguma cor clara. Seu rosto é pálido e seus lábios avermelhados. E parece que um polvo castanho escuro está atacando sua cabeça."

"É o meu cabelo."

Ransom deu de ombros.

"Você perguntou o que eu vejo. E estou vendo tentáculos."

Ele percebeu a irritação dela com sua resposta e isso o deixou contente. O que ela esperava, elogios? Ele não iria lhe dizer que a sua boca era uma poça de vinho que ele queria lamber. Ou que as mãos dele doíam de vontade de tocar e acariciar as curvas do corpo dela. Mesmo que tudo isso fosse verdade.

"Quem mais sabe a extensão dos seus ferimentos?", ela perguntou.

"Apenas alguns médicos inúteis, Duncan e... E agora você."

Ransom pretendia manter a informação oculta. Ele tinha tido muito trabalho para conseguir dominar suas tolas esperanças e não conseguiria lidar também com as expectativas dos outros. Se Abigail Pelham, por exemplo, soubesse que ele às vezes conseguia enxergar, iria atormentá-lo para sempre. Ela escreveria à especialistas de Londres pedindo exercícios para os olhos e depois lhe faria milhares de perguntas.

*Você sente que está melhorando?*

*Você notou alguma melhoria?*

*Isso faz alguma diferença?*

*Que tal agora?*

*E agora?*

E, é claro, as respostas seriam apenas não, não, não, não. E não.

"Chega de falarmos dos meus olhos. Você só precisa saber de duas coisas. Primeiro, eu consigo me orientar neste castelo melhor do que você. Segundo, eu não consigo ler essas cartas sozinho." Ransom voltou para o sofá e sentou. "Então pegue a próxima e vamos continuar."

"Sim, Alteza."

Felizmente, dessa vez ela pegou um relatório seco e entediante de um dos administradores dele. Timmons, da propriedade de Surrey. Um homem muito detalhista, ainda bem. Havia páginas e mais páginas de conselhos quanto à saúde das ovelhas e a rotação de culturas.

Ele poderia tê-la interrompido após a leitura da primeira página. Não havia muita necessidade de ele saber das melhorias nos antigos estábulos. Mas ele não conseguiu interrompê-la.

Ele gostava de ouvir Izzy lendo. Ele gostava demais. Ouvir a voz dela era como flutuar em um rio. Não uma corredeira borbulhante, passando por pedras e coisas assim, mas um rio de mel espesso, com profundidade e uma melodia doce. Para se manter flutuando ele a deixaria ler qualquer coisa. Até mesmo aquelas histórias açucaradas de Menstruália ou seja lá como aquilo se chamava.

"Mais uma carta do contador", ela disse depois que algum tempo se passou.

Excelente. Outra lista longa e sem sentido de informações para ela ler. Contudo, ela não foi muito longe antes de parar.

"Que estranho", ela disse.

"O que é estranho?"

"Suas despesas com mercearia quadruplicaram se comparadas com o relatório anterior."

"E daí? É só a mercearia."

"Sim, mas... nem é uma quantia exagerada. Mas é estranho que sua governanta gaste, de repente, quatro vezes mais em vegetais. Você nem estava em casa."

Ransom também achou aquilo um pouco estranho.

"Deixe para lá", ela disse. "Só notei porque eu sempre pagava esse tipo de despesa na minha casa. O açougueiro, a mercearia, a lavanderia. Não tem importância para você."

Não, não tem. Uma despesa desse tipo passaria completamente despercebida por Ransom. O que sugeria uma coisa: se alguém quisesse roubá-lo, superfaturar a conta da mercearia era o modo perfeito de fazer isso.

"Vamos comparar os dois relatórios." Ele andou até a mesa e ficou perto dela. "Os detalhes, devagar."

"Só me dê um instante para eu encontrar."

A Srta. Goodnight não era a secretária que ele teria escolhido. Mas ela parecia ter o tipo de olho crítico de que ele precisava. Considerando a quantidade de dinheiro a que seus advogados tinham acesso para usar – e podiam usar mal – Izzy podia acabar sendo uma barganha.

Mas eles não puderam começar a análise das contas.

"Srta. Goodnight!"

Ransom gemeu. A Srta. Pelham tinha voltado.

"Srta. Goodnight, espero que não tenha duvidado, pois nós voltamos. Trouxe todas as minhas coisas da casa paroquial e logo a cozinheira e a criada vão chegar para nos ajudar a começar."

"Maravilha!", Izzy gritou de volta, levantando de sua cadeira. "Estou indo até aí." Para Ransom, ela disse, "Vamos ter que continuar amanhã, Alteza."

"Espere um pouco", Ransom discordou. "Não vou esperar até amanhã."

"Receio que não tenhamos escolha."

Oh, era aí que ela se enganava. Ele era um duque e sempre tinha escolha.

"Você está empregada como minha secretária", ele vociferou entredentes. "Não estou lhe pagando duzentas libras por dia para você trocar móveis de lugar e pendurar cortinas. Agora sente-se aí e encontre aquela lista de pagamentos."

"Eu ouvi um 'por favor'?" Ela esperou um instante. "Não, acho que não", ela concluiu.

"Maldição, Goodnight."

"Corte meu salário do período da tarde, se quiser." Ela começou a se afastar. "A contabilidade vai ter que esperar até amanhã. Se você não permitir que eu e a Srta. Pelham arrumemos um quarto quente, confortável, livre de ratos e morcegos antes que caia a noite, posso lhe prometer uma coisa; não vai haver um amanhã."

A Srta. Pelham chamou do corredor.

"Venha, Srta. Goodnight! Vamos transformar este castelo em um lar."
*Um lar.*
Essas palavras fizeram o corpo dele estremecer de pavor.

Ele não tinha mais como impedir. A Srta. Goodnight estava se instalando. Fazendo um lar. Que droga de maravilha.

Ransom começou a se perguntar se tinha mesmo feito uma barganha.

Quando o assunto são jovens damas, a Srta. Abigail Pelham era o estereótipo perfeito de tudo o que deixava Izzy desesperada. Desde o instante em que a filha do vigário entrou andando – ou melhor, flutuando – no salão principal do castelo, Izzy percebeu que as duas eram criaturas diferentes.

A Srta. Pelham era o tipo de jovem que fazia planos, listas, e mantinha um padrão de beleza. Ela era do tipo que sabia, de algum modo, quais chapéus de palha na chapeleira iriam ficar bem nela, sem que a fizessem parecer um espantalho. Do tipo que sempre cheirava a baunilha e gardênias, não porque gostasse de fazer bolos ou trabalhar no jardim, mas porque tinha decidido que esse seria seu aroma característico, e assim mantinha sachês perfumados em suas gavetas de roupas íntimas.

Ela era competente na arte que Izzy, desajeitada e órfã de mãe, nunca havia dominado: a arte de ser feminina. Se ela tivesse encontrado a Srta.

Pelham em uma festa, teriam menos para conversar uma com a outra do que um papagaio colorido com o canário, dividindo um poleiro.

Por sorte, elas não estavam em uma festa, mas arrumando a casa. E logo ficou claro que *nessa* tarefa, Izzy não poderia querer uma parceira mais entusiasmada.

A Srta. Pelham examinou o aposento ducal, franzindo o nariz para as cortinas destruídas pelas traças.

"Foi horrível da parte do duque colocar você neste quarto, que tem potencial, mas não é o melhor lugar."

"Concordo", disse Izzy.

"Vamos fazer um reconhecimento do castelo inteiro esta manhã." A Srta. Pelham saiu do quarto com um movimento rápido. "Esta tarde vamos escolher um quarto para começar", ela continuou. "Um que seja pequeno e fácil de limpar. Vamos varrê-lo e colocar nele uma cama decente antes que anoiteça. E temos que verificar a chaminé, claro. Algumas delas estão entupidas com ninhos de pássaros e só o bom Deus sabe o que mais."

Ela parou de andar, estremeceu e soltou um gritinho.

"Eu não consigo dizer para você como estou empolgada de fazer isto. Finalmente! Tem sido uma tortura viver no pé da colina, observando este castelo maravilhoso minha vida toda e vê-lo se deteriorar cada vez mais. E, finalmente, nós vamos ter alguns empregos para os paroquianos."

Izzy acompanhou o desenrolar incansável da conversa, divertindo-se. Se a Srta. Pelham perdia o fôlego pelo ritmo em que as duas seguiam, ela não demonstrava.

Por sua vez, Izzy mantinha a boca fechada e os olhos abertos. Enquanto andavam pelos corredores, a luz do dia revelava que a maioria dos quartos estava em condições desanimadoras. Muitas das janelas estavam quebradas. Tudo que traças e ratos podiam roer, tinha sido roído. Pó e teias de aranha cobriam o resto, como um cobertor de neve cinzenta.

"Precisamos estabelecer objetivos razoáveis", continuou a Srta. Pelham. "Este castelo não foi construído em um dia e também não vai ser transformado em um espaço habitável em um piscar de olhos."

"A julgar pela arquitetura, a construção demorou algumas centenas de anos. Espero que torná-lo habitável não demore *tanto* tempo", comentou Izzy.

A Srta. Pelham virou, no pé da escada, e sorriu.

"Você deve saber tanto sobre castelos. Aprendeu tudo com Sir Henry, claro."

*Lá vamos nós.*

"Sim." Izzy colocou um sorriso doce no seu rosto. "Eu sempre adorei ouvir meu pai dando suas palestras."

"Que sorte a sua de tê-lo como pai." A Srta. Pelham passou os olhos por Izzy. "E como você foi inteligente. Eu ainda vou ter que me trocar e colocar uma roupa de trabalho, mas você já teve o cuidado de vestir a sua."

Izzy tocou as saias do seu vestido – seu melhor traje de dia – e tentou sorrir.

Quando elas viraram em um corredor, Izzy reconheceu a escadaria. "Vamos subir ali."

A Srta. Pelham a seguiu com relutância.

"Não pode haver muita coisa lá em cima. A escada é muito estreita. Precisamos resistir ao impulso de explorar cada canto ou nunca vamos terminar nossa avaliação do castelo. Vamos visitar as torres principais hoje, e à tarde precisamos limitar as opções para o seu quarto."

*Trinta e dois, trinta e três...*

"Este aqui", disse Izzy emergindo no quarto da torre. "Este é o quarto que eu escolhi."

O quarto da torre era ainda mais encantador de dia do que à noite. O teto arqueado se afunilava em direção a um ponto acima e um facho de luz dourada penetrava pela única janela.

Quando Izzy foi até a janela, seu coração começou a bater mais rápido. Uma vista inspiradora de colinas verdes e muralhas do castelo se esparramava à sua frente. Oh, até mesmo hera subia pelas paredes, com ninhos de pássaros.

"Este aqui?" A Srta. Pelham não parecia ter visto os encantos do quarto. "Este não seria nada prático, com toda essa escadaria. Muitas correntes de vento, também, tenho certeza. Não tem nem mesmo uma lareira."

"Não ter lareira significa que não teremos que limpar uma chaminé." *Não ter chaminé significa que não terá morcegos.* "E é verão, eu posso me virar com cobertores." Izzy circulou pelo quarto. "Este tem que ser meu quarto."

"Você é mesmo a pequena Izzy Goodnight, não é?" A Srta. Pelham abriu um sorriso largo. "Oh! Vamos pintar o teto com luas prateadas e estrelas douradas?"

Ela se referia ao quarto de Izzy em *Os Contos de Goodnight* – que tinha uma colcha roxa e um céu estrelado pintado no teto. O quarto que nunca existiu.

"Não precisamos fazer isso", ela disse. "À noite eu posso ver estrelas de verdade."

Ela não queria se sentir uma garotinha nesse quarto. Ali, ela era uma mulher. Uma mulher sedutora. Foi ali o palco de seu primeiro beijo de *verdade*.

O beijo de um duque trapaceiro, impossível, que só a beijou após ser coibido. Mas foi um beijo mesmo assim, um que ela ainda sentia nos cantos de seus lábios arranhados pela barba dele.

"Bem", a Srta. Pelham disse, "depois nós vamos ter que fazer, no piso de baixo, uma suíte adequada para você, com uma sala de estar e aposentos para sua criada pessoal. Mas acho que este quarto serve para começar."

"Fico feliz por você gostar dele."

"Gostar?" Ela passou o braço pelo de Izzy e apertou forte. "Estou tão contente que poderia gritar."

*Não. Por favor, não.*

"Nós temos um dia duro de trabalho pela frente", disse a Srta. Pelham. "Mas esta noite nós teremos um quarto adequado para dormir. Nós vamos trançar o cabelo uma da outra. Mergulhar embaixo das cobertas e contar histórias até altas horas. Ah, isto vai ser tão divertido."

E *foi* divertido, por uma ou duas horas. Mas no fim, aquela noite foi igualzinha a qualquer outra na vida de Izzy.

Mais uma vez, ela acordou no escuro com o coração aterrorizado martelando em seu peito e a garganta seca.

Ruídos estranhos atacavam de todos os lados.

Eu não estou sozinha, ela repetia para si mesma, lutando para controlar sua respiração. A Srta. Pelham está comigo.

Mas ela se sentiria muito melhor se houvesse mais alguém além da Srta. Pelham. Izzy se revirava na cama na esperança de que seus movimentos acordassem sua acompanhante.

Como a Srta. Pelham não acordou, ela recorreu a métodos mais diretos. Izzy colocou a mão no ombro da jovem e a chacoalhou com vivacidade.

Nada.

"Srta. Pelham. Srta. Pelham, sinto perturbá-la. Por favor, acorde."

A filha do vigário roncou uma vez. Bem alto. Mas não acordou.

Bom Deus. Pouco antes de se deitar, ela afirmou que não tinha medo de fantasmas, porque bons cristãos não tinham motivo para não dormir bem. Ela não estava brincando. A mulher dormia como uma pedra.

Mas isso pareceu extremamente injusto para Izzy. Será que ela foi uma má cristã toda sua vida? Ela não ia à igreja com a frequência que deveria, mas ela não era o que se poderia chamar de pagã.

Embora, para ser sincera, nas últimas vinte e quatro horas ela não teve vergonha de beijar um duque e depois passar um bocado de tempo refletindo sobre a ideia de... magnificência.

O som de um lamento distante a gelou até os ossos.

Pronto. Ela iria sair da cama. Aquele barulho não vinha da sua imaginação.

Izzy chacoalhou o ombro da Srta. Pelham.

"Srta. Pelham. Srta. Pelham, acorde."

"O que foi, Srta. Goodnight?" A jovem se virou preguiçosamente, o cabelo embaraçado pelo sono. Izzy sentiu uma pequena satisfação ao ver a Srta. Pelham com o cabelo embaraçado.

Quando os gemidos recomeçaram, ela perdeu todo o interesse em penteados.

"Você ouviu isso?", Izzy perguntou.

"Tenho certeza de que não é nada."

"É um nada muito alto! Ouça. Aí está outra vez."

A Srta. Pelham franziu a testa e prestou atenção.

"Sim, entendo o que você quer dizer."

*Obrigada, meu Deus. Não estou ficando louca.*

"O que pode ser? Ouvi dizer que tem gado solto no campo, mas esse som parece estar muito perto."

Elas ouviram o som novamente – aquele uivo baixo.

"Um pastor soprando sua corneta?", sugeriu a Srta. Pelham, sentando-se.

"A esta hora da noite? Sem parar?" Izzy estremeceu.

"Bem, não é um fantasma. Eu não acredito em fantasmas."

"Eu também não acreditava até vir para cá."

A Srta. Pelham suspirou.

"Só existe um jeito de descobrirmos. Vamos investigar."

"Precisamos, mesmo?", Izzy perguntou. "Pensando bem, eu posso continuar vivendo sem saber o que é isso. Vamos voltar para a cama."

"Foi você que me acordou, Srta. Goodnight. Eu acho que você não vai dormir bem até nós esclarecermos esse mistério."

Izzy receava que ela fosse dizer isso.

"Talvez alguém esteja querendo pregar uma peça em nós."

"Isso é bem possível." A Srta. Pelham pegou seu roupão. "Eu não duvidaria de que é o duque. Não tenho dúvida de que ele gostaria de nos tirar do quarto de camisola. Certifique-se de prender seu roupão com um laço bem firme."

"Ele é cego. Como iria saber o que estamos vestindo?"

"Ele iria saber."

Sim, Izzy imaginou que ele saberia.

Embora Izzy não estivesse muito animada com a ideia de se esgueirar outra vez pelo castelo no meio da noite, ela se sentiu mais confiante por saber que a Srta. Pelham a acompanharia nessa excursão.

Depois que elas amarraram os robes e calçaram seus sapatos, acenderam velas. Izzy tateou seu bolso. Vazio. Bola de Neve devia estar caçando ou enrolada em seu ninho.

Bola de Neve tinha muita sorte.

Elas desceram a escada juntas, avançando lentamente no escuro. Uma após a outra. Às vezes a Srta. Pelham se apressava e virava antes de Izzy, fazendo com que ela e sua vela sumissem de vista. Então Izzy se apressava para acompanhá-la, certa de que podia sentir dedos fantasmagóricos no seu pescoço.

"Está vendo alguma coisa daquele lado?", perguntou a Srta. Pelham quando elas saíram para o corredor.

Izzy levantou seu castiçal com a mão direita e espiou por entre os dedos da esquerda.

"Não."

"Também não há nada deste lado."

O barulho ecoou outra vez.

"Não se preocupe, Srta. Goodnight. Construções velhas como esta fazem todo tipo de barulho. Sem dúvida as madeiras devem estar se movimentando ou é uma porta rangendo enquanto balança nas dobradiças enferrujadas."

As duas saíram para o pátio, e o estavam cruzando quando uma figura imensa surgiu das sombras, fazendo-as parar onde estavam.

"Duncan", Izzy resfolegou, levando a mão ao coração sobressaltado. "Você nos assustou."

O criado ergueu sua lamparina, iluminando as rugas severas do seu rosto.

"O que as senhoritas estão fazendo fora da cama?"

Mais uma vez, aquele lamento agudo se elevou na noite, erguendo cada pelo dos braços de Izzy.

"Viemos investigar *isso*", ela disse.

"O que pode ser?", perguntou a Srta. Pelham.

Duncan balançou a cabeça.

"Podem ser gatos miando ou uma briga de raposas. Seja o que for, vou colocar os animais para correr. As senhoritas devem voltar para o quarto."

"Nós vamos com você", Izzy decidiu.

Elas tinham chegado até ali. Ela preferia enfrentar o que quer que fosse ao lado de Duncan do que voltar só com a Srta. Pelham por todo o caminho até o quarto.

"Srta. Goodnight, não é preciso..."

Antes que ele pudesse concluir seu raciocínio, a Srta. Pelham gritou e apontou o dedo.

"Um fantasma!"

Uma aparição branca e translúcida veio correndo da torre. Ela se contorcia e uivava, atravessando o pátio como um espectro.

Não era um fantasma. Era Magnus.

O pobre cachorro-lobo Magnus estava enrolado em um tecido de forração que elas tinham pendurado com a roupa lavada. Ele se movia tão rapidamente que Izzy precisou de alguns instantes para perceber o motivo da aflição do cachorro.

Mas ela deveria ter imaginado qual era a causa.

*Bola de Neve.*

A doninha tinha mesmo saído para caçar – e foi em busca de algo grande.

Ela estava presa na cauda de Magnus, segurando-se com a força de seus dentes selvagens. O cachorro pulava pelo pátio, dando pinotes e uivando em seu esforço para derrubar seu agressor.

"Oh, coitadinho." Rindo, Izzy saiu correndo atrás dele. "Duncan, você consegue pegá-lo?"

Foi preciso um certo esforço, mas eles acabaram conseguindo cercar os animais. Duncan segurou o cachorro enquanto Izzy fazia Bola de Neve abrir as mandíbulas e soltar a cauda do cão.

"Pronto. Sua coisinha perigosa."

A Srta. Pelham franziu a testa ao analisar a mordida na cauda do cachorro.

"Eu vou fazer um curativo no coitadinho. A ferida é profunda. No meu kit tem uma pomada que vai ajudar. Está no salão principal. Duncan, nós vamos precisar de ataduras."

Duncan foi atrás do cachorro antes mesmo de ela terminar de falar.

"Claro, Srta. Pelham."

Izzy ajeitou a doninha em suas mãos.

"Vou levar Bola de Neve para a torre, prendê-la de modo que não escape, e depois eu volto para lhe ajudar."

Com o plano feito, elas se separaram e cada uma foi para seu canto.

Izzy subiu a escadaria com Bola de Neve guardada em segurança no bolso do seu roupão. A doninha parecia ter se cansado da aventura e logo estava dormindo.

"O duque vai ficar muito bravo com você", Izzy ralhou com Bola de Neve, trancando o animal em sua gaiola dourada. "E vai ficar bravo comigo, sem dúvida."

Onde estava o duque, afinal? Não tinha como ele conseguir dormir em meio a todos aqueles uivos. E mesmo que conseguisse, devia ter notado a comoção de seu próprio cachorro.

Apesar de suas dúvidas, Izzy caminhava levé e despreocupada enquanto voltava para o salão principal. Agora que o fantasma uivante e lamentoso tinha sido desmascarado e revelado como algo tão inofensivo, um sentimento de coragem começou a crescer em seu peito.

Ela conseguiria fazer aquilo. Ela poderia transformar aquele lugar em sua casa.

Mas então...

Enquanto passava pelo corredor, Izzy viu alguma coisa em um dos quartos vagos.

Alguma coisa branca que se contorcia... E gemia.

O coração dela acelerou, bateu tão forte que ela pensou que poderia sair pela garganta. Mas ela não correu. Izzy se aproximou um pouco, segurando a vela com firmeza.

Aos poucos, aquela aparição fantasmagórica foi entrando em foco.

"Alteza?", Izzy piscou.

## Capítulo Dez

Droga, droga, droga.

Ransom estremeceu quando a voz conhecida dela atravessou seu crânio latejante.

Ela *tinha* que encontrá-lo ali, vê-lo daquele jeito. Caído no chão, com os joelhos para cima. Aleijado pela dor excruciante.

Por que ele havia concordado com um duelo de espadas? Ele deveria ter insistido em pistolas. Claro que ele estaria morto a essa altura, mas em momentos como aquele morrer parecia preferível a mais um minuto daquela dor pulsante, ardente.

"O que foi?", ela perguntou. "Você está passando mal?"

Ela entrou no quarto e se agachou ao lado dele.

"Vá embora. Deixe-me em paz." Ele rolou para o lado, puxando os joelhos até a barriga e apertando a cabeça contra a pedra lisa e fria do chão.

"Você está tendo algum tipo de ataque?"

"Apenas..." Ele estremeceu quando um novo surto de dor disparou da sua cavidade ocular em direção à parte de trás do crânio.

De novo e de novo.

"Como eu posso ajudar?", ela perguntou.

"Indo embora."

"Não vou fazer isso. Você não foi embora quando eu desmaiei."

"É diferente", ele murmurou. "Não foi..."

"Não foi gentileza. Eu sei, eu sei. Alguma coisa sobre bichos. Se você não quer a minha presença, devo chamar o Duncan?"

"Não." Ele conseguiu pronunciar sua negativa com a força de um tiro, mas o coice foi cruel. Listras brancas de dor surgiram atrás das pálpebras dele.

Izzy não saiu do lado dele.

"Você quer água? Uísque? Alguma erva?"

Ele rilhou os dentes e negou com a cabeça.

"Nada funciona. Tenho que esperar passar."

"Quanto tempo?", ela perguntou.

"Uma hora, mais ou menos."

Uma hora que parecia uma eternidade. Uma eternidade tendo a base do crânio perfurada com uma lança. Muitas vezes.

"Vou ficar com você", ela disse.

Izzy pousou a mão no ombro dele e o toque fez um arrepio percorrer seu corpo.

Ransom estava acostumado a lidar sozinho com sua dor. Quando criança, ele não teve outra opção. Sua mãe morreu menos de uma hora após seu nascimento. E seu pai não demonstrou nenhuma paciência com as lágrimas do pequeno Ransom, descontando com batidas e esfolados. Quando ele se machucava ou ficava doente, o velho duque acreditava que ele deveria superar a dor sozinho. As babás e os empregados da casa eram proibidos de sequer lhe dar um abraço. Nenhum mimo. Nenhuma compaixão. Seu pai insistiu nisso.

E seu pai tinha razão. Ao aprender a se recuperar sozinho, Ransom cresceu tornando-se um homem forte, independente, intocável e invencível.

Até o momento em que um sabre cortou seu rosto.

Ela passou os dedos pela sobrancelha arruinada dele.

"Eu não preciso de você aqui", ele disse.

"É claro que não. Você é um duque grande, forte e másculo. Não precisa de ninguém, eu sei. Não estou aqui por você, estou aqui por mim, porque eu preciso ficar."

Com um suspiro, ele cedeu. Ransom não tinha força para continuar a discussão.

Ela se ajoelhou ao lado do duque e puxou a cabeça dele para seu colo.

"Pronto. Agora está tudo bem. Calma."

Os dedos dela passeavam em meio ao cabelo dele, traçando linhas deliciosas em seu couro cabeludo. Cada carícia parecia afastar um pouco da dor.

O toque dela parecia mágico – ou a coisa mais próxima de um milagre em que um homem como ele poderia acreditar. Ela encontrou o ponto central da dor e a amorteceu com carícias delicadas.

E a voz dela. Um rio profundo e doce de voz, que o fazia flutuar para longe da agonia.

Era tão estranho a ele, aquele carinho espontâneo. Incompreensível. E por mais que ele desejasse, aquilo o assustava como o capeta. Com cada carícia que ele permitia, ia acumulando uma dívida que nunca conseguiria pagar.

*Você não merece isso*, veio aquele eco sombrio, imperdoável. Ele tinha ouvido essas palavras tantas vezes que elas já faziam parte dele. Elas viviam em seu sangue e ressoavam com cada batida oca de seu coração. *Você não merece isso. Nunca vai merecer.*

O polegar dela encontrou um nó na base do crânio dele e o apertou. Ele gemeu.

Izzy parou no mesmo instante.

"Estou incomodando você?"

"Não. Sim." Ele se virou para que sua cabeça se acomodasse entre as duas pernas dela. Ransom, então, esticou o braço, com o qual envolveu a cintura dela, sem pudor. "Só..."

"Sim?"

"Não pare." Ele prendeu a respiração quando uma nova onda de dor quase o fez desmaiar. "Não pare."

"Não vou parar", ela prometeu.

Izzy sentiu um aperto no coração. Havia algo de comovente em ver um homem tão grande, tão poderoso, enrolado no chão como um filhotinho, molhado de suor e se contorcendo devido a uma dor tão evidente.

Os braços dele apertaram a cintura de Izzy.

Ela estava sozinha há muito tempo. Em certo sentido, desde muito antes de seu pai morrer. E ela conhecia bem a solidão para entender que a pior parte não era não ter alguém para cuidar de você – mas não ter ninguém de quem cuidar.

Izzy não sabia se as carícias de seus dedos podiam aliviar a dor dele, mas com certeza estavam desmontando a rede de proteção em torno do coração *dela*.

Ela continuou acariciando a testa e o cabelo dele, emitindo sons tranquilizadores e sussurrando palavras que, ela esperava, fossem reconfortantes.

*O que aconteceu?*, ela quis perguntar. *O que aconteceu esta noite? O que aconteceu todos esses meses atrás?*

"Fale", Ransom pediu.

"O que eu devo falar?"

"Qualquer coisa."

Que estranho. Todos os dias, Izzy sempre era alvo de perguntas, mas nunca lhe pediram para falar sobre qualquer coisa que tivesse na cabeça. E agora que Ransom lhe pedia isso, ela não sabia o que falar.

Ela passou os dedos pelo cabelo dele outra vez.

"Fale de qualquer coisa", ele pediu. "Conte-me uma história, se for o caso. Uma de Manganã."

Ela sorriu.

"Eu não gostaria disso. Eu trabalhava ajudando meu pai, mas isso não significa que eu era uma garotinha vivendo as histórias dele. Claro que eu gosto de uma história romântica, mas também gosto de jornais e revistas esportivas."

Ela desceu com a mão até o pescoço dele e começou a massageá-lo, para ver se soltava aqueles nós de seus músculos, fazendo círculos com os dedos.

Ele gemeu e ela interrompeu o movimento.

"Devo parar?"

"Não. Continue falando. Que esportes?"

"Quando eu era garota, seguia todos eles. Meu pai era apenas um professor particular, nessa época, e eu lia qualquer coisa em que conseguisse colocar as mãos. Um dos alunos dele nos deu uma pilha de revistas de boxe e outros tipos de luta, mas a de corrida de cavalos era a minha favorita. Eu lia todos os artigos e estudava todas as corridas. Eu escolhia os cavalos e meu pai fazia as apostas. Aquele dinheirinho extra sempre vinha a calhar."

Ela apoiou seu corpo em um dos braços estendidos e se ajeitou para contar tudo sobre o ano em que ela acertou os ganhadores dos prêmios Ascot e Derby, sem poupar detalhes de sua pesquisa a respeito dos pais dos animais e do cálculo de probabilidades. Ele queria que ela não parasse de falar, e foi o que ela fez.

"Seja como for", ela concluiu, minutos depois, "nós nos saímos bem."

"Parece que *você* se saiu bem." Ele soltou um suspiro comprido e pesado, e depois se virou de costas, para olhá-la de frente.

"A dor está melhor, Altez..." Ela se interrompeu, incapaz de completar a forma de tratamento correta. Ele estava com a cabeça em seu colo e ela tinha acabado de tagarelar sobre sua vida monótona. Aquele era o momento menos ducal ou elegante que ela poderia imaginar. A formalidade seria mesmo necessária?

Ela pensou em todas aquelas cartas que tinha lido pela manhã. Todas começavam com "Alteza" ou "Permita-me duque", ou outra forma tão fria quanto.

Ele precisava de alguém que o tratasse como uma *pessoa*. Não como um duque intocável, mas um homem digno de receber carinho. E como ela imaginava que Duncan deveria preferir comer graxa de sapato a romper com seu papel tradicional, Izzy decidiu que esse alguém teria que ser ela mesma.

"Ransom", ela sussurrou.

Ele não se opôs, então Izzy tentou de novo.

"Ransom, você está melhor?"

Ele aquiesceu, colocando uma mão sobre os olhos e massageando as têmporas.

"Estou melhorando."

"Você tem essas dores com frequência?", ela perguntou.

"A frequência diminuiu. Só que elas são... repentinas. E vingativas. Esta crise me tirou o chão. Pelo menos quando termina, a dor vai embora com a mesma rapidez que veio."

Ele começou a se esforçar para sentar.

"Não conte para o Duncan", ele disse. "Ele vai insistir em chamar um médico."

"Talvez chamar um médico seja boa ideia", Izzy respondeu.

Ransom sacudiu a cabeça, franzindo o rosto ao fazê-lo.

"Não. Não há nada que eles possam fazer."

Enfim, ele se colocou de pé. Izzy também levantou. E então ela observou, em pânico, aquele duque, com mais de um metro e oitenta de altura, se inclinar lentamente para a direita.

"Oh, céus." Ela correu para o lado dele, usando as duas mãos e todo o peso do seu corpo para sustentá-lo. "Deveria descansar, Alteza."

"Você também deveria." A mão dele subiu e desceu pelo braço dela. "Aliás, o que está fazendo fora da cama?"

"Eu... ahn..." Ela hesitou, sem saber como explicar sua "caçada ao fantasma" e sem querer dizer para ele que sua doninha tinha quase arrancado o rabo do pobre cachorro.

Mas ele não parecia estar pronto para entender toda aquela história.

"Tem certeza de que está bem?", ela perguntou.

"É sempre deste modo." Ele se aprumou, apoiando uma mão no ombro dela. "Depois que a dor vai embora, minha cabeça fica cerca de uma ou duas horas sem funcionar direito. É como se eu estivesse bêbado."

Ela sorriu, observando a mão pesada em seu ombro. Afinal, o duque estava aceitando uma pequena ajuda dela, sem que fosse obrigado.

"Bem, pelo menos você é um bêbado amistoso", ela disse. "Já é alguma coisa. De fato, eu acho que gosto mais de você assim."

"Eu gosto demais de você." Ele balbuciou, as palavras arrastadas e quase baixas demais para serem ouvidas.

E ridículas demais para que Izzy acreditasse nelas.

*Eu gosto demais de você.*

Izzy sentiu uma onda de calor. Ele não podia estar falando sério. Ransom não era ele mesmo naquele momento. Ele estava delirando.

"Você realmente devia descansar", ela disse. "Vou acompanhá-lo até o salão principal para que possa dormir." Ela começou a passar o braço dele por seu pescoço como se fosse um cachecol. Mas Ransom se virou para Izzy, e em vez de deixar o braço sobre o ombro dela, ele o deslizou pelas suas costas.

"Pelo menos me dê um beijo de boa noite", ele pediu.

Céus. Ele estava *mesmo* se comportando como se estivesse bêbado. E era provável que não se lembrasse desse encontro pela manhã.

Nesse caso... Por que não?

Colocando-se na ponta dos pés, ela beijou a face não barbeada dele. "Boa noite, Ransom."

"Não, não." Ele a puxou para perto e juntos os dois oscilaram para frente e para trás. "Não era isso que eu queria. Isolde Ophelia Goodnight, beije-me. Com toda a paixão que existe em sua alma."

"Eu..." Confusa, ela engoliu em seco. "Eu não sei como fazer isso."

O modo como ele torceu os lábios foi descarado.

"Use sua imaginação", ele sugeriu.

Agora, *esse* era um convite pelo qual ela esperou a vida toda.

Izzy colou seus lábios aos dele, suavemente. Ele permaneceu quieto, esperando que ela tomasse a iniciativa do beijo. Ela envolveu o pescoço dele com seus braços e se inclinou para frente. Izzy deu beijos demorados no lábio superior dele, depois no inferior. Beijos leves, carinhosos. Várias vezes.

Aqueles beijos... eram confissões. Amostras de tudo o que ela tinha guardado dentro de si. Tudo que ela poderia dar a um homem se ele tivesse a coragem de aceitar. Beijo a beijo ela ia se desnudando até à alma.

*Eu te entrego minhas carícias.*

*Eu te entrego minha paciência.*

*Eu te entrego minha compreensão.*

*Entrego meu frágil coração.*

Ransom sussurrou o nome dela e a emoção pura na voz dele acabou com ela. As mãos dele apertaram o tecido no fim da coluna dela. Como se ele precisasse de Izzy. Não apenas para continuar de pé, mas para continuar a viver.

"*Izzy*", ele sussurrou.

Passos delicados soaram na outra ponta do corredor.

"Srta. Goodnight?", chamou a Srta. Pelham.

Izzy interrompeu o beijo. Ransom descansou a testa na dela. Aquilo era loucura.

"Preciso ir", ela sussurrou.

Eles não podiam ser descobertos daquela forma. Isso exigiria muitas explicações que constrangeriam os dois.

"Srta. Goodnight, está aí?", a Srta. Pelham estava se aproximando.

"Alteza. Eu preciso ir."

Ele a segurou apertado, proibindo que Izzy se movesse. A respiração estava entrecortada.

E então, de repente, ele levantou a cabeça. Seus olhos, ainda que cegos, pareceram se estreitar.

Ele voltou a ser o que era, ela percebeu. Um relâmpago repentino o deixou consciente da situação: quem ele era, quem ela era, e todos os motivos pelos quais não deveria abraçá-la.

Com sua falta de delicadeza habitual, ele a soltou.

"Vá."

## Capítulo Onze

Naquela noite, Ransom sonhou com cabelos escuros e uma boca vermelha, suculenta. E calor. Um calor delicioso e próximo, fumegando sobre ele, *embaixo* dele.
*Sim.*
*Não.*
Não, não, não. Ele estava acordando.
Não acorde, ele disse para si mesmo. Não de uma vez. Ainda não.
Ele rolou de lado. Mantendo os olhos bem fechados, ele desabotoou a calça e envolveu seu membro, agora rígido, com a mão. Fazia tempo que ele não se sentia assim, mesmo depois do que parecia décadas sem tocar o corpo de uma mulher..
Talvez o alívio não lhe fugisse dessa vez.
Ele movimentou a mão para cima e para baixo. Devagar, a princípio. Depois rápido.
Em seu transe onírico, ele sentiu como se fosse a mão *dela*. E depois a *boca*. E então a doce, molhada, apertada...
"*Fascinante.*" Ele ouviu.
Ransom acordou em um sobressalto. Diabos. Ele conhecia aquela voz rouca.
"Goodnight?"
"Bom dia", ela cumprimentou, parecendo distraída.
O que ela estava fazendo ali àquela hora? Ransom esperou que ela não o tivesse assistido, com sua curiosidade característica, enquanto ele tentava aliviar aquele desejo que consumia seu corpo. Ele não estava exatamente envergonhado, mas também não tinha vontade de se explicar para ela.

"Eu não queria acordar você", ela disse. "É só que a história da sua família é fascinante."

Ele ouviu uma página sendo virada.

Ela estava lendo um livro, não o observando.

Ele se esticou em seu colchão e praguejou.

"Minha nossa, Goodnight. É cedo demais."

"Está de manhã. Ou quase. E eu estava lendo este livro que a Srta. Pelham me deu, que conta a história desta região. A parte sobre os Rothbury é maravilhosa."

"Fico feliz que os séculos de sanguinolência, tirania e conspiração da minha família possam entretê-la."

Ele piscou, tentando apreendê-la – pelo menos visualmente.

Ela estava sentada de perfil, sua silhueta desenhada pela lareira, em uma poltrona a menos de dois metros dele. O corpo dela era feito de curvas sensuais. Ele percebeu um pé descalço pendurado na borda do assento, balançando para frente e para trás.

O pé dela parou e se esticou para frente, com uma lentidão tentadora. Izzy virou mais uma página.

"Só li até a prisão do quinto duque por traição", ela observou. "O que aconteceu depois?"

"Ele ficou preso na Torre de Londres durante anos. A Rainha Mary ficou no poder tempo suficiente para retirar as acusações."

"Ah", ela exclamou. "Um golpe de sorte. Imagino que ele teve que comprar o castelo de volta. É por isso que a propriedade não está mais vinculada ao título?"

Ransom lutou para se sentar, a virilha ainda pulsando com o desejo reprimido. Ele pegou suas botas e começou a calçá-las. A julgar pelo cinza tênue de sua visão, ainda era muito cedo. O dia mal devia ter raiado e se ela estava lendo sentada ali há algum tempo, como sua postura relaxada indicava, isso significava que ela tinha descido quando ainda estava escuro.

"Está se sentindo bem esta manhã?", a pergunta dela mostrou preocupação.

"Estou." A resposta foi curta. Ransom não deixou espaço para que a conversa continuasse. Ele não aguentaria conversar sobre a noite passada, pois não conseguia entender o que tinha acontecido.

Izzy colocou o livro de lado.

"Preciso que você saiba que hoje só vou trabalhar até meio-dia", ela o informou. "A Srta. Pelham vai contratar criadas na vila esta manhã e nós temos a intenção de limpar um quarto de vestir à tarde. Você é bem-vindo, se quiser ajudar."

"Goodnight", ele disse em uma voz baixa e ameaçadora. "Você não vai desperdiçar mais tempo limpando a casa."

Ela colocou os livros de lado.

"Não é apenas Alteza que tem planos aqui. Você quer descobrir o que aconteceu com seus negócios? Bem, eu quero um lar. As manhãs serão dedicadas à correspondência, as tardes ao castelo. Se fizermos do meu modo, nós dois conseguiremos o que queremos."

Ransom passou a mão pelo cabelo. Ele queria mil coisas que não estava conseguindo e cerca de novecentas delas envolviam os lábios e o corpo de Izzy.

Se estava tão interessada em um lar acolhedor, por que ela não estava em seu quarto?

"Há algo de errado com a sua torre?"

"Não. De modo algum. Eu acordei e... acho que senti um pouco de frio. Eu desci para ficar perto do fogo."

Então ela produziu um som abafado e estranho.

"*Chim*."

"O que foi isso?", ele perguntou.

"O que foi o quê?"

"Esse barulho que você fez. Parecia um esquilinho apaixonado."

"Ah, isso. Não foi nada. Só um espirro."

"Isso não foi um espirro", ele franziu a testa. "Ninguém espirra assim."

"Parece que eu espirro." Ela fungou. "Oh, céus. Parece que vou espirrar de novo."

Outro espasmo abafado e agudo, como um rato pedindo silêncio a um camundongo. E mais um.

"*Chim. Chim.*"

"Bom Deus, isso é perturbador." Ransom estremecia a cada ataque.

"Mas não é proposital." Ela fungou.

"Isso não pode ser saudável", ele disse. "Se você precisa espirrar, espirre de verdade."

E ela fez de novo. Três seguidos, dessa vez. Barulhinhos assustadores.

"*Chim! Chim! Chim!* É assim que eu espirro", ela gemeu. "Não posso fazer nada. Este castelo é empoeirado. E a torre tem uma corrente de ar."

Aquilo era um problema. Ela não poderia fazer seu trabalho de secretária se ficasse doente. E Ransom não sobreviveria àquela situação por muito tempo, a não ser que ela permanecesse no quarto *dela* a noite inteira.

Muito bem. Ele permitiria que ela tirasse algumas tardes para arrumar a casa. E à noite, ele prometeu para si mesmo, ela ficaria quente e confortável em sua cama e, o mais importante, longe dele.

Ele fez um lembrete mental.

*Providenciar alguns cobertores. Dos grossos.*

Ele providenciou cobertores. Bem grossos.

Mas na manhã seguinte, lá estava ela de novo.

"Bom dia", ela o cumprimentou.

E, de novo, Ransom acordou sobressaltado, com o membro dolorido de tão duro – e furioso. Ele ficou praguejando por um minuto inteiro.

"Lendo mais livros de história?", ele murmurou.

"Escrevendo uma carta." Ela arranhava a folha com a pena. "Eu tenho minha própria correspondência, sabe. Você preferiria enfrentar cem elefantes do tamanho de ratos ou um rato do tamanho de um elefante?"

Ele sacudiu a cabeça, tentando entender.

"O quê?", ele exclamou.

"É uma pergunta", ela disse. "Se você pudesse escolher, o que preferiria enfrentar em uma batalha? Cem elefantes do tamanho de ratos, ou um rato do tamanho de um elefante?"

"Você parece ter a impressão de que isso faz sentido", ele disse. "Mas não faz."

"Não é uma pergunta prática, é claro", ela tentou explicar. "É só para argumentação. Lorde Peregrine e eu nos correspondemos há anos. Em suas cartas ele sempre apresenta umas charadas bobas e nós ficamos debatendo."

"Espere, espere. Existe algum velho safado que escreve essas cartas para você? Por que você não manda esse vagabundo atrevido para o inferno?"

"Não é bem assim. Ele está de cama, o pobrezinho. E não pensa em mim como uma mulher, eu garanto."

Então esse tal de Lorde Peregrine tinha imaginação suficiente para pensar em batalhas com ratos do tamanho de elefantes e elefantes do tamanho de ratos, mas não conseguia pensar em Izzy Goodnight como mulher? Ransom ficou cético quanto a isso. Mesmo que um homem estivesse de cama, ele continuava sendo um homem.

Com seus ferimentos, muitos considerariam Ransom um inválido. Mas ele ainda era um homem. Toda manhã que ele acordava com a voz suave e rouca de Izzy, seu pau reagia ficando duro como granito.

"Então, o que seria melhor?", ela insistiu. "A praga de elefantinhos ou um rato gigantesco? E, como corolário, que armas você escolheria?" Ela tamborilou a pena na mesa. "Eu estou dividida. O rato gigante parece ser mais fácil de matar *se* eu conseguisse enfiar uma espada em seu coração. Mas e se eu errasse? Teria que enfrentar um rato gigantesco, ferido e furioso."

Ransom tinha que dar um crédito a esse Lorde Peregrine. Suas cartas eram ótimas para fazer o desejo desaparecer.

"Elefantinhos parecem menos letais", ela continuou. "Quanto estrago podem produzir em uma pessoa duzentas miniaturas dessas? Talvez eles ficassem cansados se eu colocasse proteção nas canelas. O que você acha?"

"Você está refletindo sobre que tipo de armadura usaria para se defender de um ataque de elefantes em miniatura. Eu acho que é loucura."

"O que você chama de loucura, eu chamo de... pensamento criativo. Você poderia se beneficiar de um pouco disso, Alteza."

Ele passou as duas mãos pelo cabelo.

"Por que você está aqui, afinal? Escreva suas cartas lá em cima."

"Eu não tenho uma escrivaninha lá em cima."

*Tarefa do dia: providenciar uma escrivaninha.*

"Você está acordado?", ela sussurrou.

*De novo*, não.

Ransom esfregou o rosto.

"Agora estou", ele respondeu.

Jesus Cristo, isso tinha que parar.

Já fazia quase uma semana desde que ela tinha chegado e Ransom acordava, todos os dias, com o barulho ou a tagarelice de Izzy Goodnight.

Ele não sabia a que hora da noite ela aparecia na sala. Ele não *queria* saber. De noite ele bebia até atingir um estupor que o impedisse de pensar.

Nos últimos dias ele tinha providenciado para ela uma acompanhante, cobertores, um aquecedor a brasa e uma escrivaninha. O que mais seria necessário para fazê-la continuar em seu maldito quarto até uma hora decente da manhã?

Um cadeado, aparentemente.

"Eu pensei em uma coisa", ela disse, agitada. "Isso me ocorreu durante a noite, na cama. R-A-N-S-O-M."

"O quê?" Ele perguntou enquanto alongava o pescoço.

"Na primeira noite, você perguntou se precisaria soletrar 'perigo' para mim. Mas então, no meio do caminho, você esqueceu como soletrar perigo."

"Eu não esqueci como se soletra essa palavra", ele contestou. "Eu só fiquei entediado."

A verdade era que Ransom já não tinha tanta rapidez com as palavras como antes. Principalmente quando estava cansado. E aquelas conversas com Izzy Goodnight, antes do alvorecer, eram muito cansativas.

"Bem, seja como for", ela continuou, "isso era o que você *deveria* ter dito." Ela fez uma voz mais grave, para imitar a dele. "'Eu tenho que soletrar perigo para você? R-A-N-S-O-M.'"

Ele fez um gesto de deboche com as mãos.

"Isso é ridículo. Eu nunca falaria isso."

"Por que não? É perfeito. Seu nome é a única palavra que você não vai esquecer como se soletra."

Ele meneou a cabeça, franzindo o rosto.

"Essa discussão aconteceu dias atrás. Já acabou. E você está pensando nessa bobagem de soletrar desde então?"

"Eu sei, eu sei. É um absurdo. Mas sempre foi assim comigo. Eu só penso no que deveria ter dito alguns dias depois." Ela se aproximou de onde ele estava sentado, em seu colchão. "Eu sei que é difícil recuperar o espírito do momento. Mas acredite em mim, 'R-A-N-S-O-M' teria sido a réplica perfeita."

Ele nem sabia como começar a responder àquilo. Então não respondeu.

"Eu fiz chá", ela disse.

Izzy se aproximou dele. Demais. Ele sentiu o corpo todo ficar em alerta e seu sangue ribombava em seus ouvidos.

Então ela se abaixou para colocar a caneca de chá sobre a mesa.

"Bem à direita do seu cotovelo", ela o informou.

Ele podia sentir o calor. Provavelmente do chá, mas talvez dela. Ele vibrava entre o desejo de puxá-la para mais perto e o instinto de afastá-la. Um músculo tremeu em seu braço.

"Tem um pouco de penugem aqui." Ela passou os dedos pelo cabelo dele, fazendo com que um arrepio percorresse a coluna dele. Quando ele recuou, ela falou com suavidade, "Fique parado. Eu só quero tirar..."

*Não, você não vai.*

Ele a agarrou pelo punho. E então a pegou com os braços, puxando-a para seu colo.

"O que você está fazendo?", ela perguntou, a respiração presa.

"O que *eu* estou fazendo? Que diabos *você* está fazendo?"

Ela remexeu os quadris, tentando levantar, mas provocando-o.

Ele a segurou mais firme, imobilizando-a.

"Você vem aqui me atormentar a cada amanhecer. Agora está me fazendo chá e tirando sujeira do meu cabelo. Isso é algum tipo de carinho? Eu não quero nenhum carinho."

"Não é carinho. Também não é minha intenção atormentar. Eu só... gosto de cumprimentar você de manhã."

"Isso é impossível."

Ransom teria acreditado em qualquer outra resposta. Mas ela não podia esperar que ele acreditasse que ela se infiltrava na sala ao nascer do dia só pelo prazer da companhia dele.

"É verdade. Toda vez que acorda, você solta a sequência mais maravilhosa de palavrões. Nunca é a mesma, você sabia? É tão intrigante. É como se você fosse um galo que cacareja palavrões."

"Ah, galo não sei... mas que tem um pinto acordado nesse ninho, isso tem", ele resmungou.

Ela sorriu e ele a *ouviu*. Ou sentiu, de algum modo. O calor estava dentro dele antes que Ransom pudesse evitar.

"Mas é disso que eu mais gosto, sabe", ela disse. "Ninguém nunca fala assim comigo. Você é tão rude e obsceno. Eu... eu sei que é absurdo, mas não consigo evitar. Eu acho isso perversamente encantador."

Ela *gostava* que ele fosse rude? Ela queria *obscenidades*?

Muito bem, então. Ele podia lhe dar isso.

"Escute. Quando um homem acorda, ele sente desejo. Ele acorda duro, rude e dolorido de desejo." Ele se mexeu, pressionando sua imensa ereção no quadril dela. "Está sentindo isso?"

"Sim." Ela arfou.

"*Ele* quer entrar em você", disse Ransom.

"Em... em *mim*."

"Isso. Em você. Duro, fundo, rápido e por completo. Agora não me acorde mais a esta hora, a menos que tenha encontrado a réplica perfeita para isso."

Ela não respondeu.

Ótimo.

Ele esperava que dessa vez ela ficasse bastante assustada – e de verdade. Porque *ele* estava assustado. A necessidade reprimida do seu corpo parecia próxima de um tipo de limite, e ele já vivia no limite há algum tempo.

O que era mais assustador nisso tudo?

Parecia que Ransom não conseguia soltá-la.

Em todos os anos em que se deitou com mulheres, Ransom arquitetava tudo para que *nunca* acordasse com elas pela manhã. E agora ele estava acordando com *essa* mulher – essa mulher estranha, excêntrica, tentadora – todas as manhãs, mas sem ter tido o prazer de se deitar com ela antes.

Isso era intolerável, injusto e muito preocupante. Porque ele começava a ficar acostumado com ela.

Diabos, ele começava a *gostar* dela! Parecia tão tranquilo ficar ali, envolto pelo aroma do chá e do ar matinal. Um braço em volta da cintura fina dela, enquanto que com a outra mão ele mexia no...

Maldição.

De algum modo ele tinha enrolado uma mecha do cabelo dela no dedo. Ali, naquele instante. E Ransom não tinha qualquer lembrança de ter feito isso.

O que estava acontecendo com ele? Uma mulher sentava em seu colo... e então, dez segundos depois, *tcharam*, ele ia e *enrolava um dedo no cabelo dela!*

Aquele não era o comportamento de um duque. Aquele não era o comportamento *dele*.

Ele tentou retirar o dedo daquela armadilha constrangedora, mas Ransom puxou a mão rapidamente e o cacho de cabelo enroscou ainda mais em seu dedo. Ele tentou de novo, puxando com mais força, e pânico começou a se formar em seu peito.

Bom Deus, o cabelo dela não o soltava!

"Pare", ela sussurrou, pedindo-lhe silêncio. "Você sentiu isso?"

Ele sentiu muitas coisas. Coisas demais.

"Parece que o chão está tremendo", ela disse.

Ah. Isso. Sim, depois que ela mencionou, Ransom sentiu a vibração na sola dos pés. O chão *estava* tremendo. Alguém se aproximava da entrada do castelo.

Não só alguém, mas muitos alguéns.

Ele discerniu não apenas cascos batendo no chão, mas também o deslizar de rodas de carruagem.

Ransom fechou os olhos e relembrou rapidamente da história militar recente da Inglaterra. Dinamarqueses, Napoleão, os americanos... Todos esses conflitos tinham sido resolvidos, pelo que ele sabia. Mas ele vivia em isolamento.

"Nos últimos sete meses a Inglaterra entrou em alguma nova guerra?", ele perguntou.

"Não que eu saiba", ela respondeu. "Por quê?"

Porque a vibração a essa altura tinha se tornado tão intensa que ele podia acreditar que o castelo estava sitiado.

"Minha nossa", ela agarrou o braço dele. "O que é isso?"

"Eu estou ficando louco, ou...?" Ele apurou a audição. "Isso foi uma trombeta?"

"Foi", ela confirmou. "Ah, não."

Ele percebeu o tom horrorizado na voz dela.

"O que foi?", ele perguntou. "O que está acontecendo?"

Ela pulou do colo dele e começou a andar de um lado para outro.

"Eu sabia", ela disse. "Eu sabia que isso acabaria acontecendo, mas não pensei que seria tão cedo."

Ele levantou e a pegou pelos ombros, mantendo-a em um lugar. Ele podia estar cego, fraco e à beira da loucura, mas enquanto estivesse vivo, nenhum mal aconteceria a uma mulher que vivesse sob seu teto.

"Fique calma", ele pediu. "Conte-me já o que está acontecendo."

"São eles", ela disse. "Eles me encontraram."

# Capítulo Doze

"Quem encontrou você?", ele perguntou.

Izzy estremeceu diante da possibilidade de ter que contar a verdade. Dentro de poucos minutos ela não teria mais como esconder, mas o duque não iria gostar daquilo. Nem um pouco.

Ela estava procurando um modo de explicar quando Ransom a pegou pelos ombros.

"Agora escute aqui", o rosto dele estava severo. "Eu não sei quem são essas pessoas nem o que querem com você. Mas enquanto eu tiver ar nos pulmões e força no meu corpo, posso lhe prometer que nunca vou deixar que lhe façam mal."

*Oh.* Lá estava ele outra vez, fazendo os joelhos dela fraquejarem. Nunca, em toda sua vida, Izzy recebeu uma promessa desse tipo. Pelo menos não feita com espontaneidade e certamente não feita por um homem como aquele.

De repente as palavras lhe faltaram. A promessa de proteção feita pelo duque a fez se sentir tonta e um pouco culpada por deixar que ele se preocupasse tanto.

Mas só um pouco.

"É uma invasão", ela explicou. "Mas uma invasão amistosa. Estamos recebendo uma visita do Exército Morangliano. Venha."

Ela o levou até a galeria de janelas com vista para o pátio.

Ali, visíveis através das arcadas, estavam cerca de vinte cavaleiros montados, seguidos por três carruagens puxadas por vários animais. Os cavaleiros com armaduras desmontaram ao mesmo tempo e as portas das carruagens foram abertas, revelando uma dúzia de jovens donzelas em trajes medievais.

Estandartes tremulavam sob a brisa matinal. Izzy não conseguiu ler as palavras escritas neles, mas ela não precisava. Ela sabia o que estava escrito.

*Não duvide.*

"Quem são essas pessoas?", Ransom perguntou, quando os cavaleiros e as donzelas passaram pelas arcadas e chegaram ao pátio. "O que diabos elas querem?"

"Eu lhe disse, os leitores mais entusiasmados do meu pai chamam a si mesmos de moranglianos. Eles têm clubes e informativos com os quais divulgam suas notícias. E os moranglianos mais dedicados... Bem, alguns deles levam isso bem a sério. Eles gostam de se vestir como os personagens e encenam batalhas e passagens da história. Eles são muito bem organizados, fazem juramentos, recebem distintivos..."

"Que raios é esse monte de latas sendo batidas?"

"É..." Ela suspirou. "São as armaduras."

Ela arriscou a olhar o rosto do duque. Como esperado, ele parecia revoltado.

"Armaduras?"

"Eu sei que isso não faz sentido para você." Ela pegou seu xale bordado. "Você não tem que aprovar a encenação. Mas por favor não os humilhe."

Jogando o xale sobre os ombros, Izzy se inclinou pela janela e acenou.

"Bom povo de Morânglia!"

Todos os homens e mulheres reunidos no pátio se viraram e olharam para ela. Os cavaleiros, com suas imitações de armaduras, entraram em formação.

Um deles deu um passo à frente e se ajoelhou.

"Minha lady. Eu sou Sir Wendell Butterfield, primeiro cavaleiro dos Cavaleiros Montados de Morânglia em West Yorkshire, também representando nossas irmãs da divisão local das Donzelas de Cressida."

"Você e seus acompanhantes viajaram muito, Sir Wendell."

"De fato. Eu tenho a honra de falar com a Srta. Izzy Goodnight?"

"Sim, sou eu", ela afirmou, sorrindo. "Srta. Izzy Goodnight. Seus cavaleiros e donzelas são bem-vindos."

Enquanto a multidão abaixo dava vivas, Ransom fez um ruído com a garganta.

"Aí está você fazendo voz doce outra vez."

"Pare", ela ralhou, falando com o canto da boca. "Não posso estragar a aventura deles. A intenção é boa."

"Como pode ser boa a intenção deles quando aparecem tão cedo, sem anunciar? O que eles querem de você?"

"Acredito que só vieram me visitar. Talvez queiram um tour rápido pelo castelo. Mas eu não vou saber até perguntar, não é?"

Ela chamou Sir Wendell.

"Bom Sir Wendell, por favor, aguarde. Irei até aí sem demora."

"Espere", ele a segurou. "Você não pode deixar todos esses patetas fantasiados passearem pelo meu castelo. Não aceito isso, Goodnight."

"O castelo é meu", ela retrucou. "E não os estou convidando para uma festa, só dando um pouco de hospitalidade para meus convidados."

"Eles não são convidados. São invasores não convidados. Não *pergunte* nada para eles. *Diga-lhes* para irem embora." Ele fez um gesto na direção da pilha de correspondências, que embora tivesse diminuído, continuava imensa. "Se você quer reivindicar este castelo para si, ainda tem muito trabalho pela frente."

"O trabalho vai ter que esperar." Ela se soltou dele e foi na direção da entrada. "Eles viajaram por muito tempo. Não posso simplesmente mandá-los embora."

"É claro que pode. Já é ruim o bastante que eles a incomodem com cartas e perguntas. Estabeleça um limite, Goodnight. Vá lá fora e diga para eles que você é uma mulher adulta, que fala a palavra 'pau' com a mesma facilidade de uma cortesã, e que não gosta de visitas inesperadas. Então convide-os a cair fora, bando de idiotas barulhentos. Se você não fizer isso, eu faço."

"*Não!*" Em pânico, Izzy pôs a mão no peito dele, detendo-o. "Alteza, por favor. Não vou convidá-los para entrar no castelo, se você não quer. Vou mandá-los embora o mais rápido que puder. Só me prometa que você vai ficar lá em cima, fora de vista. Deixe que eu cuido disso. Acredite em mim quando lhe digo, você não quer que essas pessoas vejam seu rosto."

Ransom rilhou os dentes.

Então, seu rosto deformado não era tão repulsivo como ele pensou durante todos esses meses... Era pior.

Parecia que ele era um monstro tão aterrorizante que precisava ficar trancado na torre para não assustar os patetas de coração mole que no momento ocupavam seu pátio.

Bem, pelo menos agora ele sabia.

E hoje sua aparência aterrorizante seria bem empregada. Ele mesmo iria expulsar os invasores.

Ele a empurrou para o lado e saiu do salão principal, dirigindo-se para a escada que levava ao pátio.

"Espere! Ransom, não faça nada, por favor!"

Ele a ignorou e saiu, parando no degrau mais alto. A multidão silenciou no mesmo instante. Ele ouviu algumas exclamações, nem todas femininas.

Ótimo.

"Este é o meu castelo." A voz dele ecoou nas pedras. "Recolham suas coisas e vão embora."

Ele passou os olhos pela idiotice reunida. As jovens, nas bordas, eram um sortimento colorido de borrões, com seus vestidos estendidos pelo chão. Os "cavaleiros" eram um amontoado de brilhos metálicos e lampejos prateados.

A qualquer momento todos eles sairiam correndo pela arcada como um arco-íris passando por uma peneira. A qualquer momento.

Ele continuou esperando. Mas eles não saíram correndo...

Finalmente, aquele que disse ser Sir Wendell pronunciou:

"Todos os cavaleiros, saudação!"

Uma batida ecoou pelo pátio, como se todos tivessem batido o punho no peito com armadura em uníssono.

"Todos os cavaleiros, de joelho."

E, de repente, todos os cavaleiros baixaram sobre um joelho.

"Nosso soberano. Estamos honrados."

Que... diabos.

Eles deveriam ter saído correndo aos gritos. Em vez disso, eles estavam ajoelhados, saudando-o. Ransom não conseguia entender. O que estava acontecendo ali?

A Srta. Goodnight ocupou o lugar ao seu lado, mas ela não lhe ofereceu nenhuma explicação.

"Sir Wendell, como podemos lhes ajudar esta manhã?", ela perguntou.

"Estamos a caminho do torneio anual da Regional Norte, Srta. Goodnight. Alguém nos informou da sua presença nesta vizinhança e não pudemos resistir a dar uma passada. Nós não... fazíamos ideia."

Não faziam ideia de que, Ransom se perguntou. Não faziam ideia do que era decoro? Ou do que era bom senso?

"Nós logo iremos embora", prometeu Sir Wendell. "Mas podemos lhes incomodar pelo tempo necessário para dar descanso e água aos nossos cavalos?"

"Oh, por favor, visitem a vila!" A Srta. Pelham se juntou a eles no degrau mais alto da escada, sem fôlego. Ela devia ter se vestido às pressas e descido as escadas correndo. Como sempre, ela não perderia uma chance de promover os bens e serviços da paróquia.

"Não fica longe. É logo descendo a estrada", ela continuou. "Os estábulos deste castelo são pequenos, mas a hospedaria em Woolington pode lhes oferecer água fresca e feno. Eles têm um ferreiro, se for necessário. E o pub serve um belo café da manhã. A vila ficaria muito feliz de recebê-los."

Sir Wendell fez uma reverência.

"Excelente sugestão. Muito obrigado, Srta..."

"Pelham. Srta. Abigail Pelham. Meu pai é o vigário local."

Sim, de fato, Ransom concordou em silêncio. Obrigado, Srta. Pelham. A essa altura ele já não se importava com quem convenceria aquelas pessoas a irem embora, desde que elas fossem.

Enquanto os cavaleiros se reuniam e preparavam para partir, uma das moças se aproximou deles na escada.

"Srta. Goodnight, por favor", ela disse. "Enquanto os homens levam os cavalos para a vila, nós podemos ficar aqui? Adoraríamos poder conhecê-la. Talvez uma chance de apreciar seu castelo?"

"Receio que o castelo ainda não esteja pronto para receber visitantes", a Srta. Goodnight respondeu rápida e gentilmente. "Mas que tal me acompanhar em uma caminhada pelos jardins? Existem algumas ruínas românticas que estou ansiosa para explorar."

"Oh! Isso parece divino." A garota fez um sinal para suas amigas e todas as doze correram escadaria acima.

Uma garota vestindo um tom de azul ou violeta se colocou à direita de Ransom.

"Você vai nos acompanhar, não vai?"

"Claro, você tem que ir conosco", disse uma jovem de branco que ficou à esquerda dele e teve a ousadia de passar o braço pelo dele.

Antes que se desse conta do que estava acontecendo, Ransom foi carregado pelas moças para um passeio pelos jardins do castelo. Magnus saiu trotando logo atrás.

Malditos fossem seus olhos. Por que ele estava indo caminhar? Ele não queria caminhar. Mas ninguém lhe deu escolha. Ele estava cercado e muito confuso.

Antes do acidente, Ransom nunca teve dificuldade para atrair a atenção das mulheres. Mas as que se sentiam atraídas por ele eram mulheres experientes e seguras de si. Não garotas tolas e impressionáveis. E será que ele estava ficando louco ou elas simplesmente não notaram a cicatriz que lhe deformava um lado do rosto?

Bom Deus. Uma delas beliscou seu *traseiro*. E então todas soltaram risinhos.

"Você não vai falar para nós?", a garota de azul perguntou para Ransom.

"Falar o quê?", ele inquiriu.

"Você sabe", ela disse, suspirando timidamente. "Diga 'Não duvide'. Por favor? Nós sonhamos com isso desde que éramos garotinhas."

O grupo todo parou no meio do jardim que carecia de cuidados. O bando de donzelas prendeu a respiração com a expectativa.

"Não duvide", ele repetiu, sem entender bem o porquê.

Um coro de suspiros femininos se elevou.

"Oh", exclamou uma delas. "Essa voz! Eu acho que posso morrer do coração. Tudo isto é tão romântico."

Bom Deus. Aquilo não podia ser real. Tinha que ser algum tipo de pesadelo.

"Donzelas", disse a Srta. Goodnight com aquela voz infantil e inocente, "vocês conseguem enxergar ali, ao longe? Aquelas ruínas. Corram na frente, se for sua vontade. Gostaria de ver quem consegue pegar o maior ramalhete de rosas até eu me encontrar com vocês lá."

Soltando gritinhos, as jovens levantaram as saias e correram, disputando umas com as outras na direção do horizonte.

"Pronto", disse a Srta. Goodnight. "Elas vão ficar ocupadas por alguns minutos, pelo menos. Agora eu posso explicar."

"É melhor mesmo. O que diabos está acontecendo? O que é essa bobagem de 'Não duvide'?"

Ela pegou o braço dele e juntos começaram a caminhar lentamente na direção da ruína.

"É um discurso famoso de *Os Contos de Goodnight*. Ulric o declama para Cressida pouco antes de sair em uma jornada. 'Não duvide, minha lady, eu voltarei.' E continua, 'Não duvide do meu aço, da minha força, do meu coração...'"

"Mas por que elas querem que *eu* diga isso?"

"Receio que você não vá gostar de saber", ela disse, parecendo pesarosa. "Mas você tem certa semelhança com ele."

"Eu? Eu me pareço com Ulric?"

"Parece. De uma forma assustadora. Ombros largos, cabelo castanho com mechas douradas e comprido, barba por fazer... Você é praticamente perfeito para o papel, até nas botas gastas."

"Mas..." Ransom franziu a testa. Então era por isso que ela queria que ele se escondesse dos visitantes. "Mas com certeza esse Ulric não tem uma cicatriz."

"Na verdade, ele tem sim. Desde o episódio trinta e quatro, quando enfrentou o Cavaleiro das Sombras na floresta de Banterwick."

Ele inspirou lentamente. Tudo aquilo começava a fazer sentido para ele. Um sentido nauseante, de revirar o estômago.

Ele a fez parar, segurando-a e virando-a para si.

Seus olhos estavam bons naquela manhã. Ou o melhor possível, pelo menos. Ele conseguiu evitar o toco no caminho e podia distinguir o formato vago das árvores e das arcadas em ruínas, ainda que não a cor ou a forma dos pássaros que voavam entre elas.

A sensação era das mais cruéis, ver Izzy daquele modo e saber que nunca a veria melhor do que aquilo.

Ransom conseguia distinguir a boca larga e avermelhada, e a aura de cabelo escuro contrastando com o vestido claro... amarelo, será? Mas ele não enxergava o bastante para poder avaliar as emoções dela.

"Eu não acredito nisso", ele exclamou. "Tudo isto é uma historinha na sua cabeça. Desde o dia em que chegou, você está vivendo uma fantasia bizarra. Seu próprio castelinho com seu próprio Ulric, torturado e deformado. É por isso que você não vai embora deste lugar e não me deixa em paz. É por isso que você desce todas as manhãs para me observar *dormindo*. Eu sou como um brinquedo para você."

"Não", ela protestou. Ele conseguiu ver que Izzy sacudia a cabeça com vigor. "Não, não, não. Eu *não* estou vivendo uma fantasia."

"Entenda uma coisa, Srta. Goodnight. É melhor você não ter esperanças."

"Esperanças de quê?"

"De mim. De nós. De romance. Só porque você cresceu em meio a essas histórias fantasiosas, não pense que está em uma delas. Eu não vou ser parte de nada disso. Eu não sou um herói disfarçado."

Ela suspirou alto.

"Eu sei. Eu *sei*. Você é um devasso perigoso, cuja conta no bordel é tão comprida quanto o meu braço. Sério, eu não consigo imaginar que você tenha como deixar essa mensagem mais clara, a não ser, talvez, bordando um aviso de 'CUIDADO, MULHERES' na frente da sua calça. Não sou uma boba. Já entendi. Não estou lhe dando um papel em um romance de cavalaria."

"Ah, não? Então por que você me beijou daquele jeito na primeira noite?"

A resposta dela demorou para vir.

"Como... como *foi* que eu beijei você na primeira noite?"

"Como se quisesse muito", ele acusou. "Como se você quisesse aquilo desde sempre. Como se tivesse passado anos esperando por aquele beijo. De mim."

Ela cobriu o rosto com uma mão e gemeu.

"Por que isso precisa ser tão humilhante? Ah, é verdade. Porque é a minha vida!"

Ransom ficou em silêncio, esperando por uma explicação. Ela tirou a mão da frente do rosto.

"Acredite em mim, Alteza, nunca irá conhecer outra mulher com menores esperanças de viver um romance do que eu. Você viu como Lorde Archer, a Srta. Pelham e todas essas pessoas me tratam – como uma garotinha ingênua. Todo mundo sempre me tratou assim. Eu nunca tive nenhum pretendente. Então, sim, eu o beijei como se estivesse esperando para beijá-lo minha vida toda, porque eu estive esperando beijar *alguém* minha vida toda. Apenas aconteceu de os seus lábios encontrarem os meus."

Ele sacudiu a cabeça.

"Você não me beijou como se aquele fosse seu primeiro beijo."

"É claro que não." Ela se virou e continuou a andar. "Eu beijei você como se fosse meu último."

O último?

Essas palavras ficaram ricocheteando na cabeça dele enquanto os dois caminhavam na direção das ruínas. Ele mal conseguia entender o absurdo que eram.

"Isso é ridículo. É como se o seu cérebro estivesse tão cheio de contos de fada que não sobrou lugar para o bom senso. Você é inteligente, espirituosa e atraente. Os homens devem correr atrás de você."

Ela pegou o braço dele e o desviou de um obstáculo no caminho.

"Bom, eu nunca testemunhei tal correria em minha vida."

"Isso é porque você está presa às histórias sentimentais do seu pai."

"Não é só isso." Ela começou a se afastar.

Ele apertou o braço, mantendo-a ao seu lado.

"Espere."

Por algum motivo, ela tinha que entender. Ransom não podia deixar Izzy sair por aí acreditando que não havia mais nenhum beijo à espera dela. Ou, pior, que ela não devia sair à procura de beijos. O lugar dela não era naquele castelo, onde se esconderia pelo resto da vida até murchar e virar pó. Esse era o destino dele, não dela.

"Ransom", ela sussurrou, "você não entende? Não importa o que essas garotas digam ou do que elas riem. Eu não vejo Ulric em você. Ulric é honrado e decente e você..."

"Não." Com um aceno impaciente de sua mão, ele dispensou as palavras dela. "Nós já estabelecemos isso."

Izzy tentou reformular o pensamento.

"Nas *histórias*, que qualquer pessoa sensata sabe que são apenas *histórias*, Ulric ama Cressida com um coração puro, nobre, ridiculamente casto. Eles trocam olhares amorosos estando cada um em uma torre do castelo. Eles enviam bilhetinhos um para o outro através dos criados. Em doze anos eles se beijaram apenas *duas* vezes. Se eu quisesse um homem remotamente parecido com Ulric, não teria me atirado em você naquela primeira noite. Eu não ficaria sentada refletindo sobre a medida exata que constitui 'magnificência'. E eu, com certeza, não passaria horas, todas as noites, olhando para a escuridão e sonhando como seria sentir suas mãos na minha pele nua."

*O quê?* As confissões dela foram rebatidas pela atitude defensiva dele.

"O que você está dizendo não faz sentido."

Ela rugiu de frustração.

"Eu sei que não. Não faz nenhum sentido. Eu não sou uma garotinha boba que sonha com cavaleiros. Eu sou uma mulher. Uma mulher que, de forma completa e inconveniente, pela primeira vez na vida, sente desejo. Um desejo ardente pelo pior homem possível. Um duque profano, amargo, ferido, que se recusa a sair da casa dela. Oh, você é terrível!"

"E você quer minhas mãos no seu corpo", ele disse.

Um ganido fraco escapou da garganta dela.

"Em cada parte do meu corpo."

O desejo correu pelas veias de Ransom. Ele foi tomado pelo impulso de jogá-la na grama, ali mesmo, naquele instante, e arrancar cada peça das roupas dela. Ela queria ser tocada e ele queria tocá-la. Não havia nada que os impedisse.

Nada, a não ser uma dúzia de donzelas tolas e risonhas que queriam cobri-los com pétalas de rosas silvestres.

Como ele faria para se livrar delas? Aquelas garotas pareciam moscas inconvenientes, quanto mais ele tentava espantar, mais elas se aproximavam.

"Donzelas, reúnam-se", Ransom as convocou com a voz firme.

Depois que elas se reuniram em um círculo risonho, ele bateu as mãos.

"Muito bem, vamos fazer um jogo? Nós o chamamos de 'Salve a donzela'. A Srta. Goodnight vai contar até cem. Todas vocês vão correr e se esconder – para esperar que o valente Ulric as salve. Não vale trapacear. Vocês não podem espiar."

As donzelas desapareceram antes que Izzy contasse até três, rindo e tropeçando na bainha do vestido enquanto corriam através das arcadas e se abaixavam atrás das sebes.

"Muito bem", Izzy meneou a cabeça. "Você tem razão quanto a isso. Concordo que essas garotas em *particular* podem ser um pouquinho estúpidas."

Ransom não estava interessado em ter razão quanto a garotas estúpidas. No momento em que as donzelas desapareceram, ele pegou Izzy nos braços e a arrastou para o caminho da ruína.

"Nós temos até cem. Comece a contar."

"Um. Dois. Tr..."

Ele a puxou para perto e tomou sua boca com a dele. Ransom não lhe deu chance de hesitar e passou logo sua língua entre os lábios dela, roubando-lhe o fôlego. Ele inclinou a cabeça, aprofundando o beijo.

E mais uma vez, ela retribuiu. Se ele estivesse de pé, seus joelhos teriam cedido.

Ela tinha um instinto tão passional. E era tão doce.

Aquilo era loucura, ele sabia. Ela também sabia. Se ele lhe desse um instante para responder, era provável que Izzy lhe dissesse isso. Mas nada precisava fazer sentido. Não havia razão naquilo, apenas corpos, calor e desejo. Aquilo era algo que os dois queriam. Diabos, era algo de que ele *precisava*. Tocar, provocar, saborear. Explorá-la com suas mãos e seus lábios. Deixá-la sem fôlego. Sentir-se poderoso e vivo.

Porque houve um tempo, não tão distante, em que ele pensava que nunca mais voltaria àquela situação: um corpo feminino e macio cedendo ao seu, e o sol quente de verão banhando os dois.

A vida era aquilo.

Uma vida linda e brilhante em meio às ruínas.

*Capítulo Treze*

Era algum tipo de milagre.
Lá estavam eles, naquela construção em ruínas, onde tantos casais antes deles deviam ter se abraçado e beijado. Ela estava rodeada por um autêntico legado romântico – e agora Izzy e Ransom também fariam parte da história.
Ela relaxou, deixando o peso de seu corpo descansar nas pedras cobertas de musgo enquanto Ransom cobria seu pescoço de beijos.
Ele passou a mão ao longo do corpo dela, detendo-se por um momento breve e possessivo nos quadris e na cintura, antes de parar com a palma em volta do seio.
Ele hesitou ali, esperando que Izzy recuasse ou se afastasse. Mas o que ela queria era *mais*. O toque dele despertou todos os sentidos de Izzy para a expectativa, para as possibilidades.
À volta deles, passarinhos assobiavam e gorjeavam. Todos os tipos de musgo, samambaias e trepadeiras tinham cravado seus dentes verdes nas pedras, brotando dos lugares menores e mais inóspitos. Flores derramavam seu perfume no ar.
Izzy também parecia estar desabrochando. Seu corpo todo estava quente e rosado. Pronto para o toque dele.
Aquele era o verão dela, após anos e anos de primavera.
Ela continuava contando, um sussurro febril e insensato.
"Dezesseis, dezessete, dezo…"
Quando ele beijou sua boca de novo, ela inclinou a cabeça para o lado e empurrou sua língua para frente, para brincar com a dele.
Ransom gemeu e curvou os dedos ao redor do seio dela, massageando com delicadeza sua maciez através do tecido.

Enquanto ele a tocava, Izzy também fez sua própria investigação. Ela explorou os contornos dos músculos do antebraço dele, todos tensos, retesando sua força. Ela deslizou as mãos para cima e sentiu os enormes bíceps por baixo da manga do paletó. Ele flexionou o músculo por instinto. Ou de propósito. Quem saberia dizer as intenções desse homem? Seja como for, Izzy achou aquilo ridiculamente excitante. Ransom tinha tanto poder em seu corpo, e poderia usar todo ele para dar prazer à Izzy.

Ela deixou escapar uma risada surpresa e suave.

"Eu tinha desistido disto", ela suspirou.

"Disto o quê?"

"Disto. De tudo isto. Benfeitores, castelos misteriosos, ruínas românticas, beijos proibidos."

"Do que mais você desistiu, Izzy Goodnight?" Ele beijou o pescoço dela. "Disto?" Ransom usou a língua para brincar com o lóbulo da orelha dela. "Talvez disto?" Ele a mordiscou. "Faça uma lista que nós a seguiremos, item por item."

Ela inclinou o pescoço para o lado, oferecendo-lhe ainda mais, ansiando por seus beijos.

"Do que eu não desisti?", ela falou. "Casamento, filhos, amor eterno, cabelo obediente. Ser compreendida de verdade por alguém."

Oh, pobre homem. Ele recuou, o rosto pálido.

Izzy ficou plenamente convencida. Nada de cavalos árabes, guepardos africanos. Nenhuma criatura em todo o mundo saía correndo mais rápido que um libertino quando ouvia a palavra "casamento". Eles deviam gritar essas palavras nas pistas de corrida, em vez de usar pistolas para marcar o início.

*Preparar, prontos... casamento!*

"Eu estava brincando", ela prometeu.

"Eu sei disso."

"Eu nunca pretendo me casar. E com certeza não pensaria que você, jamais..." Nossa, agora ela o estava fazendo parecer incapaz de amar. "Não comigo."

"Certo. Isso mesmo. E eu não entendo nada sobre cabelo de mulher." Ele pigarreou. "Goodnight, isto aqui não..."

"Eu sei", ela disse.

"É só...", ele não sabia o que dizer.

"É só isto", Izzy concluiu para ele. "Eu sei." Ela pôs os braços ao redor do pescoço dele. "Sem expectativa. Podemos voltar ao momento em que você me tocava?"

Ele suspirou de alívio.

"Isso eu posso fazer."

Sim. Isso ele podia fazer muito bem.

O polegar dele encontrou o mamilo dela e ele o provocou através da musselina, fazendo o bico endurecer e aumentar, ficando dolorido. As sensações que corriam pelo corpo de Izzy eram diferentes de tudo que ela conhecia. Como era possível que o polegar dele, apenas deslizando, sem pressa, para cima e para baixo sobre aquela parte minúscula dela, podia fazer com que Izzy sentisse o toque nas raízes do cabelo e na parte de trás dos joelhos?

Quando o polegar dele parou de acariciar o mamilo intumescido, ela teve vontade de chorar. Mas então ele a tocou no outro lado e aquela tortura doce recomeçou outra vez. Ela tinha receio de que seus joelhos não fosse aguentar, então ela segurou firme no pescoço dele, entrelaçando seus dedos no cabelo de Ransom.

Ele estava afastando todos os pensamentos da cabeça dela, deixando-a com o intelecto de um pudim. Ela tinha sido reduzida a um monte trêmulo de sensações, apreciando os efeitos provocados pelo seu mamilo sob o polegar dele. De novo, de novo e de novo. *Sim!*

Quando ela pensava que iria se dissolver em uma poça aos pés dele, Ransom deslizou as mãos para a cintura dela. Com um rugido baixo e excitante, ele a pressionou contra a parede de pedra, prendendo-a ali com seu corpo.

Izzy ficou sem fôlego. Aprisionada. Aquilo deveria fazê-la querer se libertar. Mas ela adorou a sensação de estar presa por uma força tão inebriante. As pedras às costas dela tinham resistido durante séculos e o homem diante dela tinha sobrevivido a provações desconhecidas. Se Izzy derretesse de medo ou êxtase, as pedras e aquele homem a manteriam no lugar.

Ele gemeu e a agarrou pelos quadris. *Alguma coisa* dura e quente pressionou o ventre dela.

Izzy arregalou os olhos. O conhecimento que ela tinha sobre fazer amor era como uma peneira, ainda que soubesse a ideia geral, os detalhes e as nuances lhe escapavam. Ainda assim, ela sabia uma coisa: o órgão do homem crescia... e endurecia... quando ele queria fazer amor.

Aquele volume firme, grande e quente pressionando sua barriga...

Significava que ele a queria. De forma magnífica.

Ransom puxou o xale dos ombros dela e a peça caiu no chão. Ele acariciou a clavícula dela com os dedos e os mergulhou por baixo do tecido no ombro dela, puxando-o para baixo e expondo sua pele.

"Você parou de contar", ele sussurrou.

"Como eu posso contar com você..." Ela perdeu o fôlego quando ele tirou o seio dela do espartilho. O ar frio tocando sua pele exposta. "Como eu posso contar com você fazendo isso?"

"É fácil. Eu ajudo." Ele baixou a cabeça e foi distribuindo beijos no peito dela, até chegar ao seio exposto. Com a língua, ele provocou o mamilo. "Trinta e um." Outra lambida. "Trinta e dois." *Lambida.* "Trinta e três."

A alternância entre o calor da boca dele e o frescor do ar... Ela devia estar com toda a pele arrepiada, inclusive na sola dos pés. Se ele tivesse continuado fazendo isso, Izzy poderia ter pegado fogo antes de contar quarenta e cinco.

Mas ele não continuou. Em vez de lamber, ele tomou o mamilo em sua boca e chupou com força.

Depois disso, os números perderam a importância.

Quanto havia na eternidade? Era o quanto ela queria que isso durasse. A língua dele descrevia círculos preguiçosos e deliciosos em volta do mamilo, deixando-a louca de prazer. Oh, como ele era bom nisso. Muito bom.

Então ele se ajoelhou e colocou uma mão por baixo das saias dela.

Quando ele agarrou sua perna, Izzy entrou em pânico.

Ela agarrou os ombros dele, afastando-o.

"Noventa e nove, cem", ela terminou de contar.

Ele parou, uma mão congelada no movimento de levantar as anáguas dela e a outra estática no tornozelo.

"Você disse em todo o corpo."

O coração dela ribombava dentro do peito. Ele estava lhe dando a oportunidade de recusar, e tudo em sua educação lhe dizia para aproveitar essa oportunidade. Mas ela só tinha essa vida. E até ali, nessa única vida, Izzy só viu esse homem mostrar o mínimo interesse em levantar suas anáguas.

Aquela podia ser sua única chance.

Era só um pouco de carinho, ela disse para si mesma. Inofensivo. Não era como se ele pudesse deflorá-la ali, com uma dúzia de donzelas escondidas por perto.

"Você mudou de ideia?", ele perguntou.

*Oh Deus. Oh Deus. Oh Deus.*

"Não."

Ele murmurou algo que soou como "Graças a Deus". Ransom pegou suas saias com uma mão e as levantou até a cintura de Izzy com um movimento único e experiente.

Izzy reclinou contra a parede e esticou os braços para cima, sentindo-se sensual e atrevida. Quando ele passou as mãos por suas pernas cobertas pelas meias e subiu até as coxas, ela afastou um pouco as pernas.

"Isso", ele grunhiu. "Abra-se para mim. Assim mesmo. Linda, linda."

Impossível, impossível.

Foi o que Izzy teria pensado de toda essa cena há apenas quinze dias. Ela se sentia uma deusa pagã em um templo antigo. Reclinada contra a parede coberta de hera daquelas ruínas, sendo possuída em plena manhã por um duque sensual e libertino.

Aquilo era mais do que qualquer coisa que ela tivesse sonhado. E Izzy tinha uma imaginação viva. Ela cambaleou de pura alegria pelo toque dele e pela sensualidade incomparável de... de tudo aquilo.

Uma pulsação nova, latejante, começou a vibrar entre suas pernas. *Depressa*, ela batia. Depressa, depressa.

Ele subiu com a mão pela perna dela, passando por cima da liga e alcançando a curva suave da parte de dentro de sua coxa.

"Tão macia." Ele a beijou pouco acima do joelho. "Macia como cetim."

Conforme o toque dele se aproximava de sua fenda umedecida, Izzy sentia que o prazer crescente se tornava insuportável.

Mais... mais... por favor, um pouco mais.

Até que o polegar dele a tocou onde seu desejo ardia.

"*Oh*", ela gemeu.

Seu corpo foi tomado pelo êxtase, chacoalhando-a dos dedos do pé até o último fio de cabelo. Ela crispou os punhos, segurando-se nos galhos de hera para se segurar caso suas pernas trêmulas acabassem cedendo.

Uma chuva de pó branco caiu sobre eles.

Ransom olhou para cima.

"O que foi isso?", ele perguntou.

"Oh, céus", Izzy exclamou. "Acho que uma parte da parede está cedendo." Ela largou a hera, mas mais algumas pedras se soltaram.

"Então saia daí", ele se colocou de pé, deixando que as saias dela caíssem no lugar, e a puxou para seu peito.

*Blam*. Um pedaço de parede do tamanho de uma maçã se soltou e o atingiu em cheio na cabeça.

"Oh, Deus! Ransom!"

Ele xingou e recuou, apertando a palma da mão na ferida enquanto cambaleava para trás, para sentar na grama. Magnus o rodeava, ganindo.

Izzy correu para o lado dele e se ajoelhou. Um galo já estava se formando e uma parte da testa dele estava arranhada – do lado em que não havia cicatriz. Izzy não sabia dizer se isso melhorava ou piorava as coisas.

Achou quase engraçado quando pensou na situação. Ela foi salva de ser arruinada por... ruínas.

Ela pegou seu xale, esquecido no chão, e o pressionou contra a ferida na testa dele.

"Você está bem? Não está tonto? Olhe para mim e diga quantos..."

Ela engoliu o resto daquela pergunta absurda. Era óbvio que ele não poderia dizer quantos dedos ela estava mostrando.

A não ser...

A não ser que ele tivesse sofrido uma cura repentina. Izzy tinha ouvido dizer que isso podia acontecer. Soldados que perderam a visão em batalha a recuperaram com uma boa pancada na cabeça.

"Você tem todas as suas faculdades usuais?", ela perguntou, cautelosa.

Ele apertou o maxilar.

"Minhas orelhas estão zumbindo e minha cabeça está latejando de dor. Mas eu não estou enxergando nem mais nem menos do que há dez minutos, se é isso que você quer saber."

"Oh. Ótimo. Quero dizer, não tem nada de ótimo, claro. Só espero que não esteja muito ferido, só isso."

Izzy suspirou. Ela era uma pessoa horrível. Horrível. Ele lhe contou que não tinha passado por uma restauração milagrosa da visão e a primeira reação instintiva dela foi de alívio? Que tipo de pessoa realmente *deseja* que um homem continue cego?

O tipo de pessoa sem graça. Que estava gostando de se sentir atraente pela primeira vez na vida. Mas isso não era desculpa.

Em uma tentativa de castigar-se pelo seu egoísmo, ela pôs seu cabelo comprido de lado e começou a limpar a ferida sangrenta na testa dele.

Ransom se encolheu.

"Você está sempre arranjando uma maneira de tocar em mim", ele reclamou.

"Eu não estou te tocando", ela retrucou. "Estou te limpando. Se você quiser, posso praguejar um pouco enquanto limpo. Que tal: homem ingrato."

"Diabinha encantadora", ele devolveu.

Ela torceu o canto da boca em um meio sorriso. Parecia que a personalidade dele estava intacta, e ela ficou feliz por isso. Nenhum membro do Exército Morangliano a chamaria de "sedutora" ou "encantadora". E por lábios tão bem formados, ela não se importava de ser chamada de "diabinha".

Ele tirou o xale das mãos dela e o apertou na própria cabeça.

"Primeiro fuinhas e agora pedras", ele falou. "Você está usando uma lista com métodos de torturas arcaicos?"

"Tenho que admitir que você está sangrando nos meus tecidos limpos em um ritmo alarmante."

"Meu rosto já é uma catástrofe. Outro calombo só pode melhorar a situação." Ele tirou o tecido. "Está muito ruim?"

Ela testou o hematoma com a ponta dos dedos.

"Tem um calombo, mas o inchaço não está tão terrível."

"Não, não isso." Ele virou a cabeça para ela, oferecendo-lhe seu perfil e uma visão completa da cicatriz retorcida. "Estou falando do resto. É muito ruim? Seja sincera."

Izzy ficou em silêncio, perplexa com a repentina franqueza dele. *Ransom* estava preocupado com a aparência?

"Eu mesmo não consigo ver", ele disse. "Às vezes imagino onde eu me situo em uma escala que vai de um Adônis imperfeito a um monstro medonho. É claro que não posso avaliar isso pela reação dessas mocinhas bobocas, mentalmente atrapalhadas pelas histórias do seu pai. Tenho que perguntar para você."

Ela sentiu um aperto no coração. Como ele podia duvidar de si mesmo? Em plena luz do dia, ele era magnífico. Sua pele parecia estar bronzeando naquele exato momento, absorvendo cada porção de calor do dia. A luz do sol refletia nas riscas douradas do cabelo dele – cabelo que estava muito comprido, caindo na testa de um modo sensual. Ela ponderou, então, sobre qual seria a razão para o cabelo comprido. Será que ele simplesmente não queria se dar ao trabalho de deixar Duncan cortá-lo ou Ransom o deixava comprido de propósito, para encobrir o rosto deformado?

Ela esticou a mão para frente e afastou uma mecha de cabelo castanho do rosto dele.

"Você vai me contar como aconteceu?", ela pediu.

"Eu fui atingido. Por algo grande e afiado."

Izzy pensou que merecia aquilo. Faça uma pergunta direta, receba uma resposta direta.

Ela passou a ponta do dedo por toda cicatriz, da testa até a maçã do rosto, e depois deixou a mão repousar em seu queixo com a barba por fazer. Como era irônico que o golpe havia errado o olho direito por pouco, mas ainda assim tirara a visão dos dois olhos.

"Então?", ele insistiu.

"Bem, é fácil perceber que você já foi um homem devastadoramente lindo", ela disse.

"E agora?"

"Agora..." Ela suspirou. "Odeio ter que dizer isso. Não me faça dizer."

Ele a pegou pelo pulso.

"Diga logo", ele pediu.

"Agora você é um homem devastadoramente lindo com uma cicatriz impressionante. Essa é a triste verdade. Eu queria poder lhe dizer outra coisa, porque agora você vai ficar irritantemente metido."

"Mas..." Ele a soltou, parecendo estarrecido. "Mas no primeiro dia você desmaiou quando me viu."

Ela soltou um risinho.

"Não foi seu rosto que me fez desmaiar. Eu já estava me sentindo tonta. Fazia dias que eu não comia nada além de um pouco de casca de pão."

"Então as cicatrizes não a assustaram?"

"Claro que não."

Aquilo era mentira. A verdade era que as cicatrizes a assustaram – mas só um pouco, e ainda assim porque elas a fizeram se importar com ele. Naquele momento mesmo, o coração dela estava amolecendo dentro do peito, mais rápido que um pedaço de manteiga deixado no sol.

Ela não podia deixar isso acontecer. Era muito fácil dizer "sem expectativas", mas Izzy sabia como funcionava seu coração faminto por afeto. Ela estava tão desesperada para amar e ser amada que podia desenvolver sentimentos de ternura por uma pedra. E pedras não a chamavam de "encantadora" ou "sedutora". Pedras não possuíam cabelos castanhos dourados e macios.

Mas pedras e Ransom tinham uma coisa em comum... Nenhum deles podia retribuir seu amor.

"Nós precisamos ir", ela disse. "A contagem já deve ter passado de cem e as garotas estão esperando."

Ele levantou e com as costas da mão tirou a poeira das calças e do paletó.

"Eu volto sozinho", ele disse.

"Sozinho?" No momento em que a palavra deixou seus lábios, Izzy se encolheu, lamentando como deveria ter soado. É claro que ele era capaz de voltar caminhando sozinho. "É só que as donzelas estão esperando que o herói delas as encontre."

"Então é melhor que elas fiquem esperando por outro homem." Ele passou por ela. "Não sou o herói de ninguém, Srta. Goodnight. É bom você se lembrar disso."

*Capítulo Catorze*

"Srta. Goodnight, é você?"
Izzy congelou, parada na ponta dos pés.
Droga.
Depois de várias horas caminhando, conversando, contando rosas silvestres e evitando perguntas sobre *dois* Ulrics, Izzy, afinal, despediu-se das donzelas e dos Cavaleiros de Morânglia. Ela esperava poder voltar para o castelo sem que ninguém notasse. Mas o plano não deu certo.
Pelo menos não foi o duque que a pegou.
"Sim, Duncan?"
"O que é isso em suas mãos, Srta. Goodnight?"
Izzy baixou os olhos para seu xale amarrotado e sujo. Ela estava carregando aquilo desde seu interlúdio com Ransom naquela manhã.
Envergonhada, ela colocou a peça atrás de si.
"Oh, não é nada."
"É o seu xale?", ele perguntou.
O homem tinha um olho de atirador quando se tratava de roupa suja.
Ela suspirou, colocando o xale para a frente outra vez.
"É. Eu... Como você pode ver, houve um pequeno acidente."
Céus. Como ela iria descrever o que tinha acontecido com aquele xale? Ela deveria tê-lo jogado no fosso. Não seria possível salvá-lo.
"Dê para mim." O criado o tirou de sua mão. Ele examinou o tecido delicado e fino e estalou a língua. "Terra... grama... minha nossa. Estas são manchas de sangue? Em bordado de seda?"
Ela mordeu o lábio, rezando para que Duncan não ficasse bravo com ela pelo machucado recente do duque. Ou pior, para que ele não exigisse uma explicação completa de como aquilo tinha acontecido.

"Srta. Goodnight, nem sei como dizer isto. É..." Ele sacudiu a cabeça. "Isto é maravilhoso."

"Maravilhoso?", ela se espantou.

"Sim." Ele agarrou o tecido com as duas mãos. "É para isso que um criado pessoal vive. Remover manchas impossíveis de tecidos de qualidade. Faz meses que não encaro um desafio desses. Preciso ir para a lavanderia, agora mesmo. Se deixarmos que as manchas se fixem por mais tempo, nunca vou conseguir tirá-las."

Achando aquilo divertido, Izzy o seguiu até o quarto designado como lavanderia. Ele alimentou o fogo, pôs uma chaleira para ferver e pegou sabão, um ferro e tecidos.

"Estas manchas de grama vão ser as mais teimosas." Ele colocou o xale sobre uma bancada de trabalho e avaliou cada marca. "Suco de limão e um enxágue frio, primeiro. Se isso não funcionar, vamos tentar uma pasta de bicarbonato."

"Posso ajudar em alguma coisa?"

"Não, Srta. Goodnight." Ele pareceu um pouco horrorizado. "Você estragaria minha diversão. Mas é muito bem-vinda para me fazer companhia."

Izzy pegou uma cadeira e assistiu a Duncan trabalhar, divertindo-se com a cuidadosa campanha para atacar as manchas. Primeiro ele as raspou com uma faca. Depois as esfregou com uma escova de cerdas macias. Só então ele pegou suas garrafinhas marrons de álcool e sais. Ela sentiu como se estivesse vendo um médico trabalhar.

"Duncan, como foi que aconteceu? O acidente do duque."

O criado fez uma pausa no ato de aplicar vinagre em uma mancha de grama.

"Srta. Goodnight", ele disse, bem devagar, "nós já falamos disso. Um bom criado não fala do seu empregador."

"Eu sei. Eu sei e sinto muito por me intrometer, mas... agora eu também trabalho para ele. Não é isso que empregados fazem? Fofocas sobre seu patrão?"

Ele arqueou uma sobrancelha, um gesto silencioso de repreensão.

Ela detestava parecer tão fútil e não queria quebrar sua palavra dada a Ransom, revelando a dor de cabeça que ele sentiu na outra noite. Nem mencionar a carta que ele amassou e jogou na lareira.

"Eu só estou preocupada, só isso. O duque é tão..." *Teimoso. Melancólico. Loucamente atraente.* "Tão bravo. Com o mundo, parece, mas em especial comigo. Ele está sempre tão pronto a interpretar tudo da pior maneira possível, e eu acho que o problema não é só o ferimento dele. Eu gostaria de entendê-lo melhor."

Duncan parou de esfregar um pouco para cuidar da chaleira que assobiava.

"Srta. Goodnight, não seria digno, para um criado, contar histórias de seu empregador."

Izzy aquiesceu. Ela estava decepcionada, mas não iria insistir mais. Afinal, ele estava salvando seu melhor xale.

"Mas", o homem de cabelo grisalho continuou, "como você é a Srta. Izzy Goodnight e gosta tanto de uma história, talvez eu possa lhe contar uma sobre... um homem completamente diferente."

"Ah, sim." Ela se endireitou na cadeira, tentando não trair sua empolgação. "Um homem ficcional. Um que não tenha nada a ver com Rothbury. Eu *adoraria* ouvir uma história dessas."

O criado lançou um olhar desconfiado ao redor deles.

"Não vou contar para ninguém, eu juro", ela sussurrou. "Veja, eu mesma começo. Era uma vez um jovem nobre chamado... Bransom Fayne, Duque de Mothfairy."

"Mothfairy?", Duncan estranhou.

Ela deu de ombros.

"Você tem uma sugestão melhor?"

Ele apoiou a chaleira no fogão.

"Ele nunca pode saber disso."

"É claro que não", ela disse. "E como saberia? Esse homem de quem estamos falando não existe. Esta é a história de seu passado trágico. Em sua juventude, o inexistente Duque de Mothfairy..."

"Estava só. Muito só. Sua mãe tinha morrido no parto."

Ela aquiesceu. Até aí ela tinha ouvido do próprio duque.

"E seu pai poderia até ter morrido no mesmo dia. O velho duque se isolou do mundo para sofrer e passou a tratar o filho com muita frieza. Depois que esse 'Bransom' atingiu idade suficiente, ele começou a procurar... companhia." O rosto do criado se contorceu enquanto ele procurava as palavras. "Companhia feminina."

"Ele espalhou suas sementes por aí, você quer dizer."

"Plantações inteiras. Céus. Ele se tornou um semeador profissional."

Izzy acreditava nisso. Ela tinha visto as contas.

"Mas aos 30 anos, ele finalmente se dispôs a cumprir a principal obrigação de seu título. Que é, claro, produzir o próximo Duque de..."

"Mothfairy", ela completou.

"Isso." Duncan pigarreou. "Ele escolheu a debutante mais disputada da temporada em Londres e declarou sua intenção de cortejá-la. Os dois logo ficaram noivos."

"Ransom ficou noivo?", Izzy ficou boquiaberta.

Ela entendeu, então, porque ele entrou em pânico com a tolice que ela fez ao dizer a palavra "casamento".

"Não." Duncan lhe deu um olhar severo. "*Bransom* ficou noivo. O Duque Que Não Existe. Ele ficou noivo de uma jovem chamada Lady Emi..." Uma expressão de desespero passou por seu rosto. "Lady Shemily."

"Lady Shemily?" Izzy riu por dentro. Duncan estava começando a entrar no espírito da coisa.

"Isso. Lady Shemily Liverpail. Filha de um conde." O criado voltou ao trabalho. Ele destampou uma garrafinha cujo conteúdo cheirava limão. "Quando o noivado foi anunciado, os criados do duque – que sofriam há muito tempo – ficaram encantados. Alguns membros da equipe serviam a família há trinta anos sem uma duquesa. Eles estavam ansiosos por uma nova patroa."

"Incluindo o distinto e confiável criado pessoal dele?", ela arriscou. "Que por acaso se chamava... Dinkins?"

"*Principalmente* o criado distinto e confiável. Dinkins estava ansioso para remover os últimos resquícios de maquiagem das roupas do duque. Ruge é uma coisinha difícil de remover."

"Dá para imaginar." Izzy imaginou o tipo de mulher que conseguiria afastar o duque de toda essa libertinagem. "Essa Lady Shemily Liverpail... Como ela era?"

"Era, como se pode imaginar, uma debutante de sucesso. Linda, talentosa, com boas relações sociais. E jovem. Apenas 19 aninhos."

Izzy reprimiu um suspiro de frustração. É claro. É claro que Lady Shemily seria todas essas coisas.

"O que deu errado?", ela perguntou.

Duncan hesitou.

"Na história", Izzy sugeriu. "Nessa fantasia completamente inventada que você está criando só para me entreter, porque sabe que eu adoro uma história de amor impossível."

"Tudo foi providenciado", ele disse. "Casamento, lua de mel, uma suíte ricamente decorada para a nova duquesa. E então, menos de quinze dias antes do dia do casamento, a noiva desapareceu."

"Desapareceu?"

"Sim. Ela desapareceu de seu próprio quarto no meio da noite."

Izzy se inclinou para a frente, apoiando o queixo na mão. Aquela história começava a ficar bem emocionante. E parecia que Duncan estava gostando de, finalmente, ter uma chance de contá-la. Pobre homem, confinado naquele castelo há meses, vivendo um melodrama sem ter ninguém para quem contar. E sem ter manchas para tirar."

"Lady Shemily", ele continuou, a voz derramando tensão dramática, "tinha fugido com um namorado."

"Fugido? Mas quem era esse namorado?"

"Um fazendeiro arrendatário da propriedade rural dos Liverpail. Parece que os dois escondiam seu romance há anos."

"Que escândalo. O que Rot..." Ela se sacudiu. "O que Mothfairy fez?"

"Nada de muito prudente. Ele deveria ter deixado aquela mocinha boba fugir e se arruinar. Desdenhar publicamente da educação dela para quem quer que perguntasse, fazer piadas sobre ter escapado por pouco de uma cilada, e então arrumar outra noiva na próxima temporada. Mas o orgulho dele não permitiu. Ele foi atrás do casal em uma perseguição furiosa."

"Sem o criado distinto e confiável?", Izzy perguntou.

Duncan suspirou, irritado.

"Dinkins foi atrás dele, de carruagem. Infelizmente, Dinkins ficou mais de um dia para trás. E não teve tempo para evitar que a tragédia se desenrolasse."

Ela mordeu o lábio, já se encolhendo de medo.

"O duque caiu do cavalo?"

"Oh, não", respondeu Duncan. "Cerca de trinta quilômetros ao sul da fronteira escocesa, Mothfairy encontrou sua ex-futura-esposa com o amante em uma estalagem. Seguiu-se um confronto, espadas foram desembainhadas..."

Ela estremeceu, como se pudesse sentir toda a extensão da cicatriz de Ransom queimando sua pele, do couro cabeludo à maçã do rosto.

"Eu acho que posso imaginar o resto", ela disse.

"Você vai ter que imaginar. Não posso lhe dizer exatamente o que aconteceu. Eu não estava lá." Duncan deixou de lado todo o fingimento de estar contando uma história. Ele apoiou as duas mãos na bancada. "Quando eu o encontrei, ele estava há duas noites em um quartinho naquela maldita estalagem. Nenhum médico tinha sido chamado. O estalajadeiro estava simplesmente esperando que ele morresse. Eu mesmo tive que costurá-lo."

"Que horror", Izzy exclamou. "E quanto à noiva fujona?"

"Já tinha partido. Coisinha fútil." Ele sacudiu a cabeça. "Ele não estava bem o bastante para viajar de volta a Londres, então eu o trouxe para cá. Faz mais de sete meses. Ele se recusa a partir e não me deixa nem mesmo executar meu dever como seu criado pessoal. A aparência dele está uma vergonha."

"Não sei se eu diria *isso*", Izzy discordou. Ela gostava bastante da aparência bruta, malcuidada, do duque. E uma dúzia de donzelas suspirantes não podiam estar erradas.

"Mais da metade do tempo ele se recusa a usar uma gravata. É vergonhoso."

"Isso é verdade", ela concordou. Ela concordava com isso. Os colarinhos abertos do duque tinham lhe causado muitos pensamentos vergonhosos.

Duncan colocou o ferro de lado e levantou o xale imaculado para examiná-lo.

"Esta pequena tarefa preservou minha sanidade por mais um dia", ele disse. "Obrigado. Você não sabe como é insuportável passar a vida em uma profissão e então ser obrigado a abandoná-la."

Izzy não respondeu, mas ela entendia aquele sentimento melhor do que Duncan podia imaginar. Quando seu pai morreu, seu trabalho morreu junto.

Duncan dobrou e lhe entregou o xale.

"Tenho estado tão desorientado que tenho recorrido a...", Duncan se interrompeu.

"O quê?"

"Eu nem sei. Esse é o problema, Srta. Goodnight. Eu já tentei meia dúzia de vícios diferentes e nenhum deles me satisfez. Charutos são repulsivos. Rapé não é muito melhor. Não tolero o gosto forte da bebida alcoólica e também não gosto de beber sozinho. O que sobra? Jogar? Com quem?"

"Imagino que restem as mulheres." Ela deu de ombros.

"Não serve", ele declarou. "Nesta casa, esse vício já tem dono."

Então Izzy teve uma ideia. Ela enfiou a mão no bolso e entregou um punhado de doces para Duncan.

"Tente isso. Doces."

Ele olhou para a mão dela.

"Pode pegar", ela incentivou. "Você estará me fazendo um favor. As pessoas me dão estas coisas aos montes. Depois da minha manhã com as donzelas, tenho mais do que aguentaria." Ela apontou um dos doces. "Acho que este é damasco com mel."

Ele pegou o doce, desembrulhou e o colocou na boca. Enquanto mastigava, seus ombros relaxaram.

"Melhor?", ela perguntou.

"Melhor. Obrigado, Srta. Goodnight."

"É o mínimo que eu posso fazer." Ela deixou os outros doces sobre a bancada de trabalho. "Obrigada por salvar meu xale e por me contar a verdade. Quero dizer, não a verdade. Por me contar uma *história* fascinante."

Agora tudo fazia mais sentido para ela. Era natural que um homem, abandonado de forma tão insensível, e ainda quase morrendo em decorrência desse abandono, teria uma visão cáustica de amor e romance. Mas a verdadeira vítima dessa história era o orgulho dele, ou será que seu coração também tinha sido partido?

"Duncan?", ela começou.

"Hum?", ele murmurou, desembalando outro doce.

"Ele...?" Ela reuniu coragem para continuar. "Ele a amava?"

Nada de resposta.

Oh, droga. Isso a ensinaria a não fazer uma pergunta delicada quando a pessoa acabou de enfiar um doce na boca. Duncan levantou a mão, pedindo um momento, enquanto mastigava. Enquanto isso, as tripas de Izzy se retorciam e formavam nós.

Pior, ela teve tempo para se questionar.

Por que importava se o duque tinha amado ou não sua noiva? Por que ela se importava tanto com isso? Não era como se ele fosse se casar com *Izzy*.

Uma eternidade depois, Duncan engoliu o doce. Mas ela teve a impressão de que esperou todo aquele tempo por nada.

"Eu não sei", foi só o que Duncan respondeu.

## Capítulo Quinze

Incrível. Pela manhã, sentada à mesa enquanto trabalhava com a correspondência, a silhueta recortada pela luz do sol... O cabelo dela realmente parecia um polvo.

*Era o modo como ela o usava*, Ransom pensou. Ou talvez o modo como o *cabelo* a usava. Ele ficava todo para cima da cabeça em um grande borrão escuro. E não importava o quanto ela o prendesse, cachos escuros e pesados ficavam soltos à volta do rosto, parecendo tentáculos.

É claro que se tratava de um polvo arrebatador, estranhamente erótico. Ransom ficou preocupado. Será que ele estava desenvolvendo um fetiche?

"Você tem me evitado, Goodnight."

"Tenho?", ela levantou a cabeça do trabalho.

"Sim. Você tem."

Ela demorou um instante para responder.

"Alteza, minha presença nesta sala, neste exato momento – e esta conversa que estamos tendo – parece contrariar seu argumento."

"Não estou dizendo que culpo você", ele se reclinou no sofá e entrelaçou as mãos atrás da nuca. "Se de algum modo fosse fisicamente possível, eu também me evitaria."

Ela pegou o próximo envelope, cujo lacre quebrou com um golpe selvagem do abridor de cartas.

"Não estou evitando Alteza. Não sei o que quer dizer com isso."

Mentira. Ela sabia muito bem o que ele queria dizer.

Desde a invasão daquele bando de idiotas e da sessão de carícias nas ruínas, Ransom notou uma nítida mudança no comportamento de Izzy Goodnight.

Não houve mais visitantes-surpresa e durante as muitas horas em que Ransom vagava pelo castelo à noite, ele nunca mais a encontrou. Ela estava sempre por perto quando ele acordava, mas não havia mais conversas estranhas sobre ratos do tamanho de elefantes ou elefantes do tamanho de ratos.

E o estranho era que Ransom sentia falta dessas conversas. Ou talvez ele sentisse falta de Izzy.

"Eu tenho uma pergunta", ele disse, interrompendo sua leitura de uma análise relativa a um novo negócio com máquinas a vapor. "Existem dragões em Merlínia?"

"Morânglia."

"Isso."

"Se existissem, por que você se importaria?", ela perguntou, parecendo desconfiada.

"Só estou imaginando que outras loucuras devo esperar", ele deu de ombros. "Será que alguma manhã vamos ser visitados por um rebanho de unicórnios, ou descobriremos duendes acampados debaixo da minha ponte?"

"Não. Não, Alteza. Nada de dragões, nem unicórnios ou duendes."

"Ótimo", ele disse. Ela não tinha terminado outro parágrafo quando ele a interrompeu outra vez. "Tem notícias do seu amigo, Lorde Entrevado?"

"Nenhuma que possa ser do seu interesse, estou certa." Ela colocou a mão espalmada sobre a mesa. "Alteza, você me contratou para ler sua correspondência, não para discutir a minha."

"Tudo bem." Ele levantou as mãos, desistindo.

Ransom podia ver o que estava acontecendo. Izzy queria colocar distância entre eles, o que significava que ela era uma mulher sensata e inteligente. O que a tornava ainda mais atraente. Maldição.

"Eu não quero ser grosseira", ela disse. "É só que... eu converso sobre as histórias do meu pai com todo mundo. E não me importo, mas eu gosto de falar de outras coisas – qualquer coisa – quando estou com você. Mesmo que seja a viabilidade financeira de maquinário agrícola a vapor."

*Aquilo fazia sentido*, Ransom pensou. Ele estava começando a entender como aqueles contos ridículos haviam tornado Izzy prisioneira das expectativas dos outros.

Ela precisaria se libertar dessa prisão em breve. Porque eles estavam na metade daquela imensa pilha de cartas e pacotes e Ransom já tinha certeza que sabia o que estava acontecendo.

Alguém o estava roubando. E esse alguém ficava cada vez mais ousado. Os valores divergentes foram pequenos, a princípio, mas começaram a crescer para dezenas e centenas.

Ele começava a formular uma teoria. O culpado devia ser algum funcionário do escritório de seus advogados. Ou até mesmo um dos advogados. Quem quer que fosse o ladrão, ele gostava de jogar – cartas ou cavalos, talvez. Quem sabe uma amante dispendiosa. Ou talvez esse ladrão tivesse decidido que merecia mais do que o salário miserável que seus empregadores lhe pagavam. Então ele começou a surrupiar quantias pequenas de contas que ninguém suspeitaria. Como isso passou despercebido, ele passou a desviar quantias maiores.

Então, um dia, ele viu a oportunidade de lucrar com algo ainda maior.

Os procuradores do velho Conde de Lynforth devem ter investigado a possibilidade de comprar o Castelo Gostley para sua afilhada. É claro que uma oferta dessas deveria ter sido rejeitada. Todos sabiam que Ransom nunca concordaria em vender sua propriedade ancestral. Mas se o ladrão falsificou documentos e os levou para o leito de morte de Lynforth... ele pode ter extraído uma quantia tremenda do conde moribundo.

Até então aquela era apenas uma teoria, mas fazia mais sentido do que qualquer uma das alternativas. E se a teoria de Ransom estivesse correta, isso significaria que a venda era inválida.

Logo Izzy Goodnight se veria sem um lar. De novo.

"Vamos terminar este trabalho em questão de semanas", ele disse. "Você já tem alguma ideia de onde irá morar?"

"Eu preciso lhe perguntar a mesma coisa", ela disse. "Eu não acredito que irei a lugar algum."

"Mas você deveria pensar nisso. A questão é essa, Goodnight. Você deveria conhecer outros lugares." Ele sentou e inclinou o corpo para frente, apoiando os antebraços nos joelhos. "As guerras acabaram. Quem tem dinheiro está começando a viajar novamente. Encontre alguma velhinha atrevida que queira fazer o Grand Tour. Uma que precise de uma acompanhante para ler em voz alta, imitando personagens, durante as viagens entediantes de navio, que faça esboços de esculturas nuas para guardar de lembrança, e que passeie com seu cachorrinho duas vezes por dia. Você poderia visitar Paris, Viena, Atenas, Roma."

Mesmo de onde estava, sentado em seu sofá, ele pode ver Izzy curvar sua boca larga, cor de vinho, em um sorriso. Era o primeiro sorriso que ele via no rosto dela em dias.

"Infelizmente, eu não conheço nenhuma velhinha atrevida com cachorrinhos", ela disse. "Mas parece que essa seria uma boa aventura."

Estava decidido, então. Ele também não conhecia nenhuma velhinha que se encaixasse nessa descrição, mas ele encontraria uma. Se fosse necessário, ele contrataria uma atriz aposentada do Teatro Real para interpretar o papel de Tia Fulana de Tal. Ransom se responsabilizaria pela conta de toda a viagem.

Estava na hora de Izzy Goodnight parar de viver nos livros de história dos outros. Ela precisava ver o mundo além dos castelos empoeirados e das vilas inglesas pitorescas. Ransom não podia lhe dar tudo que precisava ou merecia. Mas isso ele podia fazer.

Essa decisão aliviou sua consciência quando Ransom a viu tirar outra carta do monte, reduzindo seu tempo de permanência no castelo em mais alguns minutos. Mais um grão de areia que passava pela ampulheta.

Algum tempo depois, ela pôs o trabalho de lado.

"Temos que parar por aqui, hoje." A voz dela ficou mais alegre quando acrescentou, "Vou para o meu quarto me vestir para o jantar."

"Você vai se vestir para o jantar?", Ransom estranhou.

Aquilo era novidade. Eles nunca tiveram um jantar formal. Izzy e a Srta. Pelham faziam suas refeições na cozinha com Duncan. Pelo menos era o que ele imaginava. Ransom nunca as acompanhou.

"Hoje nós terminamos de arrumar a sala de jantar. Duncan, a Srta. Pelham e eu. Então decidimos tirar uma folga da arrumação e comemorar com um jantar formal esta noite." Ela se levantou da cadeira. "A Srta. Pelham está trabalhando no cardápio o dia todo."

Ele coçou a barba rala em seu queixo.

"Ninguém me falou nada."

"Eu..." A voz dela assumiu aquele tom relaxante e melífluo. "Oh, me desculpe. Eu deveria ter pensado em lhe dizer. Seus sentimentos estão feridos?"

"O quê?" Ele cruzou os braços sobre o peito. "Não seja absurda. Meus sentimentos – não que eu esteja admitindo possuir algum, veja bem – não estão feridos."

"Nós não queríamos que você se sentisse excluído. É bem-vindo para se juntar a nós, claro. É só que... você nunca faz isso. Você nunca janta conosco."

Era o fim do dia e a visão dele tinha piorado. Izzy era apenas uma mancha cinzenta escura em meio a uma neblina um tom mais claro. Ransom não sabia dizer se o convite era sincero ou motivado por pena.

Mas, de qualquer modo, isso não importava. Ela tinha razão, ele nunca jantava com o grupo. Por um bom motivo.

"Goodnight", ele disse ao se levantar, "agradeço seu convite generoso para que eu participe desse jantar que *meu* dinheiro pagou, na *minha* própria casa, mas..."

"Oh, por favor, venha."

As palavras saltaram dela, impulsivas, mas não foram mais imprudentes do que o gesto que Izzy fez enquanto falava.

*Ela segurou a mão dele.* Ela segurou a mão dele na sua e a apertou. Com delicadeza. Como se ele fosse uma criança tímida que precisasse de um pouco de compaixão e estímulo.

Pelo menos foi o que ele supôs que aquele gesto transmitia. Sua própria infância foi absolutamente destituída de compaixão ou estímulo.

"Eu ficaria muito feliz se você jantasse conosco, Ransom. Mesmo se fosse porque haveria uma pessoa à mesa que não liga a mínima para a verdadeira identidade do Cavaleiro das Sombras."

"O que é um Cavaleiro das Sombras?", ele franziu a testa.

"Isso mesmo." Ela apertou a mão dele mais uma vez. "Essa foi a melhor coisa que alguém me disse em muito tempo. Venha jantar e seja você mesmo – mal-humorado e nada romântico. Por favor."

"Eu contei para o duque sobre nosso jantar esta noite." Izzy prendeu a respiração enquanto a Srta. Pelham dava um puxão firme no cordão do seu espartilho.

"Oh, isso é maravilhoso." A Srta. Pelham puxou de novo.

"Ele declinou."

"Ah, que pena." Mais um puxão.

Izzy se perguntou quantas vezes mais ela conseguiria reunir coragem para tentar tirá-lo do isolamento. Ele estava tão obstinado e determinado a continuar assim. Desde que Duncan lhe contou a história, ela não sabia o que pensar. Ele tinha o coração partido pela noiva perdida? Estava frustrado com a perda da visão e da independência? Ou era apenas um homem rejeitado que lambia as feridas do seu orgulho?

Em todo caso, ele precisava voltar a fazer contato com o mundo. E logo!

Izzy já tinha lido mais de metade da correspondência dele e ela começava a formar uma suspeita. Sem provas conclusivas, ela não ousaria falar com ele. Mas ela tinha quase certeza de que os advogados do duque estavam conspirando contra ele. Por qual motivo, ela não podia imaginar. Mas ele poderia perder muito mais do que aquele castelo se não voltasse logo para a Inglaterra dos vivos.

O jantar dessa noite poderia ser um passo na direção certa se ele participasse.

A Srta. Pelham deu mais um puxão nos cordões do espartilho. Quando Izzy franziu o rosto, ela se desculpou.

"Perdão, Srta. Goodnight, mas eu tenho que apertar bem, do contrário o vestido não vai servir em você."

Ela ajudou Izzy a entrar no vestido de seda vermelha. Ele pertencia à Srta. Pelham, claro. O guarda-roupa de Izzy não continha nada adequado para um jantar formal.

"Oh, essa cor fica tão bem em você. Mesmo que esteja muito apertado no busto."

O corpete *estava* apertado. Os seios dela eram conchas claras e trêmulas que transbordavam pelo decote. Uma roupa bem escandalosa para a pequena Izzy Goodnight. Mas ela tinha um xale e seriam apenas a Srta. Pelham e Duncan.

"Eu prometo não comer demais." Izzy alisou a sensual seda vermelha com as mãos. "Muito obrigada por me emprestar."

"Não é nada. Fico feliz de ajudar." A Srta. Pelham vestiu a primeira de suas luvas até o cotovelo e então estendeu o braço para que Izzy a abotoasse. "Está demorando muito para que suas coisas cheguem, não acha?"

"É, eu acho." Enquanto Izzy fechava os botõezinhos, uma pontada de culpa apertou seu peito.

"Algo errado, Srta. Goodnight?"

"É só que..."

É só que eu queria não ter mentido para você. É só que eu tenho uma inveja danada do seu cabelo dourado, do seu rosto corado e da sua autoconfiança. E eu queria poder lhe deixar com um pouquinho de inveja de mim confessando tudo que eu fiz com o duque.

"É só que eu queria que você me chamasse de Izzy."

O leque da Srta. Pelham caiu no chão. O rosto dela foi iluminado por um sorriso radiante, ensolarado.

"Sério?", ela perguntou.

"É claro."

"Então você tem que me chamar de Abigail."

"Vou adorar."

A Srta. Pelham – Abigail – a pegou em um abraço apertado.

"Ah, eu sabia. Eu sabia que nós seríamos grandes amigas."

*Amigas.*

Tão estranho. Izzy nunca teria acreditado que se tornaria amiga de uma mulher como Abigail. As "Abigails" da sua adolescência tratavam a tímida e desajeitada Izzy com desdém, até mesmo crueldade. Elas a chamavam de Izzy Frisada, Vassoura de Bruxa, Cabeça de Esfregão, Rosto Estranho... A lista era extensa.

Mas ela não estava mais na adolescência, Izzy lembrou. Ela e Abigail eram mulheres adultas, e talvez fosse injusto, da parte de Izzy, não dar uma chance à amizade das duas.

Abigail soltou Izzy.

"Agora que somos amigas, você me deixa arrumar seu cabelo?" Ela pegou um dos cachos rebeldes de Izzy e olhou com pena para ele. "Eu tenho uma receita de um creme de gema de ovo e água de rosas que vai deixar seu cabelo liso como seda."

Izzy começou a reclamar, dizendo que não funcionaria. Ela tentara todos os cremes conhecidos das mulheres e nenhum deles tinha funcionado. Mas Abigail não quis saber. Ela virou Izzy para o espelho.

"Você vai ver. Com o penteado certo e uma fita nova... Vai ficar quase bonito."

*Quase.*

Izzy pegou seu xale, tentando ignorar a desfeita não intencional.

"Vamos descer para jantar?"

"Vamos, claro", Abigail pegou o braço dela. "Eu reservei algumas perguntas para esta noite."

*Céus.*

Izzy tinha que reconhecer o esforço de Abigail, que quase conseguiu tomar a sopa toda antes de começar o interrogatório.

Então, um sorriso pesaroso tomou conta de seus lábios.

"Você já deve saber o que eu vou perguntar", Abigail começou.

*Eu tenho a impressão que sim.*

"Desculpe-me. Eu não consigo evitar." Abigail baixou a voz para um sussurro. "O Cavaleiro das Sombras. Quem ele é, de verdade? Não se preocupe, prometo que não conto para ninguém."

Izzy deixou o suspense crescer enquanto tomava uma colher da sopa cremosa de pastinaca e demorava um instante para apreciar o sabor.

Elas trabalharam dois dias inteiros naquela sala de jantar, lavando as paredes, batendo o tapete, encerando a mobília e recuperando as cadeiras. De dia ainda era possível ver manchas desbotadas no tapete e pequenos cortes nos painéis de madeira nas paredes.

Mas à luz de velas...? Oh, era mágico. A sala toda reluzia. A mesa recebeu uma toalha branca passada. Cada objeto – da menor colher ao maior candelabro – foi lustrado até brilhar. A mesa não estaria mais linda se estivesse posta com diamantes. Os cristais foram emprestados da residência do vigário, mas tudo mais era do castelo. Duncan tinha encontrado uma caixa de talheres de prata e dois caixotes forrados de palha com porcelana que escaparam aos saqueadores por estarem guardados no porão debaixo de umas tábuas.

O pé-direito duplo dava uma impressão de grandiosidade e esplendor, mas o clima geral era caloroso e receptivo, e o aroma de cordeiro assado se espalhava pelo ar.

Aquilo parecia um lar.

"E então?", Abigail insistiu.

Sim, sim. O Cavaleiro das Sombras.

"Receio que eu não saiba", disse Izzy. "Meu pai nunca me contou. Eu não sei nada além do que foi impresso na revista."

"Nada sobre Cressida e Ulric, também? Oh, não acredito que eles não tenham se reencontrado. Eles casam e têm filhos, do jeito que eu sempre sonhei?"

"Se você sonhou com isso, então pode ser que eles tenham se casado. Eu sei que os leitores se sentiram frustrados por a história ter ficado inacabada. Mas para mim, existe certa beleza no fato de Ulric ficar literalmente pendurado. Assim os personagens podem ter todos os finais felizes que os leitores imaginarem."

Izzy teve a esperança de que isso encerraria o assunto.

"Ah, mas isso não basta." Abigail suspirou. "E quanto àquele eunuco? Eu tinha minhas suspeitas quanto a ele. Será que Sir Henry algum dia..."

"Pelo amor de Deus. Deixe-a em paz."

Aquele rompante pegou todo mundo de surpresa. Era o duque!

Ransom estava parado à porta. E Izzy se lamentou de usar as palavras "grandiosidade" e "esplendor" para descrever a sala de jantar, porque ela não encontrou palavras melhores para descrever a aparência do duque.

Bem, talvez restasse uma palavra.

Magnífico.

Bem barbeado, de banho recém-tomado e vestindo uma casaca preta sob medida. E ele devia ter se arrumado sozinho, a julgar pela expressão chocada no rosto de Duncan quando este se levantou. O pobre criado deve ter ficado preocupado com a possibilidade de ter sido substituído em seus afazeres. Mas Izzy percebeu que esse não era o caso, a julgar pela faixa de cintura que o duque usava, de cor duvidosa, e do corte fininho em seu queixo.

Talvez fosse uma bobagem, mas Izzy julgava aquela fina linha vermelha mais cativante, uma demonstração maior de coragem, do que a cicatriz que lhe cortava a testa.

"É ele", Abigail sussurrou do outro lado da mesa. "O duque."

"Eu sei", Izzy respondeu, também murmurando.

"Por que você acha que ele desceu? Será que ele gosta de você?"

Izzy apertou a ponte do nariz. Bom Deus. Por que essa garota não entendia que Ransom podia escutar tudo que ela falava?

"Ele deve gostar de você", Abigail continuou sussurrando. "Isso não seria demais? Você poderia fazer com que ele acreditasse em romance e am..."

O duque pigarreou.

"Alteza", disse Duncan. "Perdoe-me. Nós não estávamos esperando..."

"Sente-se." Ransom encontrou a cadeira na cabeceira da mesa e a puxou. "Não estou aqui para fazer você trabalhar."

"Você gostaria de tomar sopa?" Abigail gesticulou para a criada, uma das novas contratadas.

"Apenas vinho. Também não estou aqui para comer."

O silêncio se instalou enquanto todos se faziam a pergunta que ninguém tinha a coragem de dizer em voz alta. Se ele não estava ali para comer nem ser servido... o que o duque fazia ali?

"Dê um descanso à Srta. Goodnight sobre Morbídia." Ele sentou. "Tenho certeza de que existem outros assuntos para serem discutidos."

"Está tudo bem", disse Izzy, tentando conter o estrago feito na atmosfera agradável daquela noite. "Sério, eu não me importo."

"Mas eu me importo em seu nome."

Ah. Então era por isso que ele tinha ido jantar. Para defendê-la. Para ser seu defensor grosseiro e malcomportado. Izzy teria irrompido em lágrimas, se isso não estragasse sua deliciosa sopa.

Ransom bateu o garfo em seu prato.

"Eu pensei que o jantar de hoje fosse uma folga."

"É uma folga, Alteza", respondeu Abigail.

"Então eu também gostaria de uma folga dos contos de fada. A menos que cavaleiros e donzelas pulem na cama e façam coisas carnais uns com os outros, isso não me interessa."

As faces de Abigail adquiriram um tom sutil de rosa.

"Eles não fazem nada disso, Alteza", ela disse.

"Então não estou interessado."

"Aí está, Abigail", Izzy interveio. "O duque não está interessado."

"Isso é porque o duque não sabe o que está perdendo. Ele precisa vivenciar as histórias. Nós podemos ler para ele depois do jantar."

A empregada tirou o prato de sopa da frente do duque, substituindo-o por uma travessa. Então ela tirou a tampa de prata para revelar uma linda peça de cordeiro assado.

Ransom bebeu um gole do vinho.

"Vocês não estão esperando que eu corte, estão?"

Envergonhado, Duncan pegou a faca trinchante e começou a separar as costeletas, oferecendo uma porção para cada uma das mulheres antes de se servir. Ransom não quis nada.

Izzy não conseguiu evitar de se sentir constrangida por ele. Então era por isso que ele nunca aparecia para as refeições. Como cavalheiro mais graduado em qualquer mesa, competia a ele trinchar animais e assados – algo que seria muito difícil para ele fazer bem. Principalmente no fim do dia, quando ela sabia que a visão dele piorava drasticamente.

Ela baixou os olhos para as costeletas diante de si. Até mesmo um prato de comida devia ser um desafio no qual ele estava fadado a fracassar. Ela fechou os olhos por um momento e tentou imaginar como seria cortar sua carne em pedaços sem o benefício da visão. Talvez ela conseguisse se virar, com a prática. Mas fazer isso com elegância e modos ducais? Isso seria mais difícil.

Passar e consumir os vários pratos os ocupou por algum tempo. Ransom continuou apenas bebendo, o que, para Izzy, não parecia muito bom.

Quando a sobremesa – uma linda torta de frutas frescas – foi servida, Abigail se levantou da mesa, saiu da sala de jantar e voltou logo depois, carregando um livro gigantesco. Era óbvio que ela não tinha esquecido a promessa de ler.

"Aqui estamos", ela anunciou. "*Os Contos de Goodnight*. Vamos começar do começo esta noite."

Ransom murmurou uma imprecação.

"Eu tenho como escapar disso?", ele perguntou.

"Por favor, não os leia", pediu Izzy. "O duque não precisa ouvir essas histórias. Mas, se você ler, poupe-o do começo, pelo menos. Meu pai sempre ficou constrangido com os episódios dos primeiros anos. Ele não os considerava seu melhor trabalho."

"Mas eles são o começo. Deve-se começar do começo. Guarde minhas palavras, Alteza. Logo você vai ser arrebatado pela história de Cressida e Ulric."

Enquanto Abigail abria o volume, Izzy foi tomada pelo impulso violento de se jogar debaixo do tapete. E, quem sabe, morar ali pelos próximos anos. Ela poderia reinar como a Rainha (quase-bonita) dos Ácaros.

"'Primeira Parte'", leu Abigail em voz alta. "'A noite caiu sobre a Inglaterra. Em um vilarejo rural há um chalé. Um chalé com telhado de ardósia e uma vela em cada janela. E nesse chalé tem um quarto. Um quarto com luas prateadas e estrelas douradas pintadas no teto. E nesse quarto tem uma cama. Uma cama com uma colcha roxa. E nessa cama tem uma garota. Uma garota chamada Izzy Goodnight, que não consegue dormir.'"

Encolhida, Izzy olhou para Ransom na cabeceira. Ele fez muito bem em não ter comido nada. Do contrário, era provável que nesse momento ele estivesse lutando para manter a comida no estômago.

Abigail continuou, fazendo vozes.

"'Papai, você não vai me contar uma história?', a garotinha pediu. 'Está tarde, minha Izzy', eu respondo. 'Por favor, Papai. O escuro me assusta. Mas os seus contos me fazem ter sonhos alegres.'"

*Oh, Deus.* Ransom gemeu. Foi um gemido baixo, mas ainda assim um gemido. Izzy também gemeu.

E toda aquela experiência humilhante estava para ficar pior. Muito pior.

"'Muito bem'", Abigail continuou. "'Feche os olhos, minha querida Izzy, que eu vou lhe contar uma história. Uma vez, no tempo de cavaleiros corajosos e belas donzelas, vivia uma jovem elegante e intrépida que atendia pelo nome de Cressida. Ela tinha olhos verdes como esmeraldas e o cabelo âmbar, liso como a seda.'"

Izzy se preparou. Lá vinha, a maldição de sua vida, as três palavras. Ela articulou as palavras com a boca enquanto Abigail as lia em voz alta:

"'Assim como você.'"

Abigail levantou os olhos do livro e fez contato visual com Izzy.

"Isso não é curioso? Devo admitir que tenho me perguntado isso desde que nos conhecemos. Você também não estranhou, Duncan?"

O criado aquiesceu.

"Para ser honesto, Srta. Pelham, também estranhei."

"Izzy, essa é uma pergunta que você deve poder responder. Por que seu pai descreveu você como tendo olhos de esmeralda e cabelo liso âmbar?"

"Eu..."

Oh, Deus. Izzy nunca soube como explicar isso. A resposta não deveria ser óbvia? A Izzy das histórias tinha que ser diferente porque ninguém iria querer ler histórias sobre uma garota de aspecto esquisito, com um cabelo embaraçado que parecia um esfregão escuro e olhos azuis claros.

Muito menos se imaginar no lugar dela. Porque ela, a verdadeira Izzy Goodnight, só tinha esperança de ser, no máximo, *quase* bonita. Porque ela não era boa o bastante.

"Porque o pai dela era um asno", disse Ransom. "É óbvio."

Abigail e Duncan soltaram, ao mesmo tempo, uma exclamação de espanto.

"Não!", disse Abigail. "Alteza está tão errada. Sir Henry era... bem, ele era o pai mais gentil, mais amoroso que uma garota poderia querer. Não era, Izzy?"

Mais uma vez, Ransom a salvou de uma resposta constrangedora.

"Muito bem, vou revisar minha declaração. Ele era um asno esperto. Enganou todo mundo. Mas se o bom Sir Henry era um sujeito tão amável e pai tão devoto, por que não cuidou de deixar para a filha a segurança de uma renda e de um lar confortável?"

"Alteza, a morte dele foi inesperada", respondeu Duncan. "Uma tragédia."

"Foi repentina", acrescentou Izzy.

Abigail esticou o braço através da mesa para pegar a mão de Izzy.

"Deve ter sido devastador. O país inteiro ficou de luto com você."

"Isso não é desculpa", Ransom meneou a cabeça. "Existem poucas certezas na vida e a morte é uma delas." Ele acenou pedindo mais vinho. "Se quer saber a minha opinião, esse Sir Henry Goodnight não era melhor que um vendedor de gim ou traficante de ópio. Ele viciava as pessoas em suas histórias melosas para depois continuar fornecendo mais, sem se importar se as pessoas afogavam seu bom senso nesse pântano açucarado."

Izzy achou que aquilo estava indo longe demais.

"Você não é obrigado a admirar as histórias do meu pai", ela disse. "Mas não desdenhe dos leitores ou da noção de romance. Cressida e Ulric são apenas personagens. Morânglia é completamente fictícia. Mas o amor existe. Está à nossa volta."

Ransom colocou a taça de vinho na mesa e virou a cabeça, como se inspecionasse a sala.

"Onde?"

Ela não soube como responder.

"Você quer que eu aponte para algo, como se fosse um detalhe da decoração? Lá está, emoldurado e pendurado na parede?"

"Você disse que o amor está à nossa volta. Bem, onde está? Estamos em quatro nesta mesa, todos adultos crescidos. Nenhum romance. Nenhum exemplo de amor."

"Mas..."

"Mas o quê? Todo mundo sabe qual é a sua situação, Srta. Goodnight. Condenada a ser uma solteirona pelas histórias do seu pai." Ele apontou para o criado. "Nosso Duncan, aqui, gastou dez anos se consumindo por uma empregada de Londres. Garota irlandesa com cachos saltitantes e peitos ainda mais. Ela nunca deu uma chance a ele."

Duncan fez uma tentativa desanimada de protestar, mas Ransom o ignorou e se virou para Abigail.

"E quanto a você, Srta. Pelham? Parece alegre e, não há como negar, é muito bonita. Seu pai é um cavalheiro. Onde estão seus pretendentes?"

Abigail olhava fixamente para a torta pela metade.

"Houve uma pessoa."

"Ah. E onde está essa pessoa agora?"

"Ele entrou na marinha", ela respondeu. "Meu dote é pequeno e ele era um segundo filho sem seu próprio dinheiro. Nosso relacionamento nunca foi além da amizade." Ela abriu um sorriso tímido. "Acredito que não estávamos destinados a ficar juntos."

Ransom enrolou o pé na perna da cadeira.

"Pronto. Está vendo? Mais uma vez, a realidade fria venceu o sentimento." Ele apontou para Izzy, depois Abigail e Duncan. "Negligenciada, indesejada, rejeitado. Nenhum final feliz entre nós."

"Isso não é justo", Izzy protestou. "Nossas histórias ainda não terminaram. Mesmo assim, somos apenas quatro almas em um mundo imenso. Recebo cartas dos leitores do meu pai todos os dias. Pessoas de todos os estilos de vida que..."

"Que estão desesperadas e desiludidas?", Ransom a interrompeu.

"Que acreditam no *amor*", ela concluiu.

Ele se recostou na cadeira, convicto.

"É a mesma coisa."

Izzy ficou olhando para ele. Ela não sabia por que defender esse ponto de vista tinha se tornado tão importante para ela. Se Ransom quisesse viver o resto de sua vida em amargura e solidão, ela supunha que ele tivesse esse direito. Mas a presunção dele a irritou muito. E ele não estava insultando apenas o amor e o romance. Ele atacava seus amigos e conhecidos. Seu próprio trabalho. Os anseios mais profundos do seu coração.

Aquela não era uma discussão acadêmica, era pessoal. Se ela não defendesse a ideia da felicidade duradoura, como poderia ter alguma esperança para si mesma?

Ela tentou de novo.

"Todo mundo... Bem, quase todo mundo... compreende que as histórias do meu pai são apenas histórias. Mas amor não é uma ilusão." Como ele bufou, incrédulo, ela insistiu, "Não é."

Então, Izzy teve uma ideia.

"Espere." Ela levantou da mesa e começou a andar para trás, na direção do corredor. "Espere um instante que eu vou provar para você."

Ela subiu a escada correndo, disparou pelo corredor e escalou os trinta e quatro degraus até a torre. Ali, ela vasculhou sua própria correspondência até encontrar o envelope que procurava, depois correu de volta para a sala de jantar.

Quando ela chegou, sentia-se sem fôlego e triunfante.

"Aqui", ela disse, mostrando o envelope batido. "Aqui na minha mão, tenho a prova de que as histórias do meu pai fizeram a diferença na vida das pessoas. Prova de que o verdadeiro amor vai sempre triunfar."

"É melhor eu me segurar." O duque ergueu sua taça de vinho e a esvaziou com um gole. "Continue."

Izzy desdobrou a carta e começou a ler.

*Querida Srta. Goodnight,*

*Nós nunca nos conhecemos, mas ainda assim penso em você como uma amiga muito próxima. Talvez até como uma irmã. Minha governanta começou lendo as histórias do seu pai para mim quando eu era apenas uma garotinha de 6 anos, e desde então, a boa gente de Morânglia tem povoado meus sonhos – assim como, imagino, tem povoado os seus. Quando eu soube da morte repentina de Sir Henry, chorei por você todas as noites durante vários meses.*

*Sou adulta, agora, como você também deve ser. Este ano meu pai me comprometeu com um pretendente que não escolhi. Ele não é um homem cruel ou violento, mas é insensível e frio. Tenho certeza que ele não me ama e que provavelmente nunca amará. Ele pretende me desposar e está trabalhando para isso com menos atenção e sentimento que outros homens demonstram ao comprar um cavalo. Eu tenho pavor da possibilidade de uma vida com ele.*

*Tudo isso vai soar conhecido para você. Meu caso não é igual ao de Cressida, no trigésimo-quinto episódio, quando o pai dela a prometeu àquele pavoroso Lorde Craniossombrio? Exceto pela torre sem janelas e pelos ratinhos prestativos, claro.*

*E, da mesma forma que Cressida, há anos meu coração pertencia a outro. Oh, Srta. Goodnight, eu queria que você pudesse conhecê-lo. Assim como Ulric, ele tem origens humildes. Mas provou seu valor diversas vezes, demonstrando uma compreensão e uma devoção que não conheci com minhas amigas mais íntimas nem com minha família. Eu o amo com toda minha alma.*

*Eu me defronto com uma escolha assustadora. Mas busquei a sabedoria do meu coração e tomei uma decisão corajosa.*

*Vou seguir o exemplo de Cressida e fugir. Com ou sem a ajuda dos ratinhos amigos.*

*Não duvide. Amanhã estarei com meu verdadeiro amor e juntos vamos embarcar na aventura da nossa vida. Todos os agradecimentos vão para você, Srta. Goodnight, e seu querido pai, que continua vivo em suas histórias e nos corações desta nação.*

Uma lágrima queimava o canto do olho de Izzy quando ela ergueu a cabeça.

"E está assinado como, 'Sua amiga, com uma gratidão infinita, Lady Emily Riverdale.'"

Ela baixou a carta com um ar vitorioso. Pronto. Ele não tinha como ouvir aquela carta sem se comover.

E, de fato, ele ficou comovido.

Sem dizer nenhuma palavra, Ransom levantou de sua cadeira. De pé à cabeceira da mesa, ele parecia uma grande, sombria e ominosa nuvem de tempestade humana. Seus punhos estavam crispados. Izzy imaginou que a qualquer momento ele começaria a disparar relâmpagos.

Os pelos na nuca de Izzy ficaram eriçados.

O sempre contido Duncan agitava os dois braços em movimentos frenéticos para chamar a atenção de Izzy.

"O que foi?", ela murmurou para o criado. "O que há de errado?"

Duncan arregalou os olhos enquanto ele apontava para a carta nas mãos dela e articulava "Isso" com a boca.

*Isso?*

Enquanto o duque saía, furioso, da sala de jantar, ela releu a carta, tentando encontrar as palavras que pudessem ter causado ofensa tão dramática. Nada, até...

Até que seus olhos pararam no nome da remetente. Seu coração e seu estômago trocaram de lugar.

Oh, não. *Não!*

Emily Riverdale.

*Lady Shemily Liverpail.*

*Capítulo Dezesseis*

Deus, como ela se sentia idiota.

A carta na mão de Izzy era da ex-noiva de Ransom. A "coisinha fútil". A mesma mulher que fugiu com um fazendeiro, o que levou à desfiguração do duque e seu quase encontro com a morte. E ela apenas leu a carta para ele em voz alta como prova do amor verdadeiro.

Izzy entregou a carta para Duncan ao passar por ele. Então ela pegou um castiçal com uma mão e as saias de seda com a outra.

"Eu tenho que ir falar com ele."

Movendo-se o mais rápido que podia naqueles vestido e espartilho, que a apertavam como se fosse uma linguiça, ela o perseguiu pelo corredor.

"Ransom, espere."

Ele não diminuiu o passo, apenas disparando um aviso por cima do ombro.

"Agora não."

As palavras a atingiram no peito, fazendo-a parar onde estava. A voz dele tinha um tom impossível de ignorar. Onze gerações de autoridade ducal foram expressas naquela ordem.

Ele estava furioso, magoado e muito perto de explodir.

Izzy reuniu sua coragem e o seguiu mesmo assim.

Ela teve que se esforçar para conseguir acompanhá-lo. Ele conhecia muito bem aqueles quartos e corredores, tendo caminhado por eles todas as noites no escuro.

Finalmente, ele entrou em uma sala e Izzy sabia que dali ele não teria para onde ir.

Ele tinha se enfiado na biblioteca.

A ironia era que Izzy tinha evitado a biblioteca até então. Embora a vastidão do espaço e as estantes de mogno que iam do chão ao teto fossem grandiosas, para uma verdadeira apaixonada por livros, a cena era insuportável de tão triste. Um olhar apressado no primeiro dia revelou que todos os livros valiosos ou interessantes tinham sido pilhados. Os únicos volumes que restavam eram tratados de agricultura ou almanaques desatualizados, e mesmo estes tinham sido comidos ao ponto de se tornarem ilegíveis.

Algum dia, Izzy disse para si mesma, ela conseguiria dinheiro para limpar tudo aquilo e encher novamente as prateleiras com lindos livros. Volumes encadernados em couro macio, cheiroso, de todas as cores disponíveis: verde, azul, vermelho, marrom. Algum dia, ela passaria uma tarde chuvosa sentada junto à imensa lareira de pedra, arrebatada por um empolgante romance gótico.

Mas nessa noite ela teria que se contentar em viver essa história dramática.

Izzy parou no meio da sala e colocou o castiçal em uma mesa empoeirada.

"Ransom, eu..."

Ele a manteve longe com um braço esticado.

"Estou avisando, Goodnight. Não é um bom momento para me provocar."

"Por favor. Eu não quero brigar. Apenas permita que eu me desculpe. Eu sinto muito, muitíssimo. Foi uma terrível falta de consideração minha ler aquilo. Eu recebi essa carta há muito tempo, e nunca estabeleci uma ligação. Eu não tinha ideia de que ela era a *sua* Lady Emily."

Ele bufou de fúria.

"Então você *sabe!*"

"É, eu sei."

Ele deus dois passos ameaçadores na direção dela. A vela no castiçal projetou sombras assustadoras no rosto deformado dele.

"Você tem fofocado a meu respeito. Ou talvez tenha sido alguma carta que você pegou na minha correspondência. Você está xeretando as minhas cartas sem mim?"

"Não", ela se apressou a dizer. "Não foi nada disso. Eu soube pelo Duncan."

"*Duncan*", Ransom repetiu o nome do criado. "Ele lhe contou." Ele praguejou e deu as costas para Izzy. "É isso, então. Não existe uma alma neste mundo em que eu possa confiar."

"Não, não. Não entenda assim." Enquanto falava, ela foi se aproximando, diminuindo a distância entre eles um passo cauteloso após o outro. "Duncan se preocupa demais com você. Ele não queria fazer fofoca, eu juro. E ele não fez, na verdade. Ele me contou uma história sobre o Duque de Mothfairy e Lady Shemily, e eu tirei minhas conclusões."

"Moth- *o quê?*"

Izzy levou a mão à testa.

"Não importa. Por favor, esqueça que eu mencionei essa parte."

Antes que ela percebesse o que estava acontecendo, ele estava em cima dela. Ransom a pegou pela cintura e a pressionou contra a parede mais próxima – coberta de prateleiras vazias.

"Eu avisei", ele rugiu. "Eu a avisei para não me provocar. Agora eu vou devolver a provocação."

Ele apoiou as mãos nas prateleiras, prendendo-a entre seus braços. Uma superfície dura pressionou a parte de trás das coxas dela. Outra apertou o fim de sua coluna. O cheiro de vinho era avassalador.

Ele a tinha aprisionado e o corpo de Izzy reagiu como o de qualquer criatura encurralada. Os pelos de sua nuca ficaram eriçados. Seu diafragma trabalhava como um fole, puxando e expulsando ar de seus pulmões. Seu pulso acelerou para um ribombar louco e frenético em seu peito.

"D-desculpe-me", ela gaguejou. "Eu sinto muito."

"Sente por quê? Sente que leu aquela carta para mim? Sente pela minha dor? Sente que você participou da destruição da minha vida?"

Oh, Deus. Então ele a culpava.

"Eu sinto", ela disse, com cuidado, "que Lady Emily nunca tenha entendido o tipo de homem que você é."

"É mesmo?" Uma das mãos dele desceu para a cintura dela. A palma deslizou para cima e para baixo pela seda macia e lisa, traçando preguiçosamente as curvas do quadril e do seio dela. "E que tipo de homem eu sou?"

"Um homem bom. Um que é grosseiro e desagradável de tão arrogante na maior parte do tempo. Mas leal e protetor quando é necessário. Você foi atrás dela, Ransom. Você correu atrás dela quando poderia tê-la deixado ir."

"É, eu corri atrás dela. E se você pensa que isso fez de mim o herói na historinha dela, está muito enganada. Tudo o que ela escreveu é verdade. Eu não a amava. Eu nunca a amaria. Para ela, eu sempre fui o vilão."

*Eu não a amava.*

Essas palavras deveriam fazê-la sentir alívio por ele. Mas não, Izzy foi egoísta o bastante para se sentir aliviada por si mesma.

"Você não faz ideia." Ele se aproximou. O calor da respiração dele provocou a orelha dela. "Você não faz ideia de como estou tentado a arruinar você. Aqui mesmo. Agora. A vingança seria tão doce. A pequena e preciosa queridinha e inocente da Inglaterra, abrindo suas coxas para receber meu pau."

Ao ouvir aquelas palavras lascivas, ela sentiu os joelhos fraquejarem. Izzy não conseguia inspirar o suficiente. Aqueles malditos cordões do espartilho, tão apertados. A cada respiração entrecortada, seus seios se forçavam mais a seda vermelha. Aquela fricção incomum em seus mamilos fez com que se transformassem em picos endurecidos.

"Você não faria isso." Ela engoliu em seco. "Você não é o tipo de homem que se aproveitaria de mim."

"Eu não preciso ser um homem que me aproveitaria de você." Ele enfiou uma mão debaixo das saias dela. "Só preciso ser um homem que aceita um convite."

Ele segurou a perna dela atrás do joelho e a levantou, afastando-a para o lado e apoiando o salto do sapato na primeira prateleira a partir do chão. Usando a força de seu próprio joelho, Ransom a prendeu nessa posição sensual.

O coração dela parou quando ele afastou as anáguas e a roupa de baixo dela. Ela não vestia nada além de meias por baixo de tudo aquilo. Mas não conseguiu protestar nem ficar tímida. O toque possessivo dele a incendiava e ela percebeu que estava ficando excitada antes mesmo da mão dele cobrir seu sexo.

Ela não queria voltar correndo para a sala de jantar e continuar fingindo. Ela queria ficar ali com ele, se entregar para aquele homem e para o desejo que consumia seu corpo. Sua reação ao toque dele, ofegante e quente... era sincera. E a necessidade que crescia entre suas pernas era real.

O polegar dele deslizou pela fenda dela, abrindo-a com delicadeza para sua investigação. Uma onda de prazer a fez estremecer e ela agarrou a prateleira mais próxima para se firmar.

"Isso." Ele gemeu. "Eu sabia que seria assim. Eu sabia que você estaria molhadinha para mim."

As palavras grosseiras a enlouqueceram. Ele deslizou um dedo para dentro dela e Izzy mordeu o lábio para não gritar.

*Assim.*

Ele sabia exatamente do que ela precisava. Ele deslizou para dentro e para fora, penetrando um pouco mais a cada vez.

E ela ainda queria mais. Izzy balançou os quadris para frente e para trás, tentando atraí-lo mais para o fundo, mais fundo. Ela precisava dele. Precisava dele bem no fundo.

"Ninguém mais faz ideia disso, não é? Ninguém conhece essa garotinha danada e indecente. Ninguém vê o que eu vejo. Nenhum outro homem faz você se retorcer, ofegar e gemer."

"Não." Ela arqueou as costas, falando com dificuldade.

"Só eu." Ele enfiou os dedos bem fundo. "Diga."

"Só você."

Com um gemido suave de aprovação, ele baixou a cabeça para beijar os seios dela. Usando os dentes, ele puxou o espartilho para baixo. Antes que ela pudesse dizer que o vestido era emprestado e as costuras já estavam esticadas, ela sentiu o tecido ceder.

Os seios dela saltaram para a frente e um estonteante fluxo de ar inundou seus pulmões.

"Isso." Ele soltou o seio do espartilho e rodeou o mamilo com a língua. "Eu sei do que você precisa."

Ele levou as duas mãos para os quadris dela. Em um movimento rápido, ele a ergueu quinze centímetros do chão, apoiando as costas dela na prateleira de cima. Levantando suas saias até a cintura, ele se colocou entre as pernas de Izzy.

"Se você não quiser isso, diga-me." A voz dele estava rouca. "Você não precisa gritar. Você não precisa lutar. É só me dizer."

Izzy não sabia o que dizer. Todo seu corpo queria aquilo. Isso era certo. Mas essa seria sua primeira – e possivelmente única – experiência no ato do amor? Uma cópula furtiva, raivosa, contra uma prateleira empoeirada? Ele não estaria fazendo amor com ela. Ele estaria atacando a própria noção de amor.

"Eu..." Ela se esforçou para respirar. "Eu não estou dizendo não."

Ele gemeu e a levantou, para que ela o envolvesse com as pernas.

"Mas estou dizendo, *assim* não. Eu quero emoção. Quero carinho. E eu acho que você também quer essas coisas."

Ele cravou os dedos na carne das nádegas dela e passou a língua pelo seio descoberto.

"Dane-se o carinho. Para o inferno com a emoção. Não sou o homem que vai atender os anseios do seu coração, mas eu posso lhe dar tudo – *tudo* – que seu corpo deseja."

"Só porque..."

Ele chupou seu mamilo e Izzy perdeu a voz em mais uma onda de êxtase.

Ela enfiou os dedos no cabelo dele e tentou falar outra vez.

"Só porque ela fugiu, isso não significa que uma mulher não possa amar você. Ransom, eu... eu sei que você é maior que isso."

"Ah, mas eu já estou maior." Ele friccionou sua pelve contra a dela e o volume duro da ereção dele massageou o centro dela. "Você pode ter tudo isso. Tão grande, duro e fundo quanto precisa."

Oh. Oh, e como ela precisava.

Ele ficou se esfregando nela em um ritmo firme e delicioso. A camurça quente e gasta das calças dele roçava as coxas dela. Izzy balbuciou algo e se agarrou nas prateleiras, incapaz de fazer outra coisa a não ser se segurar.

Com cada arremetida de seus quadris ele a empurrava mais para cima. Mais perto do alívio. E Ransom sabia disso.

"Goze para mim." Ele deslizou a mão entre os corpos e seus dedos a preencheram outra vez. Enquanto Ransom os deslizava para dentro e para fora, a palma da mão friccionava a pérola de Izzy. "Eu preciso sentir. Eu preciso escutar."

Um ganido de prazer arranhou a garganta dela.

"Meu nome." Ele enfiou o dedo mais fundo. "Diga meu nome. Eu quero que você saiba que sou eu."

"*Ransom*." As mãos dela apertaram mais a prateleira.

E então, de repente...

Alguma coisa cedeu.

Com um rangido e um trovão, o mundo dela desabou, jogando os dois na escuridão.

"O qu...?" Ela estava ofegante. "O que aconteceu?"

Maldito fosse Ransom se ele soubesse o que tinha acontecido... Num momento ele estava no paraíso, com Izzy ofegando seu nome, todo aquele calor e aperto em volta de seus dedos... A vitória na palma da sua mão.

Um instante depois, os dois estavam no inferno. Toda aquela seção da parede, incluindo as prateleiras, tinha girado na vertical, colocando os dois ali.

Onde quer que "ali" fosse.

Ele não sabia dizer. Ele só sabia que tudo estava perto. E úmido. O ar cheirava podridão e mofo de séculos.

"Isto aqui é algum tipo de passagem secreta?", Izzy perguntou, ainda com dificuldade para respirar.

Ele tirou a mão da carne trêmula dela e baixou suas saias o máximo possível. Contudo, ele ainda a prendia às prateleiras com os quadris, mantendo os pés dela bem acima do chão. Só Deus sabia que tipo de gosma ou infelicidade jazia a seus pés.

Com a mão livre, Ransom tateou o espaço.

"Parece mais um armário secreto. Se isto aqui já foi um corredor, agora está fechado."

"Isto aqui devia ser um esconderijo para padres católicos. Faziam lugares assim no século dezesseis, quando o catolicismo foi tornado ilegal. Tem que ter um jeito de sair daqui. Uma alavanca ou..."

"Deixe-me ver."

Ele passou a mão pelas prateleiras, puxando e empurrando cada saliência. Nada. Ele tentou jogar seu peso contra um lado do painel, em uma tentativa de fazê-lo girar na outra direção. Nada.

"Duncan e a Srta. Pelham devem vir nos procurar", ele disse. "Quando ouvirmos os passos, nós gritamos pedindo ajuda."

Ela agarrou no paletó dele. A respiração de Izzy era um rangido difícil.

"Só não me solte."

"O que foi? Você se machucou?"

Ele sentiu a cabeça dela sacudir um "não". As mãos de Izzy encontraram as lapelas do paletó dele e as agarraram com firmeza.

"É só que... está tão escuro e eu..."

"E você não gosta do escuro. Eu me lembro."

Ela baixou a cabeça, buscando abrigo no ombro dele.

Bom Deus. Ela não tinha exagerado. Aquilo não era apenas medo, mas pânico. Ele podia sentir os tremores que agitavam a pele dela. A mesma mulher que enfrentava com coragem ratos, morcegos e duques sentia um terror paralisante... Do escuro.

Ransom não conseguiu se vangloriar nem provocá-la. Todo seu desejo furioso desapareceu naquelas trevas melancólicas. Passando os braços pelas costas dela, ele a puxou contra o peito e a segurou com firmeza. Porque ele sabia o que era medo. E também conhecia seu próprio coração. Ele já tinha sido uma alma miserável, solitária e aterrorizada no inferno da escuridão.

"Está tudo bem", ele disse. "Está escuro, mas você não está sozinha. Eu estou com você."

O tremor dela continuou.

"É t-tão constrangedor e infantil", ela disse. "Eu fico assim desde que tinha 9 anos."

"O que aconteceu aos 9 anos?"

Parecia uma idade avançada para a criança desenvolver medo do escuro. Talvez conversar a respeito a ajudasse a enfrentar esse medo. No mínimo, falar preencheria o silêncio.

"Eu costumava passar os verões com a minha tia em Essex", Izzy começou. "Ela não tinha filhas, só um filho, Martin. Já falei dele para você."

"O garoto que jogou você no lago?"

"Isso." O peito dela subia e descia com a respiração acelerada. Ela contava sua história com pausas, e as frases, lentamente, iam preenchendo ar. "Esse mesmo. Garoto horroroso, miserável. Ele sentia inveja e me detestava. Queria que eu sumisse. Sempre que me pegava sozinha, ele me batia e xingava de nomes cruéis. Certo dia, quando as provocações não estavam funcionando, ele me jogou no lago. Depois ele me pegou no jardim e me arrastou para o porão de vegetais, onde me trancou. Ficava a uns trinta passos da casa e, claro, no subsolo. Ninguém ouvia meus gritos. Um dia e uma noite inteira passaram antes que me encontrassem. E Martin conseguiu o que queria. Eu gritava de um modo tão histérico que a tia Lilith me mandou para casa. Eu odeio o escuro desde então."

As coisas começaram a fazer sentido para Ransom.

"É por isso que começaram as histórias para dormir. Porque você tinha medo do escuro."

"Isso."

"E é por isso que você está sempre na sala quando eu acordo, de manhã. Porque ainda tem medo do escuro."

"Sim", ela exalou devagar.

Com um palavrão rude, ele massageou as costas dela.

"Esse seu primo era um vagabundo perverso. Espero que ele tenha tido o que merecia."

"De jeito nenhum. Agora ele é um vagabundo adulto e foi muito bem recompensado por seu comportamento perverso."

"Como assim?"

"Quando meu pai fez o seu primeiro e único testamento eu nem tinha nascido, foi feito quando ele chegou à maioridade. Eu nem mesmo *sabia* que ele tinha um testamento e papai nunca o revisou. Este antigo documento deixava todos os seus bens para o herdeiro homem mais próximo, então..."

"Seu primo herdou tudo."

Ela aquiesceu.

"Quando ele veio reclamar a casa e todas as minhas posses, eu acreditei que Martin pudesse ter amadurecido ao longo dos anos. Talvez nós pudéssemos chegar a um acordo. Mas não. Ele continuava o mesmo vagabundo maldoso e mesquinho. Só que me odiava ainda mais por causa do sucesso do meu pai. Ele tirou tudo de mim, até a última pena de caneta. E fez isso com alegria."

Ransom ficou completamente imóvel, para não assustar Izzy. Enquanto isso, fúria tomava conta de seu corpo, como um incêndio descontrolado. Ele reconsiderou seu plano de esperar que Duncan e a Srta. Pelham os encontrassem. Ele estava furioso o bastante para derrubar a parede a socos.

"Você ficou quieto demais", ela disse.

Ele inspirou e expirou, tentando controlar suas emoções.

"Estou fazendo um exercício de pensamento criativo. Você preferiria que eu jogasse seu primo para uma matilha de chacais famintos ou assistir a ele sendo despedaçado por um cardume de piranhas?"

"Essa é boa." Ela soltou uma risadinha. "Vou propor essa pergunta ao Lorde Peregrine."

Eles ficaram quietos por um bom tempo.

"Como você aguenta?", ela perguntou. "Como você aguenta isso o tempo todo? A escuridão."

"Não foi fácil no começo." Um eufemismo e tanto. "Mas com o tempo eu me acostumei. A escuridão assusta porque parece infinita. Mas não é tão vasta como parece. Você pode explorá-la, aprender a forma dela, tomar medidas – como quando avalia uma sala com os olhos. Mas você também tem mãos, nariz, orelhas."

"Eu tenho a cabeça", ela sussurrou. "Essa é a pior parte. É minha cabeça que preenche a escuridão com coisas horríveis. Eu também tenho muita imaginação."

"Mantenha-a fechada, então. Nada de histórias ou contos fantásticos. Concentre-se apenas nas coisas que você consegue sentir. O que está na sua frente?"

As mãos dela, leves e frias, se abriram sobre a camisa dele.

"Você."

"O que há dos seus lados?"

"Seus braços."

"E atrás de você?"

Ela inspirou lentamente.

"Suas mãos. Suas mãos estão nas minhas costas."

Ele subiu e desceu as mãos, massageando-a, aquecendo-a.

"Então isso é tudo que você precisa saber. Eu estou com você. Se existir qualquer bicho no escuro, ele vai ter que passar por mim."

Depois de mais alguns minutos, a tremedeira dela começou a cessar. Um nó de tensão se desfez no peito dele.

"Você é tão grande e forte", ela murmurou.

Ele não respondeu.

"E o seu cheiro é tão reconfortante." Ela descansou a testa no ombro dele. "Lembra uísque e couro. E cachorro."

A descrição o fez rir.

"Você está aprendendo como funciona. É possível captar muita coisa das pessoas sem sequer vê-las. Aromas, sons, texturas. Eu fico espantado, às vezes, com a pouca atenção que eu dava a essas coisas antes de me ferir. Se existe algo de positivo nisso tudo, é que eu agora reparo em coisas que antes ignorava."

A mulher em seus braços, por exemplo.

Ransom tinha certeza de que, se ele tivesse encontrado Izzy Goodnight na Corte alguns anos antes, não teria reparado nela. Izzy era morena, pequena e vestia-se com discrição. Inocente, não conhecia seus atrativos. Resumindo, não fazia o tipo dele. Seus olhos normalmente procuravam as loiras animadas.

Neste caso, os olhos dele teriam lhe feito um desserviço. Porque aquela mulher... ela era uma revelação. Toda vez que ele a pegava nos braços, ficava espantado com seu calor e maciez. O aroma fresco e silvestre do cabelo dela e a doçura melíflua de sua voz. Sua natureza passional.

E sua disposição carinhosa. As mãos dela desceram e Izzy passou os braços pela cintura de Ransom, para abraçá-lo mais apertado.

Então ela apertou o rosto no peito dele. Aconchegando-se.

Bem, Izzy tinha voltado a ser ela mesma.

"Então, se reparar em coisas que antes você ignorava é a melhor coisa de estar cego, qual é a pior?", ela perguntou.

Deus. Havia tantos concorrentes a esse posto. Ela podia supor alguns. Outros, Izzy nunca conseguiria imaginar, e ele jamais revelaria.

"Aprender a odiar surpresas", ele disse, surpreendendo-se com a confissão. "Agora eu sou uma criatura de rotinas. Eu tenho um mapa mental de cada aposento deste lugar, cada tampo de mesa. Eu tenho que colocar tudo de volta exatamente no mesmo lugar de onde tirei, ou então eu me perco. Isso faz eu me sentir um velho ranzinza, que reclama de tudo que é inesperado."

"Eu era inesperada", ela disse.

"Sim, você era."

"E eu alterei sua rotina. Mudei as coisas de lugar no seu mapa mental."

"Sim, você mudou."

Ela levantou a cabeça do peito dele.

"Eu entendo por que você não me queria no castelo. Eu fui uma surpresa. Você deve ter me odiado."

Ele ergueu a mão para tocar o rosto dela.

"Eu não odiei você."

"Bem, se você não me odiou a princípio, tem razão para odiar agora. Ransom, você tem que acreditar em mim. Eu sinto muito. Pela carta, pelo castelo, por Lady Emily. Por tudo. Você tem todo o direito de..."

Ele a silenciou com um gesto.

"Goodnight. Estamos presos em um lugar pequeno e escuro. Por enquanto nós estamos nos entendendo o melhor possível. Não me parece que este é o momento adequado para me lembrar das muitas razões que eu tenho para me ressentir da sua presença e desprezar tudo que você representa."

"Certo." Ela inspirou fundo. "Mas pensando bem, talvez não devêssemos esperar para sermos salvos. Tem que haver alguma alavanca por aqui."

"Eu vou encontrar."

"Não, eu tenho que fazer isso." Izzy movimentou o corpo. "Talvez se nós recriarmos a posição em que estávamos antes do painel girar. Você estava entre as minhas pernas e pus minha mão na prateleira... aqui."

Ransom cumpriu seu dever e se colocou no lugar, levantando-a pelos quadris e sentindo-se um imbecil. Ele tinha mesmo feito aquilo? Ele a tinha aberto e enrolado em seu corpo, enquanto enfiava a mão nela e fazia exigências obscenas, só para poder provar alguma coisa para seu orgulho ferido?

Sim, era evidente que sim...

"Vamos ver", ela disse. "Como foi que aconteceu? Ah, sim. Você estava com os dedos *dentro* de mim e estava me pedindo para dizer seu nome, então..."

"Podemos deixar os detalhes de lado?"

Maldição. Ela era uma virgem sem dinheiro e sem teto, tão vítima do charlatanismo do pai como as outras pessoas. E Ransom nunca sentiu tanto nojo de si mesmo. Ela também tinha todos os motivos para desprezá-lo.

"E então...", ela arqueou o corpo quando se esticou, "... acho que eu puxei bem aqui..."

*De novo.*

*Capítulo Dezessete*

O mundo de Izzy balançou de novo.

O painel girou verticalmente, jogando os dois dentro da biblioteca. Mas dessa vez a porta secreta não executou uma rotação completa. Ela deu um solavanco e parou entreaberta.

Os dois cambalearam para a frente com a parada brusca da porta.

"Opa."

Ransom girou no ar enquanto eles dois caíam, segurando Izzy em seus braços e absorvendo o pior do impacto.

Ela caiu no abraço dele, esparramando-se sobre o duque, ofegante.

"Obrigada", ela disse.

"Não precisa agradecer", ele a soltou. "Eu só estava..."

"Ah, não." Sorrindo, ela colocou o dedo sobre os lábios dele, fazendo-o calar. "Não comece."

Izzy se recusava a escutar outro discurso sobre o comportamento infame de Ransom e como a vida dele era um flagelo para a decência e o romance.

Tudo estava diferente agora. Ele havia acalmado seu tremor na escuridão. Eles dividiram seus pensamentos e suas lembranças mais íntimas. Ele havia ameaçado seu primo idiota com duas mortes sanguinolentas, ainda que imaginárias.

Os dois se entendiam. Pelo menos um pouco.

Além de tudo, Izzy sabia, sem qualquer dúvida, que aquela conversa dele, de ser um vilão sem coração, não era nada além disso: conversa.

Só para provar isso... Só para se vingar dele pelos joguinhos sensuais e brutos de antes... Ela se inclinou e deu um beijo carinhoso em sua testa. E ficou lá por dois segundos ou mais.

*Tome isto, seu homem gentil.*

Então ela se colocou de pé e fez o que pôde para se cobrir com o espartilho deslocado e o corpete rasgado. Ele ficou onde estava, esparramado no carpete puído.

"Você se machucou?", ela perguntou.

Ele deixou os braços caírem ao lado do corpo.

"Estou morto."

Passos ribombaram pelo corredor. Abigail e Duncan apareceram na porta e entraram na biblioteca.

"Meu Deus!", exclamou Duncan. Ele foi diretamente até Ransom, avaliando a sujeira no paletó do duque.

"Aí estão vocês. Estivemos procurando em toda parte." Abigail correu para Izzy, percebendo a roupa rasgada e o cabelo desgrenhado. Então ela olhou para Ransom, que permanecia deitado no chão. "Meu Deus. O que aconteceu aqui?"

"Nós ficamos... Nós ficamos presos." Incapaz de encontrar palavras para explicar, Izzy gesticulou na direção do esconderijo na esperança de que o resto ficasse óbvio.

Abigail gritou.

"Bem, não foi assim *tão* ruim", Izzy disse. "Nós conseguimos sair. E me desculpe pelo seu vestido."

"Não é isso", Abigail murmurou. Ela virou Izzy na direção do esconderijo. "Olhe."

Izzy olhou.

"Isso é...?" Ela inclinou a cabeça para o lado, aproximando-se até não ter mais dúvida. Então ela levou a mão à boca. "Oh, meu Deus. É mesmo."

Ali, escondidos no canto de trás do esconderijo sombrio e empoeirado, estavam ossos.

Ossos de um ser humano.

Eles não ficaram sozinhos no escuro, afinal.

A descoberta acabou de vez com o jantar formal. Cadáveres com séculos de idade tinham essa habilidade.

Ransom mandou chamar o magistrado e o vigário, e eles ficaram debatendo durante uma hora inteira sobre o que fazer com os ossos. Se era o caso de se preencher relatórios; se os restos mortais poderiam ser enterrados em solo sagrado e assim por diante. Embora tivesse sido encontrado em um esconderijo de padres católicos, ele poderia ser apenas um saqueador, um andarilho ou um contrabandista. Não havia como saber se o morto era protestante ou católico, então os homens aceitaram de bom grado a sugestão de Izzy para enterrar os ossos na capela do castelo.

Eles recolheram os restos com o máximo de dignidade que puderam encontrar e os depositaram debaixo de uma laje no piso da capela. O vigário fez uma oração.

Depois que o vigário foi para casa, levando a Srta. Pelham e Izzy com ele, Ransom ficou sozinho. Ele decidiu homenagear o morto de uma maneira diferente. Com muita bebida.

Ele estava na sua segunda dose de uísque quando ouviu passos leves entrando no salão.

"É um fantasma?", ele perguntou.

"Eu não acredito em fantasmas, lembra?"

*Izzy.*

Ela cruzou toda a extensão do salão.

"Abigail decidiu que preferia dormir na casa paroquial esta noite", Izzy o informou. "Não posso culpá-la por isso."

"Eu também não." Ele tinha imaginado que Izzy também passaria a noite lá.

Mas ela não permaneceu na casa paroquial. Izzy tinha voltado para ele.

Ransom sentiu uma emoção inconcebível crescer em seu peito, à qual não conseguiu dar um nome. Ele culpou o uísque.

"Por que o fogo está perecendo?", Izzy perguntou, parando junto à lareira.

"Todos os criados foram embora. Ninguém quer trabalhar no castelo assombrado dos horrores."

"Oh." Ela jogou madeira na lareira e remexeu nas brasas com o atiçador. "E quanto a Duncan?"

"Mandei que ele fosse ao pub da vila", Ransom respondeu. "Ele precisava de uma bebida e não é do tipo de homem que bebe sozinho."

"Mas ele não estaria sozinho. Ele estaria aqui com você."

"*Eu* sou do tipo que bebe sozinho." Ransom entornou mais um gole. O travo terroso do uísque desceu queimando. "Por que você não ficou na casa paroquial com a Srta. Pelham?"

"Ela me convidou, mas eu recusei."

"Não faz nem três horas que nós encontramos um morto dentro da parede. E passamos vários minutos com ele, bem perto dele. Você não tem medo de ficar aqui esta noite?"

163

"Claro que tenho", ela disse. "Estou sempre com medo, todas as noites. Você já deveria saber disso. Mas esta é a minha casa. Eu esperei tempo demais por um lar de verdade para sair correndo ao primeiro – bem, terceiro ou quarto – aborrecimento."

Ela puxou uma cadeira.

"E, para ser honesta", Izzy continuou, "existe mais uma razão pela qual eu voltei." A voz dela ficou mais doce. "Eu estava preocupada. Não queria que você ficasse sozinho."

Bom Deus. Como é que aquela mulher, que enxergava o mundo através do filtro açucarado dos contos de fada, tinha uma perspicácia tão grande quando se tratava das falhas de Ransom? Não importava quão pequena a fraqueza ou o quanto ele tentasse escondê-la... Izzy enxergava essa vulnerabilidade e enfiava as garras nela.

Ela se sentou ao lado dele.

"Encontrar os restos daquele pobre coitado..." Ransom notou que ela estremeceu. "Bem, isso nos chocou. Mas parece que você ficou realmente abalado."

Era verdade. Aquilo o abalou muito. Porque poderia ter sido *ele* naquele esconderijo.

Ele se debruçou para a frente, deixando a cabeça pender sobre o chão. Duzentos anos no futuro, poderia ser ele. Um saco de ossos desfeitos e esquecidos nesse castelo.

"Você precisa saber, Goodnight, que você é a ruína de todos os meus planos."

"Todos eles?", ela perguntou. "Sério? Isso parece um feito e tanto."

"Não banque a engraçadinha. Eu não tinha tantos planos para serem arruinados. De fato, só me restava um único plano, que era ficar aqui até eu apodrecer e virar pó." Ele se endireitou no sofá e passou a mão pelo cabelo. "Então você apareceu."

"Não me diga que você reencontrou o desejo de viver e que isso se deve a mim." O tecido farfalhou quando ela se recostou na cadeira. "Eu não o reconheceria."

"Pelo amor de Deus, não faça isso."

"Não faça o quê?"

"Sorrir."

"Como você sabe que eu estou sorrindo?"

"Eu posso ouvir. Diabos, eu posso *sentir* isso. É quente, doce e..." Ele fez uma careta. "Blérgh."

Ela soltou uma exclamação sentimental.

"Oh, Ransom."

"Isso é ainda pior." Ele ergueu os ombros, como se pudessem fechar suas orelhas. "É por isso mesmo que você arruinou tudo. Pergunte ao amigo que encontramos dentro da parede. Faz séculos que um homem não podia encontrar lugar melhor que o Castelo Gostley para murchar e apodrecer. Isso acabou. Agora nós temos cortinas e jantares formais. É insuportável."

"Talvez isso signifique que você deva voltar a Londres. Retornar ao mundo dos vivos", ela disse com doçura.

Ele sacudiu a cabeça. Voltar para quê? Não havia nada para ele lá.

Ele não tinha amigos de verdade. Ele nunca quis amigos. Ransom era o Duque de Rothbury, um dos homens de maior posição e fortuna da Inglaterra. Ele não precisava bajular a Corte em busca de favores e qualquer um que tentasse ganhar a confiança *dele* na Corte seria muito suspeito. Todos só podiam querer uma coisa dele.

Quanto a inimigos... em sua juventude, ele colecionou inimigos da mesma forma que outros garotos colecionam pedrinhas. Quando as pessoas o odiavam, pelo menos ele sabia que a repulsa era autêntica. E seus inimigos não podiam fazer nada para atingi-lo. Ransom era invulnerável.

Até o momento em que deixou de ser.

Malditos olhos. De todos os ferimentos que ele poderia sofrer. Se perdesse uma mão, poderia se virar sem ela. Ele poderia ter perdido uma perna. Até mesmo as duas. Mas a menos que recuperasse a visão, ele nunca mais poderia cuidar de seus negócios sozinho. Agora ele era apenas um prisioneiro de sua arrogância juvenil. Sozinho, sem poder confiar em ninguém.

Bem, ele se corrigiu de má vontade, isso não era exatamente verdade nessa noite.

Nesse momento, ele não estava nem um pouco sozinho. Ransom não se lembrava de outro momento em sua vida que tivesse tanta consciência de uma mulher. A sensibilidade dos seus sentidos era dolorosa. Izzy o estava matando de centenas de modos.

O fogo que ela atiçou mandava ondas de calor na direção dele, todas carregando o aroma dela. Fumaça com ervas. Ele se sentia drogado pela proximidade.

Ele podia sentir que ela retirava os grampos do cabelo. Um a um, aquelas tiras finas de metal tilintaram sobre a mesa. Cada batida atingia seus tímpanos como um tiro de canhão.

Então ela suspirou. A mais leve e delicada expiração. O som atingiu seu peito como um furacão, com a força de desenraizar árvores.

Ele percebeu a ironia.

Eles estavam a sós. Ransom um pouco bêbado, ela mais do que um pouco vulnerável. Esse seria o momento perfeito para continuar com seu plano de possuí-la. Ele poderia arrancar as roupas de Izzy, acabar impiedosamente com suas inibições e aproveitar uma ou duas horas de um prazer fugaz antes de provar para ela, sem sombra de dúvida, que romance é um exercício de ilusão voluntária, e nunca – *nunca* – tem um final feliz. Pelo menos, não naquele castelo e não com um homem como ele.

Só havia um probleminha nesse seu plano.

Ele gostava demais dela para colocá-lo em prática.

"Você precisa se recolher", ele disse, sombrio. "Agora."

"Eu sei." Ela bocejou. "Acho que devia mesmo."

Mas ela não se retirou de imediato. Ela levantou da cadeira e ficou fazendo alguma coisa. Primeiro, ele supôs que ela estivesse pegando uma vela para iluminar seu caminho até a torre. Mas isso não podia demorar tanto.

Ele ficou escutando um minuto inteiro ruídos dos ferros da lareira, tecido farfalhando e mobília sendo deslocada sobre a pedra antes de entender o que estava acontecendo.

"Pare." Ele se colocou de pé. "Pare agora mesmo."

"Parar o quê?" A voz dela carregava um tom de culpa inconfundível.

"Pare com o que está fazendo."

"Não entendo o que você quer dizer", ela disse.

"Entende, sim." Ele andou na direção dela. "Você empurrou aquela cadeira na direção da mesa. E antes disso pendurou meu casaco naquele suporte."

"Muito bem, você me pegou. Chame o magistrado. Prenda-me no pelourinho por excesso de arrumação."

"Isso não é arrumação, Goodnight. Você sabe que não é."

Ela não tinha como escapar. Ele sabia exatamente o que ela queria fazer. Izzy estava arrumando a sala antes de ir dormir. Garantindo que cada cadeira, cada almofada e todos os atiçadores de lareira estivessem em seus devidos lugares.

Para ele.

Isso não era apenas arrumação. Era compreensão e consideração. E considerando o estado emocional dele naquele momento, esse tipo de comportamento era perigoso. Não importava o nome que ela desse àquilo.

"Vou acompanhar você até sua torre." Ele lhe ofereceu o braço antes que ela pudesse acusá-lo de cavalheirismo, cortesia ou qualquer outro absurdo. Os motivos dele eram inteiramente repulsivos.

Ele queria ficar perto dela, ombro com ombro, enquanto subiam a escada até o piso superior, deslizando sua mão pela cintura dela até parar no fim da coluna. Ele queria sentir aquela cabeleira solta roçando no seu punho exposto.

Ele queria...

Deus, ele a queria. Toda ela.

"Aqui estamos." Izzy parou sob a arcada que conduzia ao quarto dela na torre. "Boa noite, Ransom."

Ele ficou parado, contando os passos dela subindo os degraus. *Um, dois, três, quatro...*

"Boa noite."

Ela parou. E então voltou alguns degraus. *Um, dois...*

"Isso foi uma despedida ou você me chamou? Afinal, Goodnight quer dizer 'boa noite'", ela perguntou. "Isso foi um 'Goodnight, venha cá'? Ou algo como 'Goodnight, até amanhã, vá dormir'?"

Diabo, nem o próprio Ransom sabia. As palavras tinham simplesmente lhe escapado. Ele suspeitava que o sentimento por trás delas fosse algo como, *Goodnight, tire todas as suas roupas, se enrole em mim e nunca mais me solte.*

"O décimo quinto degrau", ele disse, "é um pouco mais estreito que os outros."

"E você não quer que eu caia e me machuque. Que amor."

"Não tem nada de amor." Ele rilhou os dentes. "Eu já tive que recolher um saco de ossos hoje. E não quero ter que recolher outro."

"É a mesma coisa." Ela tocou o rosto dele. "Obrigada."

Os dedos dela continuaram na face dele, no escuro, pareciam uma constelação de carinhos inesperados. Ele pegou o pulso dela com os dedos, decidido a afastar aquele toque.

Em vez disso, ele roçou o polegar sobre a batida tênue do pulso dela. A pele de Izzy era tão macia ali. Na mente dele, seus olhos se enchiam de lágrimas. E como parecia que ele já tinha ultrapassado a fronteira da loucura sentimental, e que não era possível piorar a situação... Ransom levou o punho dela até seus lábios. E ele beijou aquela pulsação suave, preciosa, como um maldito pateta.

*Bendita seja.*

Ele a soltou e fechou os olhos bem apertado. Ele estava por um fio. Se a sua visão voltasse por milagre naquele momento, ela não teria nenhuma chance.

"Tenha piedade de um homem arrasado. Vá para sua cama."

Ele ficou no pé da escada, escutando os passos dela subirem a escada em espiral até a torre. Todo o corpo dele doía de vontade de segui-la. Ele se encostou na arca e agarrou na pedra, lutando contra seu desejo.

Quando os últimos passos dela silenciaram, Ransom se virou para ir embora. Ele chegava no fim do corredor e já tinha contado metade dos degraus em direção ao salão principal quando a ouviu.

*"Ransom!"*

Ele congelou, a mão apoiada na pedra. Um calafrio correu por sua coluna.

"Ransom, venha agora!"

E então, no espaço de um segundo, ele compreendeu. Ele compreendeu a razão pela qual andava pelo castelo todas as noites no escuro. Aprendendo o comprimento e a largura de cada aposento, arcada, corredor e escada. Não se tratava de recuperar sua força, nem de dominar o espaço que agora era ao mesmo tempo sua casa e sua prisão. Ele fazia aquilo com um objetivo:

Poder alcançá-la.

No mesmo instante. O mais rápido que suas pernas conseguissem.

## Capítulo Dezoito

Izzy estava parada no centro do quarto, chocada. Os passos de Ransom vieram trotando pela escada.

Ele surgiu no quarto, ofegante e com o rosto vermelho. Uma tempestade de fúria tinha se formado em sua testa e a cicatriz saía dela como um raio.

"Izzy! O que foi? Fale comigo. Você se machucou?"

"Não." Ela se sentiu péssima por tê-lo assustado. "Não é nada disso."

"O que é?", ele perguntou.

"É isso aqui. Você fez isto? Você deve ter feito tudo isso."

"Tudo isso o quê?"

"As velas. Elas estão em todos os lugares."

Ela girou devagar. Em algum momento, depois que ela saiu de seu quarto, alguém colocou uma dúzia de castiçais contornando todo o aposento. Cada um sustentava uma vela de cera de abelhas acesa. Além disso, havia dois candelabros na penteadeira e um sobre a mesa de cabeceira. A quantidade era extravagante e ridícula – elas preenchiam o espaço com luz suficiente para rivalizar com uma estrela, e o calor coletivo que produziam aumentou a temperatura do quarto em vários graus.

Izzy ficou abismada.

Isso só podia ser coisa de Ransom. Ela não tinha revelado seu medo para mais ninguém. Ela limpou uma lágrima do rosto.

"Lá embaixo você ralhou comigo porque eu coloquei uma cadeira no lugar e pendurei seu paletó. E agora... isso?" Ela passou a mão nos olhos. "Ransom, isso é injusto. Por que você faria uma coisa tão..."

"São só algumas velas."

Ela sacudiu a cabeça. Ele devia saber que não eram apenas velas. Elas representavam cuidado. Ele estava cuidando dela e essa era uma sensação tão desconhecida que Izzy não sabia o que fazer.

Desesperada, ela abanou as mãos, como se pudesse espantar aquela emoção. Não adiantou.

"Pelo amor de Deus." Ele caminhou na direção dela. "Você está transformando isso em algo que não é. A intenção é que elas mantenham você aqui em cima. No seu quarto. Longe de mim. Toda noite você tem se esgueirado até lá embaixo no escuro, fazendo com que eu acorde antes do nascer do sol. Eu não conseguia entender o que estava faltando para você, embora eu tivesse tentado de tudo. Cobertores, braseiro, escrivaninha..."

"Isso tudo também foi você que fez?" Ela levou a mão ao peito. "Eu pensei que Abigail..."

Ele sacudiu a cabeça.

"Não", ele disse. "Eu sei o que você está pensando e vou lhe dizer, não é nada disso. Não é o que parece."

"Pelo menos é o que você gostaria que fosse." Izzy passou mais uma vez os olhos pelo quarto à luz de velas. "Porque isso parece algo... doce. Parece..." Ela engoliu em seco. "Oh, Ransom, é tão romântico."

Ele passou as duas mãos pelo cabelo em um gesto de frustração.

"Não é!"

"É *sim!*", ela insistiu. "Isto é romântico. *Você* está sendo romântico."

"Eu não fiz de propósito." Ele a envolveu com os braços. "Eu só... Eu só precisava manter você aqui em cima." Ele a fez andar para trás até a dobra dos joelhos encostar na beira da cama e os dois caíram sobre o colchão. "Nesta cama."

Ele acariciou o cabelo dela, abrindo-o sobre o travesseiro, e enquadrou o rosto dela com as mãos.

"Mas eu não conseguia entender o que você precisava para se sentir segura. Eu tentei de tudo. Finalmente, esta noite você me deu a resposta. Luz. Então agora você vai ter quantas velas quiser. Mas agora deu tudo errado, porque você está na sua cama, mas eu também estou aqui. E Deus me ajude, Izzy." Ele encostou a testa na dela e soltou o peso sobre Izzy, ao mesmo tempo a esmagando e aquecendo. "Eu não sei o que fazer para ir embora."

"Eu sei como." Ela o empurrou pelos ombros. "Eu vou fazer você ir."

"Você vai?" Ele ficou tenso.

"Vou. Nós não podemos fazer isso. Toda vez que nos aproximamos, algo terrível acontece. A doninha mordeu seu dedo, uma pedra caiu na sua cabeça, nós ficamos presos em um esconderijo com um morto. Se nós fizermos isso...? Deus sabe o que pode acontecer. A torre inteira pode desabar."

Ele aquiesceu lentamente, como se pensasse com cuidado no que ela tinha acabado de falar.

"Izzy?", ele disse.

"O quê?"

"Que aconteça." Ransom baixou seus lábios sobre os dela. "Eu não me importo."

*Que aconteça*, Ransom pensou, empurrando-a contra a cama. Que Deus e o diabo fizessem seu melhor.

O castelo podia desabar por completo. O mundo podia acabar. O Exército Morangliano inteiro podia aparecer desfilando com sininhos tilintantes. Tudo que importava era aquilo: ele, ela e a luz de dezenas de velas. Os dois enrolados sobre a cama.

Sem escuridão. Sem solidão. Sem medo.

E ele queria ter certeza de que ela não se arrependeria.

"Izzy, eu quero você. Eu sinto a necessidade de dizer isso. Não para ser grosseiro ou chocante, mas só no caso de haver alguma dúvida nessa situação: eu, em cima de você, na sua cama. Você tem que saber que eu quero..."

A cabeça dele passou por todas as expressões possíveis. *Comer você, trepar com você, possuir você, meter em você, torná-la minha amante...*

"Eu quero fazer amor com você, Izzy. Eu quero muito, muito. *Demais!*"

Ransom nunca tinha usado essas palavras antes. Ela não tinha como saber disso, mas ele sabia.

"Eu..." Ela enfiou os dedos no cabelo dele. "Eu também quero você. Demais."

A tímida admissão dela fez o ritmo cardíaco dele dobrar.

Era mais de meia-noite e ele estava cansado. Normalmente, sua visão estaria péssima a essa hora. Mas com todas aquelas velas e os acontecimentos extremos daquela noite, ele ainda tinha visão suficiente para conseguir distinguir a aura escura do cabelo dela sobre o travesseiro branco. E, o melhor de tudo, ele podia ver aquele sorriso largo e vermelho.

"Você é tão linda."

Ransom a virou de lado e começou a puxar os botões nas costas dela. Izzy tinha trocado o vestido vermelho de seda sujo por um dos seus rotineiros. Ainda que os botões fossem maiores e o tecido mais fácil de manejar, seus dedos não conseguiram trabalhar direito. Ele demorou uma eternidade para desabotoar os primeiros três botões.

"Tirar sua roupa foi mais fácil quando você estava inconsciente", ele disse. Ela riu.

"Deve ter sido mais fácil porque você não estava bêbado."

Certo. Talvez ele pudesse culpar o uísque por seu tremor. Mas na verdade, Ransom sabia que não era isso.

Ele estava nervoso. Porque essa seria sua primeira vez em muito tempo, e seria a *primeira* vez dela.

E porque se tratava de Izzy, ele queria que fosse bom para ela.

Com uma imprecação, ele largou os botões por um instante.

"Izzy." Ele agarrou e apertou os seios dela por cima do tecido do vestido. "Não tenho paciência. Não agora. Eu quero lhe dar prazer."

Ele encontrou a abertura nas calçolas dela e a aumentou com um puxão tão forte que rasgou o tecido. Ele a puxou para a beira do colchão e se ajoelhou no chão a seus pés. Então Ransom empurrou as saias e anáguas até a cintura dela e passou um braço sob uma de suas pernas, abrindo-a.

Pronto. Agora ele podia tocá-la. Saboreá-la.

"Ransom?" Ela lutou para se sentar. "O que você está...?"

Ele encostou a língua no núcleo dela.

"Oh." O tronco dela desabou sobre a cama. "Oh."

Deus, como ela era doce. Doce, rosa e úmida Izzy.

*Izzy, Izzy. Minha Izzy.*

O membro dele latejava dentro da calça. Enquanto ele a chupava, Ransom o soltou com uma mão e começou a se tocar. Lascivo, sem vergonha. Masturbando-se ali, no chão, enquanto dava prazer a Izzy. Mas a culpa era dela. Era ela que o reduzia a um animal faminto, que não se importava com educação ou etiqueta. E ela gostava que ele fosse grosseiro e profano. Ela mesma tinha lhe dito isso.

Na cama, ela se contorcia e arqueava.

"Ransom. Ransom, você tem certeza que isso é..."

Ele levantou a cabeça só o suficiente para falar.

"Tenho."

Ele trabalhava com a língua por cima e em volta dos lugares mais sensíveis dela, demorando para se acomodar e fazer ajustes.

Ela falou o nome dele ofegante e agarrou seu cabelo, segurando-o firme em seu núcleo. Deus, ele adorava quando Izzy tocava seu cabelo.

Ransom aumentou seu esforço, lambendo toda a extensão das dobras dela, para então voltar para o botão inchado no alto do sexo dela e chupá-lo com força, passando a língua para cima e para baixo.

Ela estremeceu e gemeu, levantando as costas da cama e tendo espasmos sob a língua dele.

Sim. *Sim.*

*Goze para mim. Para mim e ninguém mais.*

Quando ela atingiu o clímax, Ransom deslizou a língua para dentro dela, sentindo a necessidade de estar nela de alguma forma. De possuí-la. Os músculos íntimos de Izzy entraram em convulsão, puxando-o. Implorando por mais.

Ele correu para se juntar a ela sobre a cama, encaixando-se no aconchego das coxas abertas. Seu membro roçou o calor úmido e macio do sexo de Izzy. Ele estaria dentro dela em segundos.

Mas depois que ele estivesse dentro dela, não seria mais possível voltar atrás.

Ele encostou a cabeça no ombro dela e soltou um suspiro pesado.

"Ransom?" Ela se ergueu sobre um cotovelo. "O que foi? Tem algo errado?"

"Não sei", ele disse. "É você quem vai dizer."

Izzy olhou para ele, sua visão difusa depois daquele prazer maravilhoso que ele lhe proporcionou. Com certeza ele não iria mudar de ideia *agora*. A cabeça grande e lisa da ereção dele descansava na coxa dela – dura, quente e faminta.

"Eu estou bêbado o bastante para pensar que esta é minha melhor ideia em anos", ele disse. "Mas não estou bêbado demais para parar se você não está sentindo o mesmo."

Ela estava sóbria e sabia muito bem que talvez aquela não fosse a ideia mais prudente. Mas ainda assim aquilo parecia certo. Não se tratava de desejo impessoal. Eles compreendiam um ao outro. Ela provavelmente estava quase apaixonada por ele e ele também gostava dela. Era possível que ele nunca dissesse isso com essas palavras, mas o quarto todo estava aceso com as provas do sentimento dele.

Além disso, uma garota como Izzy não podia se dar ao luxo de ser muito exigente com suas noites de paixão desenfreada.

Ou isso acontecia nessa noite ou nunca.

"Eu não quero que você pare", ela concluiu.

"Graças a Deus." Ele pareceu aliviado e começou a puxar os botões e laços da roupa dela. Seus dedos se moviam com maior facilidade agora. "Por um instante eu pensei que minha tentativa de ser um sujeito decente se voltaria contra mim. É o que costuma acontecer."

"Decente?" Ela tirou um braço da manga do vestido. "Eu ficaria muito desapontada se você fosse decente. Estou contando que você seja muito mau."

Ele libertou o seio dela e se pôs a chupá-lo.

"Vou fazer o meu pior. Já faz algum tempo."

Ainda que fizesse muito tempo, ele não tinha se esquecido de como fazer uma mulher se contorcer e ter espasmos.

Ele enfiou um dedo dentro dela. Então acrescentou um dedo ao primeiro, esticando-a com uma plenitude única.

"Ransom... depressa. Você não quer..."

Ele apertou a palma da mão contra o botão dela, massageando-o do modo certo enquanto ia com os dedos para dentro e para fora. Fundo, cada vez mais. Não demorou para que ela começasse a movimentar os quadris para acompanhar as arremetidas dele.

Ele se abaixou para chupar o mamilo e ela gemeu ao sentir o calor depravado de sua boca.

"Isso", ele murmurou, sentindo-se triunfante. Ransom girou a língua em círculos impiedosos e aquela tensão doce começou a se formar outra vez entre as pernas dela.

Ele retirou os dedos e ficou de joelhos. Então, tirou a camisa pela cabeça e a jogou de lado, começando a abrir os fechos que restavam na sua calça. Izzy pensou em perguntar se podia ajudar, mas ele não parecia precisar de assistência.

Depois que se livrou de todas as roupas, ele se juntou a ela na cama. Ele depositou beijos reverentes por todo o pescoço dela, pelo peito, pela barriga. Ela se sentiu adorada.

Então Ransom se moveu entre as pernas de Izzy, e seus quadris afastaram as coxas dela.

"Espere." Ela tocou os ombros e os peitos dele, explorando os contornos firmes, esculpidos. "Eu..." Ela quase perdeu a coragem. "Eu quero ver seu corpo. Tocar você."

Ele sentou nos calcanhares, um convite mudo.

Izzy olhou. Lá estava, em toda sua magnificência. Escuro, orgulhoso, assustador de tão grande. Saltando de uma moita de pelos escuros na direção dela.

174

Izzy era completamente ignorante quanto ao protocolo relativo à apresentação do órgão sexual de um homem. Ela devia esticar a mão e cumprimentá-lo? Tocar a pontinha com um dedo? Dizer um educado "como vai"?

No fim, ela decidiu pedir ajuda. Ela pôs sua mão sobre a dele.

"Mostre-me como lhe dar prazer."

Apenas as palavras já o fizeram gemer. Ele pegou a mão dela e a curvou sobre a base de sua ereção. Então ele a orientou, ensinando-a a acariciá-lo, para cima e para baixo. Ela adorava a sensação de tê-lo em sua mão. A pele macia deslizando sobre a carne rígida. Curiosa, ela deslizou o polegar pela ponta e ficou encantada ao constatar que era sedosa e sensível.

Ele apertou a mão dela, impedindo-a de se aventurar em outras carícias.

"Eu fiz algo de errado? Eu tenho que fazer mais alguma coisa?"

"Não fez nada de errado", ele sussurrou, entrelaçando seus dedos aos dela e recolocando a mão dela sobre a cama. "Não precisa fazer mais nada. Você é perfeita. Apenas fique aí. Apenas seja você. A encantadora Izzy."

Ela sentiu a cabeça larga e lisa da ereção tocar sua entrada. E em seguida ele estava *dentro* dela.

Izzy gritou, não conseguiu evitar.

"Estou machucando você?"

Ela mordeu o lábio.

"Um pouco."

"Desculpe." Ele avançou, entrando mais um pouco. "Desculpe."

Ela se esforçava para respirar. Ele parecia tão estranho e... e tão impossivelmente grande dentro dela."

"Eu vou fazer isso bem devagar." Ele beijou os lábios dela com ternura e Izzy sentiu o gosto de uísque neles. "Até eu não aguentar mais, e então vou fazer rápido e forte. Vou me desculpar agora. Depois posso não encontrar as palavras."

"Tudo bem", ela sussurrou. "Eu entendo."

Ela não entendia, na verdade, mas acreditou que iria descobrir o que precisava enquanto o ato se desenrolava. Ela continuava lutando para acomodar a sensação de tê-lo dentro de si. O preenchimento, a dilatação, o calor. Ele deslizava com facilidade para cima e para baixo, entrando um pouquinho mais a cada vez, até que os dois corpos se encontraram e ele ficou assim um instante, antes de se retirar para recomeçar tudo outra vez.

Logo a dor daquela união diminuiu e ela começou a gostar da fricção daquele corpo duro e másculo no seu. As pernas dele, ásperas de pelos, e densas de músculos, esfregando a sensível parte interna de suas coxas. O peito dele pressionando seus seios.

A sensação já não era tão ruim. Era boa.

Ele apoiou as mãos na cama e se ergueu. Seu rosto estava contorcido. "Izzy. Meu Deus, eu..."

Certo. Então essa seria a parte "forte e rápida." Ela estava feliz por ele a ter avisado.

Ele mudou de posição e seus quadris abriram as coxas dela em um ângulo novo, mais amplo, mantendo-a aberta para suas investidas. Ele foi fundo, entrando e saindo do corpo dela em um ritmo furioso. Isso doía. E a excitava. Isso a levou para a borda de... algo desconhecido.

Ela sentia não como se estivesse esparramada sobre um colchão de tecido, mas sobre uma superfície tensa, quebradiça. Uma folha fina de gelo sobre um anseio preto, sem fim. Cada uma das estocadas furiosas dele produzia uma rachadura no gelo. O desconhecido que jazia abaixo ao mesmo tempo a assustava e excitava. Ela queria se soltar e cair ali... Mas também tinha medo de se soltar.

Ele sabia do que ela precisava.

Ransom colocou uma mão entre os dois corpos e pôs seu polegar sobre a pérola dela, massageando-a em círculos pequenos e apertados. A tensão se estilhaçou em milhares de cacos de prazer e ela se agarrou ao pescoço dele enquanto seu mundo ia se resumindo à extensão grossa e dura do membro dele. O orgasmo de Izzy foi leve, desamparado, interminável. Como uma queda livre através de nuvens de êxtase.

Em cima dela, Ransom praguejou. Depois resmungou. Então praguejou de novo.

De repente, ela sentiu vontade de rir. Ele estava certo. As palavras lhe faltavam naquele momento. Era boa a sensação de que ela o tinha enviado para algum outro lugar.

Uma última saraivada de investidas e ele caiu sobre ela. Pesado, ofegante, suando e tremendo.

Afinal, ele soltou as mãos de Izzy e passou os braços pela cintura dela, abraçando-a apertado e deitando a cabeça no peito dela.

Hesitante, Izzy pousou a mão nas costas suadas dele. Com a outra mão, ela tocou seu cabelo.

Ransom ficou tenso por um instante. Ela também ficou. E então ele exalou tão profundamente que Izzy acreditou que ele expelia de seus pulmões o ar que estava ali há meses. Talvez anos. Tudo saiu de dentro dele – arrogância, raiva, orgulho, medo, desejo. Até ele só existir em seus braços.

Ela acariciou o cabelo dele, passando os dedos por entre as mechas pesadas e macias. O coração de Izzy inchou com uma ternura insuportável.

Não importava o que aconteceria no dia seguinte. Aquela ternura valia mais do que qualquer coisa.

"Ransom", ela sussurrou. "Eu me apaixonei um pouquinho por você. Mas não precisa se preocupar. Eu não espero que você retribua o sentimento e eu sei que isto não pode durar. Mas eu tenho esperado muito tempo por alguém de quem gostar, e eu... eu não consegui evitar."

Ela esperou pela reação dele, o coração ribombando dentro do peito.

E quando finalmente veio, foi esta:

Um ronco fraco e ressonante.

*Capítulo Dezenove*

As coisas mais incomuns acordaram Ransom na manhã seguinte. Luz do sol, calor no seu rosto. Uma brisa suave, com aroma de flores. Canto de passarinhos.

E cabelo provocando cócegas em seu pescoço.

"Ransom. *Ransom*."

Alguém estava sacudindo o peso morto que era seu braço.

*Izzy.*

Ele abriu os olhos e viu o esplendor de cachos circundando o rosto claro. Aquelas sobrancelhas escuras. Os lábios vermelhos.

"Ransom, acorde", ela disse, sacudindo-o de novo. "O que há de errado? Você morreu?"

"Não." A voz dele estava rouca. "Não estou morto." Emoção queimava os cantos dos olhos dele, como ácido. Ele disse outra vez, devagar, sentindo-se agradecido. "Eu não estou morto."

Ele estava muito vivo. Acordado de um modo que nunca sentiu antes. Seu coração parecia um órgão novo, que bombeava uma alegria parecida com champanhe por suas veias. Ele sentiu vontade de correr para a janela e começar a cantar.

Ele não ficava com uma mulher desde... Bem, *desde.*

Durante os primeiros meses após seu ferimento, ele sentia dor demais para pensar nisso. E depois... depois ele temia que seria como entrar em uma sala desconhecida. Ele se atrapalharia e rosnaria palavrões. Faria erros imbecis enquanto aprendia a disposição das coisas. E se a experiência fosse ruim? E se *ele* fosse ruim?

Mas não foi nada disso. Foi bom. Muito bom. Para os dois. As lembranças voltaram a ele em pequenos pedaços. O calor escorregadio dela agarrando seus dedos, deixando-o desesperado para entrar nela. A acolhida apertada, prazerosa, que ele teve quando seus corpos se uniram. A maneira doce como ela o abraçou no final. *Izzy, Izzy.*

"Ótimo", ela disse. "Agora vista-se logo."

"Como?", ele piscou e se sentou na cama.

Ela rodopiava pelo quarto, lavando-se e vestindo sua roupa. Assistir a Izzy se arrumar era como assistir ao espetáculo de uma dançarina burlesca. Água espirrava e escorria enquanto ela passava uma esponja pelo corpo. Ransom observou, fascinado, a camisola branca passar pelos cabelos escuros, expondo a escultura rosa-claro de seu corpo nu. Ela soltou o cabelo, que caiu como uma cascata preta, transformando novamente a silhueta dela. Cores claras e escuras se alternando.

Ele não tinha dúvida de que ela era a criatura mais atraente que já tinha admirado. Simples e completamente sensual.

Ransom se moveu até a beira da cama, depois segurou-a pela cintura e a puxou para perto. Ele encostou a testa na barriga dela.

"Izzy..."

Ela se soltou do abraço.

"Não podemos. Não agora. Eu não sei aonde o Duncan foi, mas ele deve aparecer logo. Não podemos deixar que ele nos encontre neste estado."

Ransom esfregou o rosto.

"Pode acreditar em mim, Duncan já viu coisas muito piores. E ele sabe que não deve me pedir explicações."

"Eu imagino que esta pode ser apenas uma manhã comum para vocês dois. Mas é um pouco incomum para mim." Uma bola de tecido atingiu Ransom no peito. "Suas roupas."

Confuso, ele começou a separar o bolo de roupas. Aquela também não era "apenas uma manhã comum" para ele.

Ele vestiu a camisa pela cabeça e enfiou os braços nas mangas. Em seguida, Ransom se levantou da cama, puxando as calças até a cintura e prendendo os fechos.

Ele andou até a penteadeira, onde ela prendia, apressada, o cabelo volumoso e beijou a curva do pescoço dela.

"Izzy, a noite passada foi..."

"Eu sei", ela interrompeu.

"Sabe?" Ele pegou uma mecha solta. "Eu não acho que saiba."

Ela aquiesceu e se virou para ele.

"Está tudo bem. Você não precisa ficar preocupado, Ransom. Eu compreendo. A noite passada foi ótima, mas..."

*Mas?* Ransom não podia acreditar que ouviu a última palavra. A noite passada foi ótima, *mas?*

Nenhum "mas" tinha lugar naquela frase, onde só caberia um "e". A noite passada foi ótima *e* apaixonante *e* carinhosa *e* erótica *e*...

"Mas foi como um sonho", ela continuou, enérgica. "Esta manhã eu acordei com a cabeça no lugar e enxergando bem. Você não precisa se preocupar. Eu não criei nenhuma expectativa boba a seu respeito."

Bom Deus. Chocado, ele não sabia o que falar.

Essas eram palavras que qualquer devasso insensível adoraria ouvir. Palavras que o próprio Ransom teria adorado ouvir, de qualquer outra mulher, em ocasiões anteriores.

Mas ouvir isso de Izzy, nessa manhã? Aquelas palavras estavam acabando com ele.

"Nós vamos retomar nosso trabalho esta manhã", ela disse. "Eu sou muito profissional. Eu prometo, vai ser como se nada tivesse acontecido."

Ela se afastou dele e correu escada abaixo.

Ele a deixou ir.

Ela não tinha nenhuma expectativa à respeito dele.

Sério, *nenhuma?*

Izzy acreditava mesmo que ele podia fazer amor com ela à noite e depois viver o dia como se nada tivesse acontecido?

Bem, era claro que ela acreditava nisso. E por que ela não acreditaria? Izzy tinha passado as últimas semanas lendo evidências abundantes a respeito desse tipo de comportamento por parte dele. A essa altura ela conhecia sua história, seu temperamento, todos os seus vícios e defeitos. Ransom não tinha feito nada além de enfatizar essa impressão com seu comportamento grosseiro e as vezes em que a agarrou. Acrescente-se a tudo isso o fato de que ele era um desgraçado cego e deformado.

E então, na noite passada ele a desvirtuou – sem qualquer menção a casamento, ou qualquer promessa além de uma noite de prazer.

Era natural que ela não tivesse *nenhuma* expectativa.

Ele imaginou que isso significava uma coisa.

Se queria ter alguma chance de ficar com Izzy, Ransom teria que lhe fazer algumas surpresas.

Izzy precisava do conforto das tarefas rotineiras naquela manhã. Muitas faces do seu mundo tinham sido alteradas desde o dia anterior. Ela não era mais uma virgem. Ela sentia um pouco de dor entre as pernas e seu coração estava ferido e sensível.

Resumindo, tudo nela doía.

O que a noite passada significava para ele? O que significava para ela?

Ela sentia medo de fazer essas perguntas. Izzy decidiu que permaneceria nessa ignorância abençoada por mais algum tempo.

Todas as partes vulneráveis e doloridas dela precisariam de algum tempo para se recuperar, só isso. E então Izzy poderia respirar fundo e analisar melhor a situação.

"Você começou sem mim?"

Então ela ergueu os olhos e viu Ransom. O ar abandonou seus pulmões. Sua mão apertou a caneta com mais força. E a pena quebrou.

Seu coração parou.

Nenhum homem podia ser assim tão lindo. Não era justo. Ele entrou no salão principal vestindo uma camisa limpa, com o colarinho aberto, enfiada em uma calça cinza. O cabelo dele ainda estava úmido nas têmporas, mas a luz do sol encontrou os riscos dourados em meio aos fios castanhos e a provocou com seu brilho.

Com esforço, Izzy desgrudou os olhos dele e tentou se concentrar na tarefa que tinha em mãos. Era como tentar trabalhar com o sol brilhando dentro da sala. Ainda que se esforçasse para não olhar diretamente para ele, ela não podia ignorar sua intensidade e seu calor. Muito menos as lembranças da noite passada. Ela sentiu uma gota de suor deslizando entre seus seios.

"Esta manhã", ela disse, depois de pigarrear, "nós precisamos ir direto aos negócios. Chega de ler cada carta para organizar em pilhas. Eu já li o suficiente, a esta altura, para poder diferenciar o que é importante do que é insignificante. Nós precisamos começar a fazer algum progresso em meio a essa montanha de correspondência."

"Por que a pressa?" Ele não se acomodou em seu lugar de sempre, no sofá. Em vez disso, ele parou junto ao ombro dela. "Você tem nos atrasado de propósito até aqui. Mais dias de trabalho significam mais dinheiro para você."

Sim, mas isso foi antes. Antes de ela perceber que alguma coisa estava errada naqueles papéis e antes de ela começar a gostar dele o bastante para querer resolver aquilo.

Havia algo de errado nos negócios dele.

"Nós precisamos encontrar todos os envelopes dos seus advogados." Ela lhe entregou um envelope e colocou o dedo dele sobre o bolo de cera que o mantinha fechado. "Eles sempre usam o mesmo lacre. Você pode encontrá-los com o tato."

Ransom ficou atrás dela e colocou as mãos em seus ombros, cujos músculos tensos começou a massagear.

"Relaxe", ele murmurou. "Nós não temos que fazer isso agora."

"Sim. Nós temos. Eu estou ficando muito preocupada."

"Não fique preocupada." Ele a beijou sob a orelha. "Izzy, eu não quero que você se preocupe com nada."

Os joelhos dela começaram a amolecer de novo. Ela apoiou a palma da mão na mesa, em uma tentativa de reunir forças.

"Aqui está uma carta dos advogados. Eu vou me sentar para ler." Ela foi para seu lugar habitual.

Ele passou um braço pela cintura dela e chutou a cadeira para longe. "Ainda não."

"É possível ler de pé, sabia?"

"É possível fazer muitas coisas de pé." Ele deixou uma trilha de beijos na nuca de Izzy enquanto suas mãos acariciavam os quadris dela.

Nervosa, ela riu.

"Não estou reconhecendo você esta manhã", ela disse. "Onde está o homem ranzinza que dá bom dia com um palavrão? Onde está o 'Minha nossa, Goodnight'? Onde estão todos esses seus encantos?"

Ele puxou uma mecha do cabelo dela.

"Polvo."

"Bem, isso saiu errado. Você disse com carinho."

Ela fez a voz parecer dura, mas por dentro estava exultante. Parecia que, o que quer que tivesse acontecido entre eles, Ransom queria que durasse mais de uma noite.

Ela rompeu o lacre do envelope e começou a ler.

"Está com a data de três meses atrás. Ela começa, 'Tenha Alteza o prazer...'"

"Como é?", ele murmurou. "Repita para mim. Todas essas palavras."

A saudação? Izzy consultou o papel.

"Tenha Alteza o prazer..." Ah, que malandro incorrigível. Ela se entregou. "O prazer de Alteza."

"Com prazer." Ele deslizou uma mão para envolver o seio dela. A outra subiu por baixo das saias dela.

"Ransom", ela protestou. "Alguém pode entrar a qualquer momento."

"Sim. É verdade. É isso que torna a situação tão excitante."

Izzy não podia negar. *Era* excitante. Seus mamilos formaram pontas duras e, entre as pernas, ela já ansiava por ele.

"Mas você não espera que nós..." Ela engoliu em seco. "Sério? Aqui?"

"Ah, eu quero fazer isto em todos os lugares. Eu planejo possuir você em todos os aposentos deste castelo. E por que parar nisso? Nas muralhas, sob as estrelas, nos jardins, sobre um cobertor aberto em meio ao verde." Ele levantou as saias dela até a cintura. "Mas vamos começar aqui, agora mesmo. Faz semanas que estou sonhando em ter você nesta mesa."

As linhas começaram a ficar borradas na carta. A mão dela deslizou para frente e papéis foram parar no chão. Não havia nada mais importante. Nada a não ser as carícias sensuais dos dedos dele, que subiam pela coxa dela.

"Olá? Tem alguém em casa?"

A voz desconhecida vinha do pátio.

Izzy estremeceu, derrubando um maço de papéis no chão.

"Oh, céus", ela sussurrou. "Quem é?"

"Olá!", insistiu a voz. "Ô de casa!"

"Não me importa quem seja. Ele precisa desaparecer." Ransom virou e gritou pela janela. "Pelo amor de Deus, homem. Estou com a queridinha da Inglaterra debruçada sobre a mesa, ofegando por mim. Vá embora e volte amanhã."

Horrorizada, Izzy o empurrou.

"*Ransom.*"

Ela foi, apressada, até o pátio. Por sorte, o visitante não era ninguém que ela conhecia. Apenas um mensageiro com uma carta. Izzy pagou o homem e ainda lhe deu uma moeda a mais, desculpando-se pelo senso de humor deselegante do duque.

Quando voltou para dentro, ela rejeitou as tentativas dele de retomar as carícias, pondo uma mão em seu peito.

"Ransom, nunca mais brinque assim. Estou falando sério. E se Duncan ou Abigail estivessem por perto? Pior, e se fosse algum morangliano?"

"O que tem?", ele perguntou. "Por que você se importa com o que essas pessoas pensam? Por que você tem tanto medo de que os outros saibam que você não é mais uma garotinha inocente?"

"Porque eu só consegui sobreviver *sendo* aquela garotinha inocente."

Ele não poderia compreender isso. Ransom era um duque rico e privilegiado, sempre foi. Ele não sabia como era passar fome e frio. E ficar sozinha no escuro.

"Você lembra que eu não tinha nada quando cheguei aqui", ela disse. "Se você conseguir tirar este castelo de mim, vou ficar sem nada de novo. Mas os admiradores do meu pai me apoiam, à sua... maneira estranha, mas bem-intencionada. Posso não ter dinheiro, mas pelo menos eu conto com a boa vontade de milhares de pessoas."

Ele fez uma careta.

"Você tem uma fuinha. E doces."

"É melhor do que nada." Ela quebrou o lacre da carta. "Sim, talvez eu tenha que sobreviver à base de doces em alguns dias. E sim, o teto sobre a minha cabeça pode mudar toda semana. Mas eu sempre terei comida. Eu sempre terei uma cama. Desde que eu seja a garotinha que eles querem que eu seja."

"Desde que você seja a pequena Izzy Goodnight. Não Izzy Goodnight, a amante escandalosa. Nem a Sra. Izzy Outra-Coisa."

"Isso mesmo. Então por favor, Ransom. Não estrague isso. Não *me* arruíne com suas brincadeiras impensadas. Não a menos que você pretenda me prometer que nunca mais vou passar outra noite da minha vida sentindo frio, fome, solidão ou indiferença."

Ele ficou quieto por um momento.

"Amor não é algo que eu saiba como oferecer", ele falou, afinal. "Eu não tenho a boa vontade de milhares de pessoas. Você leu minhas cartas. Eu não tenho a boa vontade de ninguém. E nem todos nós passamos a infância em quartos estrelados, sendo colocados para dormir com beijos e historinhas todas as noites."

Ela sentiu um aperto no coração.

"Como você ia para cama à noite?"

"Rico."

O silêncio foi perturbador, então ela voltou sua atenção para a carta.

"Eu nunca tive a pretensão de ser um herói romântico", afirmou Ransom. "E agora estou deformado, cego e sou escarnecido pelo mundo. Mas não é como se eu não pudesse sustentar você. Eu continuo sendo um duque."

"Espere." Ela ficou olhando, estarrecida, para a folha em suas mãos, lendo rapidamente a mensagem. "De acordo com esta carta, você pode deixar de ser um duque em breve."

"O quê?"

"Esta carta expressa que acabou de chegar dos seus advogados. Está dizendo que arrumaram uma audiência de competência mental. Estão contestando sua sanidade e sua capacidade de continuar agindo como Duque de Rothbury." Ela baixou o papel. "Eles virão até aqui. Na próxima semana."

## Capítulo Vinte

Durante o resto da manhã, qualquer visitante que os surpreendesse não encontraria nada mais escandaloso do que uma secretária estressada e seu patrão furioso, os dois afundados até o peito em papéis.

Eles abriram, leram e classificaram tudo.

*Tudo.*

Izzy estava ficando vesga.

"Aqui está, afinal." Ela leu a carta em voz alta. "'Tenha Alteza o prazer de saber que o negócio foi concluído. O Castelo Gostley foi vendido conforme sua solicitação.'" Ela baixou a carta. "Está com a data de três meses atrás. Então eles venderam *mesmo* o castelo para Lynforth."

"Mas eu nunca fiz essa solicitação. E também não pedi que investissem em plantações de mostarda nem que comprassem um zoológico árabe." Ransom empurrou para o lado outra pilha de papel. "Isso explica a contabilidade e as compras malucas. Eles estão *tentando* me fazer parecer instável. Estão conspirando contra mim."

"Conspirando?" Izzy repetiu. "Os advogados? Por que fariam isso?"

"Devem estar operando em conluio com meu herdeiro. É o mais provável. Você não é a única que tem um primo ganancioso. O meu nunca teve a ousadia de me empurrar no lago ou me trancar em um porão, mas ele ficaria muito contente se pudesse pegar o título e controlar minha fortuna, se tivesse a chance."

Izzy remexeu na pilha de correspondência.

"Isso aqui está além do meu conhecimento. Você precisa de ajuda. Um novo advogado, talvez."

"Não posso confiar em ninguém", ele rejeitou a sugestão.

"Eu sei e esse é o problema. Você precisa começar a confiar nas pessoas, Ransom. Comece deixando que conheçam você. Não só seus pontos fortes, mas os fracos também."

Ele andava de um lado para o outro sobre o chão de pedra.

"Deixar que conheçam meu verdadeiro eu. Todas as minhas fraquezas. Sim, eu planejo fazer isso. Logo depois que você fizer o anúncio de que Izzy Goodnight não é mais uma garotinha, mas uma mulher de 26 anos que gosta que suguem os seus seios"

Izzy percebeu que ele tinha razão. Pelo menos parcialmente. Os dois estavam escondendo partes deles mesmos. Mas as consequências não eram as mesmas.

Ela bateu uma pilha de papéis para alinhá-los.

"Só estou dizendo que a situação chegou a este ponto porque você está com muita vergonha..."

"Vergonha?"

"Sim. Vergonha." Izzy estava cansada de ficar pisando em ovos. Era ele que vivia dizendo que não gostava de rodeios. "Você é um duque e sua noiva fugiu com um fazendeiro. Depois o fazendeiro venceu você em um duelo, deixando-o cego. É claro que isso foi humilhante."

"O fazendeiro não me venceu, maldição." Ele parou junto à janela. "Você sabe o que é mais perigoso do que enfrentar um mestre espadachim?"

"O quê?", ela perguntou.

"Enfrentar um idiota apaixonado que não tem ideia do que está fazendo. É como ter que defender os dois lados – você e o adversário – ao mesmo tempo. Ele nunca tinha sequer segurado uma espada antes. Eu tive que me segurar para não o furar."

O que ele estava dizendo? Que acabou se ferindo enquanto tentava *não* vencer?

Ela se ergueu de sua posição à mesa e foi na direção dele.

"Ransom..."

"Eu não podia matá-lo. Isso não seria bom para ninguém. Eu só fui atrás deles porque temi que ela não tivesse ido por vontade própria. Quanto a isso, eles me fizeram ver a verdade."

Izzy sofreu por ele. Ela se arrependeu de ter usado a palavra vergonha. Ele não precisava sentir vergonha de suas ações. Ele arriscou tudo para proteger a garota. Aquela cicatriz devia ser exibida como uma medalha pelo seu ato de coragem.

"Foi nobre da sua parte." Ela disse com firmeza, não de modo condescendente, mas para que ele não quisesse contradizê-la. "Você devia gostar dela."

"Eu planejava me casar com ela", Ransom disse. "É claro que eu gostava dela. Tanto quanto um homem como eu consegue gostar. Não, nós não vivemos nenhuma grande paixão nem um encontro de corações e mentes. Mas eu pensei que casar com ela seria... prático. Ela estava interessada em se tornar duquesa e gastar meu dinheiro, e tinha paciência o bastante para aguentar meus defeitos." Ele fechou uma mão. "Enfim, parece que eu avaliei mal a situação."

Izzy sentiu uma pontada forte de culpa ao pensar na carta de Lady Emily.

"Ela era muito jovem. É provável que fosse impressionável e medrosa."

"Não, não. Eu acho que é o contrário disso. Ela era mais perspicaz do eu imaginava." Ele se voltou para a pilha de correspondência. "Quando eu perder todo o controle sobre a minha fortuna, ela poderá comemorar por ter escapado por pouco."

*Se você perder todo controle da sua fortuna, o que vai ser de mim?*

Izzy se repreendeu por pensar nisso, mas o medo crescia rapidamente. Parecia que o castelo era legalmente dela, afinal. Mas ela nunca teria condições de cuidar daquilo tudo – ou de encontrar outro lar – sem o pagamento que ele havia lhe prometido.

"Minha nossa." Abigail e Duncan entraram na sala e viram os papéis revirados. "O que aconteceu aqui?"

Ransom se levantou.

"Traição. Foi o que aconteceu aqui."

"Encontraram outro corpo?" Abigail perguntou.

"Não." Izzy mostrou a carta trazida pelo mensageiro. "Esperamos visitantes importantes na semana que vem. Parece que Sua Graça será sujeitado a um exame de competência mental."

"Um exame de loucura? Mas isso é um absurdo. O duque não é louco." Abigail falou e se virou para Izzy. "Ele não é louco, é?"

Oh, Abigail. Izzy ergueu as sobrancelhas e negou com a cabeça.

A filha do vigário continuou com seu murmúrio nada confidencial.

"Quero dizer, ele se comportou de modo bem estranho ontem à noite."

Ransom pigarreou.

"Srta. Pelham, eu estou bem aqui. Não sou surdo. E como vai ser fácil para os advogados e médicos perceberem, não estou louco."

Mas ele *estava* cego.

Essa era uma fonte verdadeira de preocupação, na qual todo mundo estava pensando, ainda que ninguém falasse. As pessoas cegas eram com frequência colocadas em asilos, mesmo tendo a cabeça boa. Considerando o abandono em que se encontravam seus negócios e sua ausência dramática e prolongada da sociedade, Ransom não teria muita facilidade nesse processo. Caso seus advogados quisessem se livrar dele, a verdade seria um golpe forte.

"Cristo." Ele passou as duas mãos pelo cabelo. "Eu posso perder tudo."

"Mas você não vai perder", Izzy afirmou. "Nós não vamos deixar isso acontecer. Porque se você perder tudo, eu também perco. E também Duncan e Abigail."

Se Ransom não fosse mais o duque, Duncan não teria emprego. Se Izzy tivesse que abandonar o castelo por falta de dinheiro, Abigail também perderia o apoio à paróquia local.

Eles estavam todos juntos nisso.

"Esqueça tudo que eu disse sobre honestidade", disse Izzy. "Se esses advogados estiveram mentindo, você também pode mentir para eles. Eles não precisam ficar sabendo da extensão dos seus ferimentos. Quando eu cheguei neste castelo, demorei horas para perceber que você era cego."

"Você ficou inconsciente a maior parte do tempo", ele a lembrou.

"Ainda assim. Você sabe o que eu quero dizer. Você conhece o castelo no escuro e consegue manter os olhos firmes, sem deixar que fiquem vagando. Tudo que você precisa fazer é enganá-los durante essa entrevista. Depois que eles forem embora, você pode demitir Blaylock e Rigget e contratar novos advogados."

"Mas o castelo, Srta. Goodnight." Duncan olhou ao redor. "Não parece uma residência ducal."

"Então vamos transformá-lo em uma." Ela endireitou os ombros. "Nós temos uma semana. O castelo – as partes públicas dele, pelo menos – precisa estar imaculado. Mas não podemos mudar em nada a disposição dos aposentos. O duque vai precisar de um novo guarda-roupa. Quanto a isso, eu também preciso de um ou dois vestidos novos." Izzy retorceu os dedos. "E vamos precisar de criados. Muitos criados. Para limpar, cuidar do jardim, servir a mesa..."

"Renovar o guarda-roupa do duque vai ser um prazer", disse Duncan.

"E Izzy, você sabe que eu adoraria ajudá-la com o seu guarda-roupa. Estamos prontos para enfrentar o trabalho duro. Mas essa última parte – dos criados – vai ser complicada." Abigail pareceu desanimada. "Sempre foi difícil convencer as pessoas da vila a virem trabalhar no castelo...

Com a história da maldição, os boatos de fantasmas, os meses de reclusão do duque. Mas depois que os ossos foram encontrados na parede..." Ela meneou a cabeça. "Eu sei que com o tempo vou conseguir convencê-los a voltar. Mas esta semana?"

"Mesmo que nós consigamos contratá-los", interveio Duncan, "não sei se eu conseguiria treinar os aldeões a um nível aceitável a tempo. E tem a questão dos uniformes. A situação é desalentadora."

"Não pode ser assim", afirmou Izzy.

"Você está certa, Izzy." Abigail sorriu. "Cressida e Ulric teriam desistido? É claro que não. Nós vamos dar algum jeito. Não duvide."

E com isso os quatro ficaram em silêncio.

Duvidando.

Mas eles não podiam perder muito tempo em dúvida. Não quando havia tanto a ser feito.

Ao longo dos próximos dias, todos trabalharam duro no Castelo Gostley. E ninguém trabalhou mais que Ransom.

Alguns dias depois, Izzy observou Ransom da porta enquanto ele escrevia uma linha de texto em uma folha de papel – uma vez, depois de novo e de novo. Depois de dez repetições, ele ergueu o papel contra a luz, como se tentasse avaliar a retidão das linhas.

Aparentando estar insatisfeito, ele praguejou e amassou o papel em uma bola que atirou na lareira.

Ela prendeu a respiração e esperou que a folha queimasse. Apenas quando ele pegou uma folha nova de papel, Izzy encontrou coragem para se aproximar.

"Estou ocupado, Goodnight."

Ele conhecia bem os passos dela.

"Isto não vai demorar", ela lhe garantiu.

"Então pode esperar. Vá tirar uma teia de aranha das vigas ou limpar um espelho. Deve haver alguma tarefa doméstica que precise de atenção."

"Tem uma tarefa que precisa de atenção. E é esta." Ela colocou uma bandeja sobre a mesa, perto dele. "Você precisa comer."

Ele a ignorou.

Ela cortou uma pera em fatias, depois lhe ofereceu uma.

"Sua vista fica melhor quando você come. E você precisa da sua vista porque eu quero lhe mostrar algo importante."

"Tudo bem." Ele estendeu a mão e pegou o pulso dela. Então, usando seus dentes, ele pegou a fatia de pera diretamente dos dedos dela e a devorou. "Pronto."

"Mais." Ela lhe ofereceu outra fatia.

Ele comeu mais. Fatia após fatia até acabar com a pera. Ele terminou lambendo a palma da mão dela e chupando o suco de cada um dos dedos. Aquela língua sensual rodeou cada uma de suas articulações e provocou a pele sensível entre os dedos.

"Agora", ele disse, "o que é essa coisa importante que você tem para me mostrar?"

Como se Izzy conseguisse se lembrar, depois daquela tortura sensual. Ela teve que sacudir a cabeça para clarear as ideias.

Ah, é.

"Seu novo quarto."

Ele entortou a boca naquele sorriso meio malandro.

"Maravilha."

Enquanto o conduzia escada acima e pelo corredor, Izzy sentiu como se fosse uma galinha levando a raposa pra o galinheiro.

"Aqui está", ela disse, nervosa. "A câmara ducal. Nós conseguimos afastar os morcegos com venezianas e limpamos as chaminés. O dossel e as tapeçarias também são novos. E as cortinas também."

Ele caminhou até o centro do quarto, balançando a cabeça, pensativo.

"Eu gostei do que você fez com este quarto", ele disse.

"Você não tem que inventar elogios." Ela riu baixinho. "Esse não era o objetivo. Eu só queria lhe dar uma chance de mapear o quarto antes que... Antes que os novos criados cheguem."

"Não é um elogio inventado", Ransom disse. "Eu consigo ouvir a diferença." Ele deu outro passo medido. "O quarto todo está mais suave. Os ecos estão mais baixos. Está aconchegante."

Izzy sorriu e seu nervosismo sumiu. Ele não precisava elogiar o trabalho duro que todos estavam fazendo, mas foi bom ele ter elogiado.

"E quanto à cama?", ele perguntou.

"Continua... aí. Exatamente onde estava antes."

"Mostre-me", ele pediu.

Ela pegou a mão que ele oferecia e o levou até a beira da cama enorme.

"Aqui", ela disse. "Pusemos um colchão novo, é claro. E reformamos o estrado com cordas novas."

Ele apertou o colchão várias vezes.

"Hum", ele fez.

Então ele a pegou nos braços e se jogou na cama, levando-a junto. Izzy guinchou quando os dois aterrissaram enrolados no meio da cama.

"O que você está fazendo?"

"Estou verificando uma coisa." Ele enrolou suas pernas nas dela, depois rolou para um lado e para outro com Izzy, por toda a extensão da cama. Quando eles pararam no centro outra vez, ele disse, "Eu estava certo. É grande o bastante para um duque e seis mulheres."

"Se você quer seis mulheres, eu não serei nenhuma delas." Ela lutou para se soltar e sentar.

Ele a puxou de volta.

"E se eu quiser apenas você? Seis vezes."

"Seis vezes em uma noite? Impossível."

"Isso parece um desafio..." A mão dele envolveu o seio dela. "Aceito!"

"Ransom..." voz dela foi sumindo conforme ele começou a beijar a borda rendada de seu corpete. "Ransom, não podemos. Agora não. Nós ainda temos que fazer muita coisa."

"Você já fez tanto." Ele a silenciou, afastando as pernas dela para que conseguisse alcançar entre elas. "Você tem trabalhado tanto, Izzy. Este quarto é prova disso. Só relaxe por um instante. Deixe-me lhe dar alguma coisa como retribuição."

Ela ficou preocupada, ele parecia não aceitar a menor gentileza – nem uma pera fatiada – sem pensar que precisava lhe pagar de algum modo. Se não com salário, com prazer.

Não que ela não quisesse o prazer, claro. Há dias que Izzy quase não dormia. O colchão macio, flexível em que eles estavam parecia tão convidativo, e aquele corpo duro e desejoso sobre o dela parecia tão bom. Ela sentia tanta falta dele.

Ainda assim...

Enquanto ele beijava sua orelha, ela suspirou e sorriu.

"Por que você nunca coopera?"

Ele deslizou a mão por baixo da saia dela.

"Qual seria a alegria disso?"

*Alegria.*

A palavra a surpreendeu.

Dentre todas que ele poderia ter usado nessa frase. *Qual seria a diversão?*, ele poderia ter dito. Ou, *Qual seria a graça?*

Mas ele não falou "graça" ou "diversão". Ele falou alegria. Era isso mesmo que ele sentia com ela?

Ela esperava que sim, pois não podia negar mais. Izzy queria que ele se sentisse em casa ali. Ali, naquele castelo... com ela.

Se eles conseguissem passar naquela... inspeção... ele não precisaria mais se esconder e sofrer no Castelo Gostley.

Mas será que ele poderia *querer* ficar?

Izzy tocou no rosto dele, subindo os dedos pela face e chegando ao cabelo. Aquele homem impossível, imperfeito, ferido, que a recolheu na chuva. Que acalmou seu tremor no escuro. Que a fez se sentir linda e querida em seus braços.

Ele tinha tanto mais dentro de si. Se ela conseguisse encontrar um modo de alcançar tudo isso. Paixão. Dedicação. Amor. Em algum lugar bem no fundo dele havia um coração verdadeiro e fiel, que lutava para emergir em meio a todas as cicatrizes e ao orgulho. Parte dela o conheceu logo no primeiro dia, quando ele a carregou em seus braços.

"Ransom", ela suspirou. "Aconteça o que acontecer, eu espero..."

"Espere." Ele a silenciou, franzindo o rosto. "Que diabos eu estou ouvindo?"

Ransom estava ouvindo os sons que esperava nunca mais ouvir outra vez. A batida de cascos, o ranger de rodas – e o clangor incessante daquelas armaduras baratas.

*Maldição. Eles voltaram.*

"Eles estão adiantados", ela disse.

Ela sabia disso?

"Izzy, você não fez isso."

"Eu fiz. Por favor, não fique bravo."

Como se ele pudesse ficar bravo com ela. Ele levantou da cama e foi até a janela, sem querer ir, mas incapaz de se segurar, como alguém atraído pela visão de uma tragédia. Aquele arco-íris reluzente de pessoas inundou seu pátio.

Eles tinham sido invadidos outra vez pelos moranglianos.

Izzy se juntou a ele na janela.

"Eu sei, eu sei como você se sente com relação a eles. Mas nós precisamos desesperadamente de ajuda. Não podemos ser exigentes." Ela gritou para os homens que preenchiam o pátio com aquele clangor desagradável.

"Estamos honrados, Sir Wendell! Como você é bom por atender meu chamado nessa hora de necessidade."

Do pátio, uma voz se elevou.

"Não duvide, Srta. Goodnight. Nós viemos de longe para lhe oferecer nossos serviços."

Ransom lutou para afastá-la das janelas.

"Izzy, não. Não. Eu devo demonstrar minhas sanidade e competência em todos os assuntos ducais. Ter o castelo tomado por esses alucinados que lutam com espadas e têm uma predileção anormal por palavras arcaicas não vai ajudar."

"Nós não temos escolha. Não temos tempo para encontrar, treinar e vestir criados da região. Essas pessoas querem ajudar. Elas estão treinadas para agir em sincronia, e... bem, elas já vêm uniformizadas."

"Elas estão usando armaduras que saíram do refugo de algum ferreiro. Não é exatamente libré."

"Eu sei que é incomum, mas nós vamos usar isso como se fosse uma excentricidade minha", ela disse. "Você sabe como todo mundo me vê. Sou uma garotinha sonhadora vivendo a história que meu pai criou."

Maldição, ele detestava que ela tivesse que fingir isso. Ele detestava, em especial, que ela tivesse que fingir isso por sua causa.

"Você está esquecendo de um problema", ele disse. "Todas essas pessoas pensam que eu sou o herói delas. Elas vão me chamar de Ulric."

"Não, não. Você está enganado. Todo mundo sabe que histórias são apenas histórias. Eles nunca acreditaram que você fosse Ulric. Eles só pensam... bem, eles acreditam que você é um deles."

"Um *deles*?"

"Isso. Ransom, eles ficariam contentes de ser seus amigos se você permitir."

*Amigos.*

Amizade com essas pessoas não era do que ele precisava. Mas a verdade dura era que ele precisava de criados. Ransom não podia parecer que estava apodrecendo em um castelo decrépito sozinho com seu criado pessoal. Ainda que estivesse fazendo isso até algumas semanas atrás.

"Dê uma chance a eles", ela sussurrou, beijando o rosto dele antes de descer para receber a multidão que a adorava. "Você faz isso por mim?"

*Faz isso por mim.*

Ela não tinha ideia das provações que ele aguentaria por ela. Muito mais do que aquela bobagem.

Ele tinha se aprisionado naquele castelo para apodrecer. Ele tinha cortado todos os laços com o mundo exterior. E bem quando ele pensava ter queimado todas as pontes, essa mulher – essa mulher impossível, doce e tola – apareceu, decidida a atravessar o fosso a nado. A romper suas defesas. A criar um lar. Ficar.

Se não fosse por ela, aquele quarto continuaria cheio de ratos e morcegos. Se não fosse por ela, ele estaria sentado no salão principal, bêbado e com a barba por fazer, contando lentamente seus passos em direção a lugar nenhum. E se não fosse por ela, Ransom não teria nenhum motivo para lutar aquela batalha.

Talvez não lhe restasse título nem fortuna para oferecer a Izzy, mas ele estava decidido a mantê-la em segurança.

Tudo que ele faria, dali em diante... Seria por ela.

## Capítulo Vinte e Um

"Aproximem-se todos. Este vai ser nosso último ensaio", Izzy exclamou pela janela da câmara ducal, dirigindo-se aos cavaleiros, criados, amigos e às donzelas reunidos abaixo.

Os advogados chegariam no dia seguinte. Aquela seria a última chance que teriam para praticar.

Ela pigarreou e falou alto.

"Aos seus lugares, por favor."

Os cavaleiros, cozinheiro e as donzelas-criadas desapareceram dentro do castelo, deixando apenas os Inquisidores no pátio.

Os "Inquisidores" eram Abigail e algumas das donzelas que se ofereceram para atuar como se fossem os visitantes. As garotas assumiram seus papéis com entusiasmo, prendendo o cabelo em coques apertados, envergando casacos escuros e chapéus tirados do guarda-roupa do vigário. Elas tinham usado até mesmo maquiagem para desenhar suíças e bigodes nos rostos.

Exceto por uma ou outra gargalhada que não conseguiam segurar, até que elas imitaram bem um grupo de advogados e médicos carrancudos.

"Quando os visitantes chegarem, Duncan irá lhes dar as boas-vindas ao Castelo Gostley."

Duncan abriu a porta da frente e fez uma reverência solene para as jovens fantasiadas.

"Boa tarde, meus senhores. Bem-vindos ao Castelo Gostley."

"Excelente. E então ele os conduzirá ao..." Izzy se virou para Ransom, parado ao lado dela no quarto do primeiro andar. "Tem certeza que prefere o salão principal? Nós temos o escritório, agora. O tamanho é mais apropriado."

"Tem que ser no salão principal." Ele meneou a cabeça. "Eu sei me virar bem nesse espaço, sei como os sons ecoam."

"Então vai ser no salão principal." Ela se virou e falou pela janela outra vez. "Duncan irá acompanhá-los até o salão principal."

Duncan olhou pra os "Inquisidores" e inclinou a cabeça, indicando a entrada.

"Se os cavalheiros fizerem a gentileza de me acompanhar."

As jovens risonhas o acompanharam até o salão.

Izzy se afastou da janela.

"É aqui que nós esperamos. Depois que Duncan os instalar no salão, ele vai mandar uma das donzelas nos chamar."

Eles ficaram em silêncio, só esperando. Izzy analisou seus sapatos. Ela tinha sapatos novos para usar no dia seguinte, mas para o ensaio serviam suas velhas botas de nanquim.

Ransom, claro, só ficava mais magnífico a cada dia que passava. Duncan tinha dedicado muitas horas incansáveis à tarefa de escovar, lavar, passar e polir cada item do guarda-roupa do duque, e isso ficava evidente.

O cabelo dele continuava um pouco comprido, mas ela não teve coragem de sugerir um corte. Ele usava o excesso de seu cabelo castanho-claro como um escudo sobre a testa ferida. Ela receava que ele se sentisse vulnerável sem isso.

"Não se preocupe com nada", ela disse. "Nós planejamos cada momento, criamos alternativas para qualquer eventualidade. E se tudo der errado, temos um último recurso. O plano E."

"Plano E?", ele repetiu. "O que é o plano E?"

"Bola de Neve. Se acontecer algum problema imprevisto, uma das donzelas irá soltar a doninha no salão. Será uma distração, pelo menos."

Ele torceu um lado da boca, daquele modo cada vez mais familiar.

Ela ainda não sabia como entender aquela expressão, mas Izzy começava a pensar que se tratava de um sorriso.

Uma batida na porta.

"Certo", ela disse. "Essa é nossa deixa."

Ela passou o braço pelo dele e os dois passaram pelo corredor e começaram a descer a escadaria para o salão principal.

"Eu lembro de tudo que você me disse", Izzy afirmou. "Blaylock tem cabelo ruivo e óculos. Riggett é encorpado, como os olhos juntos. Quando entrarmos no salão, vou localizá-los e informar a posição deles com toques no seu braço. O primeiro será para Blaylock. O segundo, para Riggett. Quanto aos outros, vamos ficar na dependência das apresentações. Duncan, se você precisar dele, vai estar sempre à esquerda da entrada. Depois que você me apresentar, eu posso assum..."

Ele a interrompeu.

"Izzy."

"Sim? Esqueci de alguma coisa?"

"Isto." Ele inclinou a cabeça e a beijou. Apenas um toque caloroso e firme de seus lábios nos dela. "Você parecia estar precisando."

"Eu acho que sim", ela suspirou. "Obrigada."

Todos os pensamentos perdidos e confusos dela se organizaram. O beijo dele foi a âncora dela em meio à tempestade. Que eles conseguissem sair juntos dessa provação, era tudo que importava.

Quando entraram no salão, Izzy usou o sistema combinado para indicar as donzelas designadas como Blaylock e Riggett. Ransom as cumprimentou com um ligeiro aceno de cabeça em sua direção.

Era aí que sua posição social funcionava a seu favor. Ransom não precisava se curvar para ninguém. Com certeza ele não apertava mãos. Ele não precisava se oferecer para servir bebidas a seus visitantes. E a menos que sua visão estivesse especialmente ruim, ele conseguia distinguir uma pessoa bem o bastante para focar nela enquanto falava. Para um duque, isso era o suficiente.

Eles andaram até os móveis recém-restaurados perto da lareira. De novo, Izzy fez uma leve pressão em seu braço para orientá-lo em que cadeira desocupada sentar.

Todos se sentaram com um mínimo de constrangimento.

"Ótimo", ela disse, começando a respirar com mais facilidade. Aquilo não precisava ser tão difícil quanto ela receava que seria. "Depois que todos estiverem sentados, será apenas uma questão de conversar, beber. E responder às perguntas deles."

"Errado", disse Ransom. "Eu que farei as perguntas."

"Isso também vai transcorrer muito bem. Se o clima estiver bom, eu vou lhes oferecer um passeio pelo castelo. Eu vou na frente, claro, e você pode seguir atrás de todos. Quando voltarmos ao salão, deverá estar na hora do jantar."

Num instante, a atitude de Ransom mudou por completo.

Izzy sentiu um peso no coração. Ela esperava que ele fosse aceitar isso bem. Mas parecia que sua esperança tinha sido em vão.

"O que você quer dizer com jantar?", ele franziu a testa.

Maldição. Ransom não contava com isso.

"Por que precisa ter um jantar?"

"Com um pouco de sorte, não vai precisar", ela disse. "Mas nós temos que estar preparados para a possibilidade. Os advogados terão viajado desde Londres. Eles vão estar cansados, com fome. Provavelmente teremos que lhes oferecer hospedagem para passarem a noite."

Ele praguejou.

"Não se preocupe. Eu já planejei tudo e nós vamos repassar tudo agora. Duncan vai nos chamar para jantar."

Ela fez um sinal na direção de Duncan e o criado-mordomo fez o combinado.

"O jantar está servido."

"Então você me oferece seu braço", disse Izzy, pegando o braço em questão de segundos, antes mesmo que ele oferecesse, "e nós conduziremos o grupo até a sala de jantar."

Enquanto eles caminhavam pelo corredor até a sala de jantar, Ransom sentiu como se estivesse indo para a forca. A cada passo que dava ele se sentia mais perto do fim.

*Jantar.* Dentre todas as coisas. Ela não teria arrumado um modo mais garantido de ele se dar mal, mesmo se tivesse organizado uma demonstração de tiro ao alvo.

Eles chegaram à sala de jantar. Ransom percebeu que aquilo devia estar bem ensaiado. De cada lado da imensa mesa havia uma fileira de cavaleiros em armadura, esperando para cumprir seu papel de criado. Ele ouviu um rangido que o fez estremecer quando um dos cavalheiros mudou o peso de uma perna para outra.

"Eu vou sugerir assentos para os convidados." Izzy orientou as donzelas fantasiadas com seus casacos escuros a se sentarem nas cadeiras disponíveis.

"Você tem que sentar na cabeceira, claro." Ela colocou Ransom na direção da cadeira certa. "Como anfitriã, vou me sentar na outra ponta."

Em outras palavras, a quilômetros de distância.

Ele a pegou pelo braço e a puxou para perto.

"Nós não vamos fazer isso."

"Por favor, não entre em pânico", ela pediu.

"Eu não entro em pânico", Ransom disse.

"Vai dar tudo certo", ela sussurrou. "Eu prometo. Providenciei para que todos os pratos sejam servidos à la russe. Todos serão empratados na cozinha e servidos individualmente. Não vai ser necessário cortar nem servir. É a mais nova moda na França. Nós vamos parecer muito atualizados."

"Fico feliz que você tenha pensado em tudo", ele disse, tenso. "Contudo..."

"O primeiro prato, claro, é sopa. Isso é bem fácil. Quanto à carne" – ela sinalizou para um dos cavaleiros de brinquedo – "nós teremos bife."

Um prato apareceu na mesa diante dele.

Ela puxou uma cadeira e sentou ao lado dele.

"Eu entendo", ela sussurrou. "Ransom, você não pode achar que eu não repararia que você nunca come na nossa frente. Você pega um pedaço de pão, às vezes um sanduíche. Mas nunca uma refeição de verdade. Então eu tentei comer vendada, usando garfo e faca só com o tato. Eu fiz uma bagunça imensa antes de conseguir colocar três porções dentro da boca. Eu entendo a dificuldade."

A voz dela era doce. Mas Izzy falava com ele como se fosse uma maldita criança. E, maldição, ela *não* entendia.

Ela pegou a mão dele e a guiou ao redor do prato.

"Eu combinei com a cozinheira. Tudo no seu prato estará cortado em bocados, a não ser o pão. Pãozinho com manteiga na posição doze horas. Carne das três às sete. Batata e fava das oito às doze." Ela pôs o garfo na mão dele. "Vamos, experimente."

"Izzy..."

Ela pôs a mão no ombro dele.

"Não perca a coragem. Eu sei que você consegue fazer isso."

Ele inspirou e expirou lentamente, tentando permanecer calmo.

"Eu vou comer onde e quando tiver vontade. Não preciso que cortem o alimento em pedaços para mim. Não sou criança."

Lá estava, esperando na mesa diante dele... todas as frustrações de sua vida, servidas em um prato.

*Aqui, Alteza, aceite uma porção de desamparo. Com acompanhamento de profunda humilhação.*

Isso – bem ali, diante dele – era loucura. Ele tinha sido um tolo em concordar com aquele plano. Em menos de cinco minutos, na mesa de jantar, seus advogados veriam o que ele era: um maldito cego. Na melhor das hipóteses ele seria classificado como inválido. Na pior, seria internado. Ransom perderia o título, a fortuna... Talvez até mesmo sua liberdade pessoal.

E ele a perderia. Qualquer possibilidade de protegê-la. Qualquer possibilidade de abraçá-la e sentir o toque suave dela em sua pele.

Tudo porque ele não conseguia cortar o bife no escuro. A estupidez daquilo o dilacerava por dentro.

Enquanto isso, as donzelas sussurravam e riam. Os cavaleiros tilintavam em suas armaduras. O ruído de metal arranhando era como unhas esfolando seu cérebro.

"Não estou com fome." Ele fez um sinal para o criado de armadura. "Tire isto daqui."

Ninguém se mexeu.

"Tire isto", ele rugiu, "daqui."

O idiota de armadura deu um passo à frente e retirou o prato. Ransom estremeceu com cada rangido e batida metálica. Na base do cérebro, ele sentiu uma dor de cabeça se formando. Era o mesmo que saber que um bandido estava atrás dele com um furador de gelo, pronto para atacar a qualquer momento.

Isso definiu tudo. Ele estava cansado daquilo. Ransom levantou da mesa.

Izzy o seguiu, parando antes que chegassem ao corredor.

"A culpa é minha", ela disse. "Eu não deveria querer surpreendê-lo. Eu sei que você deve estar exausto. Estamos todos exaustos. Nós podemos tentar mais tarde. Talvez você devesse subir e descansar."

Agora ele precisava de uma *soneca*?

Essa foi a afronta final.

"Nós acabamos por aqui", Ransom disse. "Acabamos tudo. Agradeça aos seus morfinianos pelo tempo que gastaram conosco e mande-os embora."

"Mandá-los embora?" Ela agarrou a manga dele, mantendo-o no lugar. "Nós podemos ensaiar o quanto for necessário, mas não podemos desistir. Há muita coisa em jogo para nós dois."

"Você não precisa me dizer o que está em jogo."

Todo o futuro dela estava ameaçado. Ransom mal cuidava de si mesmo nesse período, mas ele tinha que garantir que Izzy ficaria bem.

Aquele plano que ela bolou – fazê-lo fingir que enxergava, enquanto dezenas de malucos sonhadores fantasiados observavam – não iria funcionar. Ele podia ficar ali e argumentar os problemas todos, mas ele conhecia Izzy. Ela não abriria mão de seu otimismo romântico. Não com todos os admiradores em volta, esperando cada palavra dela. Ela tinha muito medo de decepcioná-los.

Ela nunca escolheria Ransom no lugar da boa vontade e dos doces de milhares de estranhos. Mesmo que isso fosse melhor.

Então ele tomou a decisão por ela.

"Eu não vou desistir", ele disse. "Vou mudar o plano."

"É hora do Plano E!", exclamou um dos cavaleiros. "Pessoal, Plano E! Quem está com a doninha?'

"Não *esse* plano!", disse Ransom, rilhando os dentes. Para Izzy, ele disse, "Não temos tempo a perder. Vá para o quarto e pegue suas coisas."

"Minhas coisas? Por quê? Para onde nós vamos?"

"Para a Escócia", ele disse. "Nós vamos nos casar esta noite."

*Casar?*

Izzy perdeu a fala por um momento. Seu cérebro dava voltas. Os piões das crianças giravam mais devagar do que os pensamentos dela.

Quando finalmente falou, ela o fez com cuidado. E baixo, embora ela não tivesse dúvida que os cavaleiros e as donzelas ao redor pudessem ouvir tudo.

"Você quer casar? Comigo? Esta noite?"

Ele passou uma mão pelo cabelo.

"Eu sei. Também não gosto da ideia, mas é a única opção. Pegue suas coisas. Nós podemos alcançar a fronteira escocesa em algumas horas, no máximo."

"Mas..."

"As vantagens são claras." A voz dele não transmitia emoção. "Se nós casarmos, isso muda tudo. No mínimo eles teriam que esperar para ver se você está grávida do meu herdeiro. Durante esse tempo eu posso garantir que você receba o dinheiro que lhe é devido."

"Bem, isso soa tão... comercial. Espero que você perdoe minha honestidade, mas essa não é a proposta romântica que uma garota espera ouvir."

"Você tem 26 anos", ele disse. "Que outras propostas está esperando?"

As palavras frias congelaram o ar nos pulmões dela.

"Talvez nenhuma outra", ela disse. "Mas isso não quer dizer que eu tenha que ficar feliz com uma tão sem sentimento."

"Cresça, Izzy. O que você está esperando? Um herói impetuoso? Está na hora de parar de viver nesse conto de fadas!", ele disse, apontando para os cavaleiros e donzelas no salão.

Ela ficou olhando para ele, incapaz de acreditar nas palavras que saíam dos lábios dele.

"Você está fazendo isso de propósito", ela disse, começando a entender o que ele estava fazendo. "Você está me afastando porque tem medo."

"Eu não estou afastando você. Eu acabei de lhe propor casamento!"

"Do modo mais ofensivo e desagradável possível."

Wendell deu alguns passos à frente e se dirigiu a eles.

"Posso oferecer alguma ajuda à minha lady?"

"Ela não é sua lady", Ransom replicou. "É a Srta. Goodnight. Uma mulher adulta. E não importa quantas bandejas de chá da sua avó você amarre no seu peito. Elas não o transformam em cavaleiro."

Izzy cruzou os braços. Então não bastava que ele a afastasse. Não, ele não iria descansar até afastar todo mundo.

"Alteza, eu sou um cavaleiro", Wendell disse. "Sou um Cavaleiro de Morânglia."

"E o que torna você um Cavaleiro de Morânglia?"

"Eu fiz um juramento."

"Oh, você fez um juramento. Com o quê? Uma espada feita de abobrinha? Você não é um cavaleiro. É um alucinado. Todos vocês são." Ele ergueu a voz. "Admitam. É por isso que estão aqui, bancando de cavaleiros e donzelas. Porque suas vidas reais são patéticas demais para vivê-las."

"Você está com inveja." Ela balançou a cabeça. "Você nunca soube o que é fazer parte de algo assim e está com inveja."

"Inveja", ele bufou, "desses homens? Aposto dez libras que Sir Wendell, aqui, ainda mora com a mãe."

O rosto de Wendell ficou vermelho vivo.

"Um grande número de solteiros mora na casa dos pais até casar."

"Ah, claro", debochou Ransom. "E quais as perspectivas de casamento que você tem? Uma noiva? Alguma namorada? Diga-me se pelo menos já pegou numa teta."

Izzy deu um pisão no pé de Ransom e continuou apertando os dedos do pé dele.

"Eu disse que já chega! Se você quer deixar claro que é um cretino e arruinar tudo pelo que temos trabalhado, pode acreditar, já fez o suficiente."

Mas Ransom não desistia assim tão fácil.

"Vamos lá, *Sir* Wendell. Admita. Você nunca beijou uma garota, ou beijou?"

Pobre Wendell. Suas faces queimavam com um tom assustador de vermelho.

Izzy não via outra cor que não vermelho.

E então Abigail Pelham cruzou a sala de jantar com passos decididos, pegou um Wendell Butterfield chocado pelos ombros e o beijou na boca.

"Pronto", disse Abigail. "Agora ele já beijou uma garota."

Izzy ficou exultante. Abigail era incrível!

Com um puxão desesperado, ela tentou conseguir a atenção de Ransom.

"Agora chega. Você vai se desculpar. Nós precisamos dessas pessoas. E mesmo que você esteja decidido a acabar com as suas chances, *eu* preciso dessas pessoas. Elas sempre me apoiaram."

"Elas não vieram para ajudar *você*. Elas vieram em busca de uma garotinha preciosa, de olhos arregalados, verdes como esmeralda, e um cabelo liso e âmbar. Elas nunca quiseram ajudar você."

Oh, Deus.

Aquelas palavras foram um golpe tão grande nela que Izzy chegou a recuar um passo.

"*Eu* estou aqui para ajudar você", Ransom disse, pegando-a pela cintura. "Izzy, se nós casarmos, não importa o que façam comigo. Eles podem me trancar em um asilo e engolir a chave. Desde que meu filho esteja no seu ventre, você estará protegida." A mão dele deslizou para a barriga dela. "Nós dois sabemos que você já pode estar carregando meu herdeiro."

Ela baixou a voz para um sussurro horrorizado.

"Não acredito que você acabou de dizer isso. Alto, na frente de todos."

Ela não conseguiu nem levantar os olhos para ver a reação das donzelas. Muito menos a de Abigail. Lágrimas não derramadas queimaram os cantos dos seus olhos.

Todo aquele esforço. Todo aquele trabalho. Todo aquele amor no coração dela. Não significavam nada para ele. Ransom estava jogando tudo fora. Ela esperava que os dois conseguissem enfrentar juntos o desafio do dia seguinte, mas eles não conseguiram enfrentar o ensaio naquela tarde.

E, para piorar tudo, ele a arruinou na frente dos únicos amigos que ela tinha.

"Você precisa se libertar disso, Izzy." Ele inclinou a cabeça na direção dos espectadores chocados. "E eles também. Você não os está ajudando ao esconder a verdade. Você tem medo que eles descubram que contos de fada são um amontoado de bobagens, que todos os 'juramentos' e votos que eles fazem não valem merda nenhuma e que finais felizes só existem nas historinhas do seu pai? Tudo bem. Eu espero que eles aprendam isso. Pode poupar um monte de trabalho a outro homem na mesma posição que eu."

Ela se afastou dele.

"Então é isso. Não tem nada a ver com *Os Contos de Goodnight* ou seus advogados. E não tem a ver comigo. Isso diz respeito ao seu orgulho e a Lady Emily Riverdale."

Duncan tossiu alto, várias vezes.

"Lady Shemily Liverpail", ela se corrigiu. "Desculpe. Tanto faz. Esta é sua vingança. Não é, Ransom? Não foi suficiente arruinar a queridinha da Inglaterra. Agora você tem que casar comigo, para empatar o placar."

Ele sacudiu a cabeça.

"Não se trata de placar."

"Você é realmente um alucinado." Ela apertou um dedo no peito dele, batendo bem no lugar vazio onde deveria existir um coração. "Ela não o abandonou por causa das histórias do meu pai. Ela o deixou porque você era frio e insensível. A razão pela qual você se encontra sozinho, cego e desamparado é culpa de apenas uma pessoa nesta sala. *Você.*"

"Izzy..."

Ela limpou uma lágrima escaldante que escorria por seu rosto.

"E você sabe o que mais? Ela estava certa em fugir. Ela merecia coisa melhor. Eu também mereço."

## Capítulo Vinte e Dois

Os homens e mulheres que ocupavam a sala de jantar mantiveram silêncio absoluto enquanto os passos de Izzy se afastavam. Ransom podia sentir a reprovação coletiva deles todos.

Os ecos das palavras dela ainda ressonavam no teto abobadado.

*Ela merecia coisa melhor. Eu também mereço.*

Ransom puxou a gravata, afrouxando o nó restritivo.

Veio como uma espécie de alívio mórbido ouvir aquele sentimento em voz alta e saber que todos ao redor dele concordavam. Aqueles últimos dias de ajuda amistosa e trabalho alegre tinham feito Ransom sentir-se um estranho em sua própria casa. Dezenas de pessoas organizadas para ajudá-lo, sem pagamento ou qualquer outra recompensa? Ele mal reconhecia sua vida.

Mas aquela sensação de vazio, de isolamento...? *Isso* era familiar. Isso foi o que ele sempre conheceu. O que lhe foi dito antes mesmo de conseguir entender palavras. Ele não teria conforto. Não saberia o que é bondade nem compaixão. Ninguém nunca o amou, e ninguém amaria.

*Você não merece isso, garoto.*

Ransom não iria discutir.

Enquanto deixava a sala de jantar e se dirigia ao quarto de vestir, somente Duncan o seguiu.

"Duncan, prepare um banho e meu melhor terno. E empacote tudo. Nós vamos partir esta noite."

"Para a Escócia?"

"Não. Para Londres."

Ransom atravessou a sala e começou a soltar os punhos da camisa.

Eles partiriam imediatamente para Londres. Uma vez lá, ele iria para o banco e esvaziaria suas contas. Caso os advogados traiçoeiros já tivessem congelado seus fundos, ele iria aos clubes – qualquer um do qual ainda fosse sócio – e pediria emprestado o máximo que conseguisse.

E qualquer quantia que ele conseguisse levantar, iria para Izzy. Ela não precisava gostar dele, muito menos amá-lo. Mas ele precisava saber que ela estaria em segurança.

"Alteza", Duncan começou, "tem certeza de que é aconselhável..."

Ransom o interrompeu.

"Não. Pode parar. Eu não quero nenhum conselho sábio. Você não é meu conselheiro. É meu criado."

"Pensei ter sido promovido a mordomo."

"Você foi rebaixado de novo. Prepare um banho. E meu terno. Empacote tudo."

Ransom se despia enquanto escutava os ruídos de água sendo colocada para esquentar e da banheira sendo arrastada até perto da lareira.

Quando tudo parecia pronto, ele encontrou a banheira e entrou nela, sentando e esperando a água na temperatura perfeita ser despejada em seus ombros.

O que ele recebeu foi um dilúvio gelado e chocante. Despejado no alto da cabeça.

"Que diabos...?", ele até gaguejou.

"Considere isso meu pedido de demissão, Alteza."

"Você não pode se demitir."

"Com certeza eu posso. Planejei e preparei minha aposentadoria há muitos anos. Só continuei nesse emprego pela mais estúpida das razões. Uma promessa que fiz há muito tempo. Mas hoje, na sala de jantar, você me iluminou, quando deixou absolutamente claro que juramentos e alianças são... merda ou bobagem? Não me lembro."

Ransom secou as gotas geladas do rosto.

"Do que você está falando? Você nunca fez um juramento. Não existe Voto de Criado, nem Ordem da Gravata Engomada."

"Não jurei a você. Fiz um juramento a ela."

"À Srta. Goodnight?"

"Não. À sua mãe. Eu lhe prometi, em seu leito de morte, que cuidaria de você. Absurdo, não é? Parece uma historinha açucarada."

Ransom inspirou lentamente.

Então, não bastava que ele tivesse sido o instrumento da morte de sua mãe. Ele também havia arruinado a vida de Duncan. Era ótimo saber disso.

Bem, ele acabaria de uma vez com aquele sofrimento.

"Considere-se liberado dessa promessa."

"Ah, eu me considero, Alteza. Eu me considero."

Outra torrente de água gelada atingiu sua cabeça.

"Seu tolo", Duncan disse, com um tom raivoso que Ransom nunca antes ouviu seu criado empregar. "Eu já o vi bêbado, realizando perversões, fazendo todo tipo de devassidão. Mas nunca o vi se comportar de modo tão estúpido quanto hoje. Se deixar essa garota ir embora, será um verdadeiro idiota."

Ransom se chacoalhou. Seus dentes começaram a bater de frio.

"É m-melhor assim."

"Melhor?", Duncan exclamou. Outra cachoeira de água gelada em seus ombros. "Para quem?"

"Para ela." Ele tirou a água do rosto. "Para Izzy. Você a ouviu. Eu não a mereço."

"É claro que você não a merece. Nenhum homem *merece* uma mulher como ela. É preciso penhorar a alma para conquistá-la e passar o resto da vida pagando os juros."

"Em breve não vou ter um único bem no meu nome. Não vou levar você, ela e todo mundo comigo enquanto eu caio."

Duncan ficou em silêncio por um longo tempo.

"Ela o amava."

*Amava*. Engraçado como a diferença no tempo verbal fazia uma frase milagrosa destruir seu coração.

"Você e a Srta. Goodnight conversavam demais", disse Ransom.

"Não estou falando da Srta. Goodnight, mas da falecida duquesa."

Ransom sentiu uma nova pontada de dor ao ouvir a menção à mãe.

"Outra mulher que estaria melhor se eu nunca tivesse nascido."

"Eu era apenas um jovem criado, contratado quando você ainda estava no ventre dela. Todo mundo estava pisando em ovos. Um bebê tinha nascido morto no ano anterior, foi o que me contaram. O boato entre a criadagem era que os médicos tinham avisado que a duquesa poderia não sobreviver a mais um parto."

Um natimorto no ano anterior?

Ransom nunca soube disso.

"Mas ela quis arriscar", Duncan continuou. "Ela o queria tanto. Depois que o parto terminou, mandaram que eu entrasse no quarto para pegar as coisas do médico. A duquesa esticou o braço e me segurou." O criado antigo pigarreou. "'Prometa', ela disse. 'Prometa que você vai mostrar para ele o que é o amor.'"

Ransom não conseguia se mexer.

"Ela delirava", Duncan disse. "Já estava indo embora. Eu percebi que ela me confundiu com o duque. Mas eu não podia lhe dizer isso, e não havia tempo para chamá-lo. De qualquer modo, o duque não teria lhe dito o que ela queria ouvir."

Claro que não. Seu pai continuou sendo um maldito frio e rancoroso até o dia da sua morte.

"Mas eu não podia deixar a jovem duquesa morrer apreensiva. Então eu lhe disse que prometia. *Eu* prometi mostrar para você o que é amor. E durante trinta anos fiz meu melhor para honrar a promessa."

Jesus. Onde estava o balde de água gelada quando ele precisava de um, para disfarçar as outras gotas que escorriam por seu rosto?

Afundando na banheira, Ransom aproximou os joelhos do peito e esfregou o rosto com as duas mãos. Suas babás e tutores foram proibidos de lhe mostrar bondade. Mas quem esteve com ele esse tempo todo? Quem o limpou depois de cada noite de devassidão, costurou suas feridas e o enfiou em casacas imaculadas, feitas sob uma medida mais perfeita que um abraço de mãe?

Quem ficou com ele aqueles sete meses, enquanto Ransom brincava com a morte e voltava?

Duncan.

Era Duncan, o tempo todo.

"Agora", ele conseguiu falar. "Você só me conta tudo isso *agora*."

"Antes eu nunca achei que você estivesse pronto para ouvir isso. E estava certo."

"Mas... por quê? Não existe aposentadoria no mundo que valha me servir por trinta anos. Não é como se eu tivesse lhe dado alguma razão para tanta dedicação."

"É claro que não me deu", Duncan respondeu. "Eu mantive essa promessa por trinta anos porque isso dava sentido ao meu trabalho. Isso me conferia honra. Um tipo menor, doméstico, de honra, mas ainda assim, honra."

"Mas parece", o criado continuou, "que do seu ponto de vista, eu desperdicei minha vida toda. Só mais uma dessas promessas de merda. Agora que você me liberou dela..." O criado respirou fundo. "Eu acredito que vá me aposentar em um pequeno chalé no litoral da Irlanda. Estou esperando por isso."

Ransom esticou o braço à procura de uma toalha ou suas roupas. Mas não encontrou.

"Onde está minha camisa?"

"Eu não saberia dizer, Alteza. Esse não é mais o meu trabalho. Mas se eu puder lhe dar um conselho de despedida... Você não está em condições de ser exigente. Se alguém lhe oferecer amor ou amizade, aceite. Mesmo que vier vestindo bandejas de chá da vovó. E também fique longe de listras. Não lhe caem bem."

Ransom foi deixado cego, nu, molhado e tremendo. E completamente sozinho, como no dia em que nasceu.

Não havia outra coisa a fazer senão começar de novo.

E tentar reconquistar tudo.

Izzy andava de um lado para outro à luz de uma única vela.

Ela verificou o relógio outra vez. Duas e meia da madrugada. Apenas nove minutos desde a última vez que ela olhou.

Aonde Ransom poderia ter ido? Naquela noite escura, sozinho? Depois de ela insistir, Duncan saiu à procura dele. Os dois já deveriam ter voltado há horas. E agora Izzy estava preocupada com os dois.

Ela alternava seus sentimentos entre raiva pelo comportamento dele e medo que alguma coisa horrível tivesse acontecido. Ele era um homem adulto, Izzy repetia para si mesma. Magnus era um guia fiel. Mas nada disso era garantia contra acidentes ou ferimentos. E se ele se perdesse? E se caísse em um rio?

E se ele tivesse ido para a Escócia com uma das donzelas, já que Izzy não quis ir? Ela não poderia culpá-lo, depois de tudo que disse para ele.

Céus. Aquela incerteza a estava matando. Talvez ela mesma devesse ir atrás deles. Ela podia levar uma lanterna e tirar Bola de Neve da cama de serragem.

Então era isso. Izzy pegou suas botas e capa. Ela não podia ficar parada ali, sem fazer nada.

Seus dedos tremiam enquanto ela desfazia os nós das botas. Por que ela nunca as desamarrava quando as tirava, no fim do dia, Izzy não sabia dizer. Era um hábito preguiçoso, e ela nunca se arrependeu mais dele do que naquele momento.

Depois que ela tomou a decisão de ir à procura dele, sua ansiedade ficou mais forte. E ao contrário de seu pavor do escuro, que fazia seu coração acelerar, esse medo tinha contorno definido e uma forma que ela poderia agarrar.

Porque não se tratava de um medo imaginário. Não mais. Isso era temor genuíno pela segurança de alguém que ela gostava. Alguém que ela *amava*. Ela amava Ransom e não importava que ele tivesse sabotado seu trabalho duro e sua felicidade. Se ele estava lá fora, em algum lugar, ferido no escuro, ela precisava ajudar.

E então – enquanto ela finalmente conseguia soltar o nó no cadarço da segunda bota – ela ouviu ruídos no pátio. Izzy correu até a janela.

Oh, graças a Deus.

Ele estava em casa.

Ele estava em casa, com o braço pendurado no ombro de Duncan e... rindo.

*Rindo?*

O medo dela foi embora. Em seu lugar Izzy experimentou um surto de pura raiva.

Izzy desceu a escada correndo e irrompeu no salão principal, bem a tempo de receber os homens de volta.

Ela cruzou os braços para parar de tremer.

"Ransom! Eu morri de preocupação! Onde você estava?"

Duncan pareceu entender que essa era sua deixa para sumir.

"Eu tenho..." Ele gesticulou vagamente na direção do teto. Depois virou a cabeça para olhar por cima do ombro. "A roupa suja. Precisa..."

"Pode ir", Izzy pediu.

Ele foi e se sentiu grato por isso.

"Muito obrigado", Ransom falou para as costas de Duncan. "Por tudo."

Duncan parou e fez uma reverência.

"Foi uma honra."

"Então?" Ela apertou ainda mais os braços. "Onde você esteve?"

"Eu estive..." Ele fez um gesto expansivo. "... fazendo amigos."

Fazendo amigos? Ela não ficaria mais espantada se Ransom tivesse respondido "Caçando unicórnios".

"Onde?", ela perguntou. "E com quem?"

"Bem, eu comecei na casa paroquial. Wendell Butterfield estava lá para jantar com a família Pelham. Então, depois de algumas horas eu fui até a estalagem da vila. Quando eles fecharam o salão público, eu fui para a taverna. O Javali Almiscarado. Acho que é esse o nome. Lugarzinho charmoso... e pegajoso, cheio de tipos interessantes. Pelo menos um ou dois sabiam ler."

"Ler."

"Isso", Ransom disse. "Foi isso que eu estive fazendo. Indo de um lugar a outro, a noite toda. Eu precisava que me lessem algo e não podia pedir para você. Uma coisa importante."

"Oh? E o que era isso?'

"*Os Contos de Goodnight*."

A resposta dele atingiu Izzy como um golpe em seus joelhos.

"Ah, não."

"Ah, sim. Hoje ficou claro para mim que, se eu quero ter alguma esperança de compreendê-la, merecê-la e reconquistá-la, eu preciso conhecer o que há nessas histórias. E agora, graças à Abigail e ao Sr. Butterfield, e aos gentis clientes dos bares, terminei a saga inteira. Do começo ao fim. Não que a história tenha terminado, é claro. Eu tenho algumas perguntas para lhe fazer quanto a isso."

Não. *Não*.

Não ele. Não Ransom. O único homem que a tratava não como uma garotinha insípida em um conto de fadas, mas como uma mulher adulta. Uma mulher linda e sedutora, com ideias interessantes e apelo sensual.

Agora que tinha conhecido todas as histórias de seu pai, ele seria como Lorde Archer, Abigail e todo mundo.

Izzy se afastou dele antes que Ransom pudesse fazer alguma coisa que destruísse sua alma. Algo como batidinhas na cabeça ou lhe oferecer um doce.

"Feche os olhos, minha querida Izzy, que eu vou lhe contar uma história", ele cantarolou.

Ela sufocou um soluço.

"Como você pode fazer isso?"

"Como *eu* pude?", ele perguntou. "Como *você* pôde? É o que eu quero saber. Eu preciso dizer que sinto compaixão por toda essa gente que escreve tantas cartas para você. Não é de admirar que estejam insanas. Ulric está pendurado há mais de um ano e Cressida continua presa naquela torre... Você tem que me dizer quem é o Cavaleiro das Sombras. Eu preciso saber isso, pelo menos. Eu tenho minhas teorias, mas..."

Ela enterrou o rosto nas mãos.

"Isso é terrível. Você também, não..."

"Sim, eu também. Sou um completo morangliano. Um convertido ao assombroso encantamento que são *Os Contos de Goodnight*." Ele se esticou no sofá, dobrando os braços debaixo da cabeça, olhando para o teto. "Você tinha me avisado que os primeiros anos de escrita eram uma porcaria. Concordo com você, tinha razão quanto a isso. É um período juvenil e previsível, em sua maior parte."

"Previsível?", desafiando a lógica, Izzy ficou um pouco ofendida.

"Mas então", ele continuava falando, "em algum momento durante o segundo rapto de Cressida, a história começou a mudar. Do mesmo modo que um bom uísque envelhecendo no tonel. Surgiram camadas mais profundas, com emoções mais matizadas. E as palavras começaram a pintar imagens mais vívidas. Eu podia enxergar tudo acontecendo dentro da minha cabeça, como se estivesse se desenrolando bem na minha frente. E a história não parava de me surpreender. Quando cheguei ao fim – ou melhor, no trecho em que seu pai parou de escrever – eu estava praticamente grudado no banco no bar. A taverna não existia mais. Eu me peguei desejando ser um homem como Ulric. Preciso dizer que estou um tanto encantado pela Cressida."

Ela choramingou, desesperada.

"Mas o maior choque de todos não teve nada a ver com os personagens ou a trama." Ele se sentou, olhando para ela. Seus olhos escuros pareceram focalizar os dela. "Teve a ver com você."

O coração dela tremulou dentro do peito.

Oh, Deus. Ele sabia.

"Sim", ele disse, confirmando o temor dela. "Eu sei qual é a verdade."

Era isso, então. Sua farsa de treze anos tinha sido revelada. Ele sabia de tudo.

O que deixou Izzy com a possibilidade de uma única reação.

*Fugir.*

*Capítulo Vinte e Três*

Com uma exclamação dolorida, Izzy quebrou a camada gelada formada por seu pânico. Ela saiu em disparada do salão principal e subiu correndo a escada em espiral.
"Izzy."
Ela continuou.
Ele foi atrás dela.
"Izzy, pare. Não fuja de mim, que droga. Nunca mais fuja de mim."
Ela parou cambaleando no corredor e apoiou uma mão na parede para se equilibrar.
Ele tinha razão. Lady Emily Riverdale tinha fugido dele. E ela o fez por causa das histórias de Izzy, e ao fazê-lo, a garota arruinou a vida de Ransom.
Ainda que Izzy não pudesse lhe dar mais nada, ela lhe devia isso. A chance de confrontá-la. Então ela parou de correr. E se virou para encarar a verdade.
"Ransom, eu... eu não consigo imaginar como você deve estar se sentindo agora."
"Oh", ele disse, "eu acho que consegue."
Ele a agarrou pela cintura e a fez entrar no quarto mais próximo – que por acaso era a câmara ducal – recém-reformada, mas ainda não utilizada.
Ele fechou a porta com um chute.
"Você sonhou todas essas histórias bizarras, afinal. Então está claro que você pode imaginar muitas coisas." Enquanto falava, ele foi empurrando Izzy na direção da cama. "Então, talvez, você possa se imaginar no meu lugar, enquanto eu estava sentado lá, primeiro na casa paroquial, depois na estalagem

e por fim na taverna pegajosa, deduzindo lentamente que o autor desses contos não foi Sir Henry Goodnight. A *autora* foi você. Sempre foi você."

As pernas de Izzy atingiram a borda do colchão e ela caiu de costas sobre a cama. Ele caiu com ela, envolvendo-a em seus membros e usando seu peso para mantê-la presa sobre o colchão.

"Então, diga-me." A voz dele estava sombria e profunda como uma caverna. "Você *consegue* imaginar como eu me senti? Você *consegue* dar um nome para a emoção intensa que preencheu meu peito com tanta força que fez minhas costelas doerem?"

"Raiva", ela arriscou, sentindo-se fraca.

"Errada", ele meneou a cabeça.

"Fúria? Traição?"

"Errada e errada de novo." Ele tocou os lábios dela, contornando-os com o polegar. "Foi orgulho. Oh, minha Izzy. Eu fiquei tão orgulhoso de você que pensei que meu coração fosse explodir."

O coração *dela* parou de bater de uma vez.

"Orgulhoso de..." Ela pigarreou para limpar o engasgo na garganta. "Como assim? Como você pode estar sentindo orgulho de mim?"

"Pare com essa bobagem. Não finja mais, não comigo." Ele limpou uma lágrima do rosto dela. "Eu senti orgulho porque você escreveu as histórias. Você escreveu tudo aquilo."

"Escrevi e isso significa que é tudo culpa minha. Meu trabalho é culpado pela fuga de Lady Emily. Por seus ferimentos e sua cegueira. Pelo fato de você agora estar quase perdendo tudo. Tudo isso é *minha* culpa."

"Então tudo que eu posso dizer é..." ele inspirou e expirou lentamente. "Bendita seja. Obrigado."

"Você não está falando sério."

"Claro que estou. Se você não tivesse ensinado aquela boba da Emily Riverdale a sonhar com o amor, eu mesmo não teria como acreditar nisso. Não teria vindo para cá. Não teria encontrado você. E mesmo que tivesse, eu teria sido arrogante demais e teimoso demais para deixar você se aproximar."

Ele baixou a cabeça, escondendo o rosto no pescoço dela.

"Izzy, eu lhe devo tudo. Você é meu coração e minha vida. Se você me deixar..."

Ele não conseguiu continuar. Ela sentiu o coração inchar.

Izzy passou os braços ao redor do pescoço dele e o abraçou apertado.

"Se me deixar abraçar você, eu nunca vou soltar."

Eles se beijaram profunda e apaixonadamente. Lentamente. Como se agora tivessem todo o tempo do mundo.

"Desculpe-me pelo que aconteceu mais cedo", ele pediu. "As coisas imbecis que eu disse. Eu fui um canalha."

"Não vou negar isso."

"Eu arruinei todo seu trabalho. Pior, eu destruí todos os planos que eu mesmo estava fazendo."

Ela franziu a testa.

"Que planos você estava fazendo?"

"Bem, para começar..." Ele se apoiou nos cotovelos. "Eu estava planejando seduzir você nesta cama, esta noite."

Izzy engoliu em seco.

"Você mudou esse plano?"

*Por favor, diga não. Por favor, diga não.*

"Sim, eu mudei." Ele levantou e montou na cintura dela. "Eu acho que sedução não serve mais. Eu acho que você precisa ser possuída."

Um arrepio percorreu o corpo dela.

*Sim.*

Isso era exatamente o que parte dela desejava – que ele assumisse o controle. Só dessa vez. Ela foi a pessoa responsável na residência dos Goodnight desde os 10 anos de idade. Todos aqueles anos escrevendo histórias febrilmente, trabalhando para colocar pão na mesa e óleo nas lâmpadas. E a tensão constante de guardar a verdade para si mesma – sempre controlando o que dizia em cada conversa, crispando os punhos e fechando a boca. Garantindo que ninguém se aproximasse o bastante para desconfiar. Porque ela não precisava proteger apenas a renda da família, mas também os sonhos e as esperanças de milhares de pessoas.

E esse tempo todo ela esteve ansiando por alguém que tomasse conta *dela*. Izzy sonhou com isso. Um homem forte o bastante para protegê-la, corajoso o suficiente para enxergá-la como ela realmente era. Disposto a chamá-la de *sua*.

Fazia muito tempo que ela precisava ser possuída. Uma vida toda. Mas isso não aconteceria nessa noite.

Quando Ransom entrelaçou as mãos às dela e a empurrou contra a cama, ela protestou.

"Não."

"Não?" Ele franziu o cenho.

"Assim não. Não posso deixar você me possuir."

Ela tirou vantagem da surpresa dele, girando e trocando de posição com ele, de modo que ela ficou esparramada sobre Ransom.

"Esta noite", ela prometeu, "*eu* vou possuir você."

Ela iria possuí-lo?

Ransom fez uma tentativa não muito convicta de se opor à ideia. Ele murmurou algumas palavras incoerentes de protesto. Mas o corpo dele o traiu.

"Eu sei que você quer isso", ela sussurrou, erguendo a saia para montar nos quadris dele.

E como ele queria. Ransom queria muito isso.

Ela não fazia ideia do que significava para ele ser jogado na cama, despido de todas as roupas e então... apenas ser tocado. Acariciado. E o melhor de tudo, ser beijado. Beijado em todo o corpo. Sem exigência de compensação ou retribuição. Nenhuma barganha ou troca. Apenas ser tomado pela doçura e paixão de Izzy, com seu coração maravilhoso.

Ela beijou todo o corpo dele. Todo.

Ransom adorou aquilo, os lugares que ela escolheu para homenagear com seus lábios. A parte anterior do cotovelo. O queixo pronunciado. As panturrilhas musculosas e peludas. Todo isso enquanto o cabelo macio e sensual dela se arrastava por sua pele, como milhares de dedos carinhosos.

Ela beijou seus lábios, é claro, enfiando fundo a língua para se enroscar com a dele. Izzy beijou suas faces e têmporas – principalmente o lado em que havia a cicatriz. Ela beijou o lugar macio debaixo da orelha dele. Depois deslizou a língua, descendo pelo peito até...

O umbigo.

Droga.

Ele não queria pressioná-la, mas àquela altura ela já tinha colocado a boca em praticamente todo o corpo dele, e sua outra cabeça estava começando a ter ideias. Ansiando pelo toque dela, doendo por seu beijo. Ele até pulava, como uma fera acorrentada.

"Izzy."

Finalmente, ela pegou a ereção em sua mão. Ela encostou os lábios na cabeça. Encorajada pelos gemidos de prazer, Izzy repetiu o carinho. De novo, e mais uma vez, passando a língua com delicadeza.

"Mostre-me", ela sussurrou. "Mostre-me o que fazer."

Ele não conseguiu resistir àquele convite. Ransom agarrou-a pelo cabelo e a guiou para que o tomasse todo naquela boca quente, molhada e deliciosa, subindo e descendo. Ela não precisou de muita orientação. Depois que ela pegou o ritmo, ele a soltou e deixou sua própria cabeça cair no travesseiro, deleitando-se com o carinho.

Ela o tomou todo na boca, até o fundo mais uma vez, depois o soltou, e deslizou a língua pelo sensível lado de baixo. Ransom gemeu em um pedido mudo de clemência.

"Você está pronto para ser possuído?", ela perguntou, a voz sensual e melíflua.

"Estou", ele respondeu entredentes. "Muito pronto."

Ela subiu no corpo dele, montando sua pelve e esfregando seu calor para cima e para baixo por toda a extensão rígida da ereção dele. Então ela ficou imóvel, bem acima dele, segurando a ponta do seu membro bem no lugar em que ele estava desesperado para entrar.

Minha nossa. Assim ela iria acabar com ele.

"Izzy." O desejo não satisfeito fez a voz dele soar presa. "Agora. Faça isso agora. Estou implorando."

"Você sabe qual é a palavra que eu estou esperando ouvir."

Ele sabia?

Ah. Sim, ele acreditava que sabia. Atrevida.

"Por favor", ele disse e estendeu a mão para ela, enrolando-a naquele cabelo longo, revolto e encaracolado. *Por favor*", ele repetiu.

"Agora sim."

Ela sentou nele, devagar e delicada, envolvendo-o por completo, até o fim.

*Isso.*

Ele permitiu que ela ditasse o ritmo o máximo que aguentou. Izzy o cavalgava em um ritmo lento, delicado, que levava a paciência dele ao limite.

E quando a paciência dele ultrapassou esse limite, ele agarrou os quadris dela com as duas mãos e a fez se mexer mais rápido. Mais forte. Ele plantou os pés na cama e empurrou os quadris para cima, indo de encontro aos movimentos dela com suas estocadas.

Ela caiu para frente, e calor macio e saltitante dos seios dela encontraram o peito dele. Ransom a segurou, apertando-a em seus braços, valorizando cada pequeno arquejo e suspiro de prazer. Ele se segurou o máximo que conseguiu, entrando e saindo dela, empurrando-a cada vez mais alto, até que Izzy estremeceu e se desfez em seus braços.

E quando ela atingiu o clímax, ele também chegou lá. Eles se tornaram um só, e foi um sentimento glorioso e perfeito, porque era ela. Só ela.

Deus, ele a amava.

Segurando-a bem perto, ele rolou de lado e acolheu a cabeça dela em seu peito. Doce, Izzy encostou o rosto em sua pele, aninhando-se naquele abraço.

Ransom repousou o queixo na cabeça dela.

"Eu vou lhe fazer uma pergunta, Izzy. Eu nunca pedi isso a uma mulher antes. E estou precisando de muita coragem apenas para tocar no assunto. Então, por favor, eu lhe peço, pense bem antes de responder."

"O que é?"

"Izzy, meu coração..." Ele tocou carinhosamente o cabelo dela, espalhado sobre o travesseiro. "Pela manhã, você me faz uma panqueca?"

## Capítulo Vinte e Quatro

Assim que a alvorada raiou por entre as janelas, Izzy chacoalhou seu amante adormecido. Doía nela fazer aquilo. Ele estava tão lindo ali, com seus membros bronzeados enroscados em lençóis brancos e travesseiros macios.

Ele parecia estar em paz.

Mas esse dia seria, no mínimo, interessante. Ele não podia ficar dormindo.

"Ransom." Ela tocou seu ombro.

Ele estremeceu.

"O quê? O que foi?"

"Acorde-se e vista-se. Os advogados vêm hoje. Eu não sei onde Duncan está, mas ele logo vai aparecer."

"Izzy, pelo amor de Deus. Danem-se os advogados. Duncan se demitiu. E eu pensei que nós já tínhamos superado isso. Não vou mais esconder o que nós temos."

"Eu não estou escondendo." Ela se jogou na cama ao lado dele e remexeu seu cabelo. "Só estou apressando você. Se quiser sua panqueca, tem que ser agora."

"Oh. Está bem, então."

Alguns minutos depois, vestindo roupas amarrotadas e um raro sorriso, Ransom a seguiu escada abaixo e cozinha adentro.

Ela acendeu o fogo e começou a pegar tigelas e colheres no armário.

"Então, como você descobriu a verdade?"

"Como eu *soube*, você quer dizer? Eu já tinha minhas suspeitas há algum tempo. Você descrevia o pôr do sol como um guerreiro moribundo, fazia vozes para ler e escrevia linhas de diálogo. Quando eu ouvi, afinal, as histórias, ficou óbvio. Eu soube porque conheço você. Izzy, você não deveria mais negar nem fingir."

Muito bem. Ela não iria mais fingir. Não com ele.

O resto do mundo nunca poderia saber a verdade, mas Izzy não podia negar o quanto significava para ela que *aquele* homem a tivesse percebido. Ele foi além das expectativas e reações do público e a identificou. A verdadeira Izzy.

"Você gostou mesmo delas?", ela perguntou. Era uma pergunta boba, e ele a repreendeu puxando seu cabelo.

"'Gostou' não é a melhor palavra."

*Mas qual* seria *a melhor?*, ela se perguntou.

Admirou? Adorou? Venerou? Amou?

Ela não precisava que ele lhe dissesse qual era a palavra, Izzy disse para si mesma. Mas por dentro ela não conseguia evitar desejar isso.

"Por que você não me disse?", ele perguntou. "Já que estamos falando disso, por que não contou para todo mundo? Se eu tivesse escrito o livro mais popular da Inglaterra, nunca iria parar de me gabar a respeito."

Ele tinha enlouquecido?

"É claro que eu nunca pude contar para ninguém. Não sem acabar com a diversão de todo mundo e transformar meu pai em uma fraude."

"Seu pai *era* uma fraude. Ele foi uma fraude, um covarde, sem vergonha, que ficou com toda glória pelo *seu* trabalho."

Ela meneou a cabeça enquanto pegava os ovos no armário.

"No começo era ele que me protegia. Eu era muito nova. Os editores nem teriam olhado para os *Contos* se soubessem que era eu quem os escrevia. A adoração do público deixou meu pai feliz. A minha satisfação vinha de escrever."

"Até ele morrer e você perder tudo? Você não sente falta de escrever?"

"É claro que eu sinto. Demais." Até mesmo naquele momento, mais de um ano depois, ela carregava um sentimento dolorido de perda que não passava. "Mas como eu poderia continuar? Se eu tentasse fazer o trabalho continuar como se fosse do meu pai, ele pertenceria legalmente ao Martin. Se eu o enviasse com meu próprio nome, o editor o devolveria. Sem ler, que é o mais provável."

"Como você vai saber se não tentar?'

"Você não entende isso, Ransom. Você não vê."

Ele sacudiu a cabeça, ultrajado.

"Eu não sei o que minha cegueira tem a ver com isso."

"Tudo", ela suspirou.

A cegueira dele tinha tudo a ver com isso. Nenhum homem nunca – *jamais* – a tratou da forma como ele a tratava. Ela era pequena, comum e insignificante. Mas no papel suas palavras podiam ser muito maiores do que ela. Elas eram influentes, admiradas. Até mesmo poderosas.

Desde que não fossem *dela*.

Ela simplesmente aceitou que sempre seria assim. Izzy funcionava melhor quando era invisível. Foi por isso que ela se descreveu como tendo olhos verdes como esmeralda e cabelo âmbar liso. A verdadeira Izzy não era boa o bastante.

Até agora. A verdadeira Izzy era boa o bastante para Ransom. Ele nunca entenderia o quanto isso significava. Mas ela se esforçaria para fazê-lo entender.

"Vou fazer sua panqueca." Ela apertou o braço dele.

Ele ficou olhando enquanto ela reunia os ovos e os quebrava em uma tigela.

"Quem ensinou você a fazer panquecas?", ele perguntou. "A cozinheira da sua família?"

Ela soltou uma risadinha.

"Nós não tínhamos cozinheira. A renda do meu pai vinha de alguns alunos dos quais era tutor. Até as histórias começarem a fazer sucesso, nós nunca tivemos dinheiro para contratar empregados." Ela despejou leite na tigela, acrescentou uma medida de farinha e começou a bater a massa com uma colher. "Não tínhamos cozinheira, criada ou governanta. Sempre fomos só eu e meu pai. Eu aprendi sozinha a fazer muitas coisas, mas panquecas eram minhas favoritas."

"Então, você passou a infância sendo sua própria cozinheira, criada *e* governanta. Então se tornou o arrimo da família aos 13 anos." Ele a segurou pela cintura. "Estou com vontade de tirar essa colher da sua mão e a arremessar pela janela. Você nunca mais devia ter que fazer outra panqueca."

Ela sorriu e o beijou no rosto.

"Isto é diferente. Eu tenho prazer de lhe fazer uma panqueca."

Ele deslizou os braços pela cintura dela e a abraçou, enquanto Izzy acrescentava uma pitada de sal e um tanto de açúcar na tigela.

E ela decidiu – ali, naquela cozinha – que queria compartilhar algo mais com ele.

"Você quer saber como continua? A verdadeira identidade do Cavaleiro das Sombras?"

"Está brincando?" O braço dele apertou a cintura dela. "Eu daria praticamente qualquer coisa para saber isso. Qualquer coisa menos panquecas. As panquecas não são negociáveis."

"Então Ulric estava pendurado naquele parapeito." Ela encontrou a manteiga em um recipiente. "E ele começa a impulsionar o corpo para cima, quando o Cavaleiro das Sombras desembainha sua espada e corta uma das mãos dele com um único golpe."

Ransom se encolheu.

"Santo Deus. Você tem uma imaginação sanguinolenta."

"Agora ele está pendurado por apenas uma mão. Com a chuva caindo e o vento açoitando o parapeito. Ele não tem que sustentar apenas o peso do seu corpo, mas também o peso da armadura. É demais. Sua mão começa a escorregar. É o fim, e tanto Ulric quanto o Cavaleiro das Sombras sabem disso."

Ela pôs a tigela com a massa de lado e lhe ofereceu os dedos açucarados para que lambesse.

Ela continuou com a história.

"'Diga-me', diz Ulric, enquanto mais um dedo escorrega e ele fica suspenso por apenas dois. 'Antes que você me despache para minha morte, diga-me quem você é.' Afinal, o Cavaleiro das Sombras levanta o visor do elmo, revelando um rosto conhecido demais, e diz", ela deixou a voz mais grave, conferindo-lhe um tom ominoso, "'Ulric, eu sou seu irmão.'"

Ele deixou o dedo dela cair de sua boca.

"Não."

"Sim."

"*Não.*"

"*Sim*", ela respondeu. "Não é, na verdade, uma reviravolta tão grande. Esse é um tema que se repete na maioria dos romances de cavalaria. Os cavaleiros errantes estão sempre tendo que enfrentar um nêmese, que acaba se revelando um irmão, o pai ou um filho."

Ela colocou um pouco de manteiga na panela quente e em seguida despejou uma porção generosa de massa.

"Mas eu pensei que o irmão de Ulric tivesse morrido nas cruzadas", disse Ransom.

"Ulric também pensava assim. Ele *pensava* que Godric tivesse morrido em batalha, mas o irmão sobreviveu. Foram necessários anos para que ele conseguisse voltar para a Inglaterra e a cada momento do caminho ele sonhou com vingança contra o irmão que o deu por morto."

Ele sacudiu a cabeça.

"Agora só falta me dizer que Cressida, na verdade, é irmã deles."

"Cressida, *irmã* deles? Meu Deus, não. O que faria você pensar uma coisa dessas?"

"Seria uma boa surpresa", ele disse. "Você tem que admitir."

Ela soltou um som de desgosto enquanto virava a panqueca.

"Eles não podem ser irmãos. Eles se *beijaram*."

"Não foi um beijo muito apaixonado."

"Ainda assim foi um *beijo*. Eles não são irmãos." Ela riu. "Que ideia."

Ela tirou a panqueca pronta para um prato. Nesse momento, a porta da cozinha foi aberta com um rangido. Izzy levantou os olhos e viu uma figura familiar, com uma brilhante cabeleira loira.

"Izzy, aí está você."

*Abigail.*

Izzy mordeu o lábio, sem saber o que a filha do vigário estaria pensando dela. As revelações de Ransom, no dia anterior, deixaram pouca dúvida e ali estavam os dois, semivestidos, amarrotados, fazendo panquecas logo cedo na cozinha. Devia ser óbvio o fato de os dois serem amantes.

E caso isso não fosse evidente o bastante, Ransom passou o braço por seus ombros, puxando-a para perto.

"Abigail", ela disse. "Bom dia. Eu estava só... Quero dizer, nós estávamos..."

"Tudo bem, Izzy." Abigail entrou na cozinha e puxou Izzy de lado. "Eu não vou contar para ninguém. Na verdade, estou aqui para lhe pedir um favor. Se alguém lhe perguntar, eu dormi no castelo, noite passada."

"Hein?" Ela entendeu o que Abigail queria. "Oh, é claro que sim."

"Com certeza eu não passei a noite no acampamento do Exército Morangliano", Abigail continuou com um sussurro baixo, "nem permiti que o Sr. Butterfield tomasse liberdades ligeiramente não cavalheirescas comigo." Suas faces ficaram coradas.

"É claro que não." Izzy sorriu.

"Obrigada."

"Não tem de quê. Para que servem as amigas?"

Abigail lhe deu um abraço apertado e suspirou de alívio.

"Agora", ela disse com entusiasmo, "o que vamos fazer com esses advogados? Como vamos provar que o duque não é um lunático incompetente? Com certeza nós não desistimos."

Izzy olhou para Ransom.

"Nós não desistimos. Desistimos?"

"Não, claro que não", ele respondeu. "Deixe que venham. Chega de farsas. Chega de fingimento. Vou responder às perguntas deles com sinceridade. Se, ao fim, eles quiserem contestar minha capacidade enquanto duque, iremos nos encontrar na corte do Lorde Chanceler."

"Eu gosto desse plano", Izzy disse. "Abigail, ainda podemos contar com sua ajuda?"

"É claro."

"Duncan se demitiu", Ransom disse, coçando o queixo não barbeado. "Mas eu acho que consigo convencê-lo a ficar. Como amigo. Nós ainda vamos precisar de criados." Ele olhou para Abigail. "Você disse que o Exército Morangliano continua acampado aqui perto? Talvez eu consiga persuadi-los a voltar."

Izzy não sabia se essa era uma boa ideia.

"Ransom, você os ofendeu muito, ontem. Deus sabe o que eles estão pensando de mim. Diga o que disser a eles... sugiro que comece com um pedido desculpas sincero. E termine pedindo 'por favor'."

Ele mastigou um pedaço de panqueca e encolheu os ombros.

"Eles são homens razoáveis. Tenho certeza que com uma boa conversa, nós poderemos chegar a um entendimento."

Era evidente que o entendimento não seria conquistado de modo tão fácil.

Menos de duas horas depois, Ransom se encontrava no acampamento morangliano. Rodeado, encapuzado e mantido na ponta de uma espada, com as duas mãos amarradas às costas.

E agora o estavam levando para a floresta.

Ele tentou se fazer ouvir por cima do clangor das armaduras e do saco colocado em sua cabeça.

"Meus bons senhores, sério. Eu sei que ontem falei coisas ofensivas. Mas hoje eu vim em paz. Eu desejo ingressar nas suas fileiras."

Um objeto pontudo o acertou no rim.

"Ninguém simplesmente *entra* para o Exército de Morânglia. Não é assim tão fácil. Existe uma cerimônia e um juramento."

"E um teste", disse outro.

"Muito bem", concordou Ransom. "Vou me submeter aos seus testes. Mas, falando sério, o capuz é necessário? Eu sou cego."

Outro golpe no rim.

"Ajoelhe-se."

Ele ajoelhou. Alguém retirou seu capuz.

Ransom encheu os pulmões com ar fresco.

"Então, o que eu faço? O que eu preciso dizer?" Ele pigarreou. "Sem demora eu profiro minha fidelidade aos nobres irmanados..."

Eles recolocaram o capuz em sua cabeça.

"Por obséquio", ele protestou, "se vós pudésseis esperar um maldito segundo..."

"Irmão Wendell, ele não está levando isto a sério", disse um dos cavaleiros. "Nossa ordem é uma união sagrada. Estamos aqui reunidos por um propósito mais elevado."

"Se nós o admitirmos em nossas fileiras", disse outro, "deveremos tratá-lo como um de nós. Um irmão. Você acha que ele irá nos tratar da mesma forma?"

Ransom inclinou a cabeça e conseguiu sacudir a cabeça até o capuz cair. Livre, ele ergueu os olhos e falou com os homens sem rosto que o rodeavam.

"Escutem", ele disse. "Eu sei. Não sou amigo de vocês. Sou o filho da mãe que batia em vocês e roubava seu dinheiro na escola. Mas neste momento, eu estou no chão. Na floresta. Ajoelhado em alguma coisa desagradável, no dia seguinte ao pedido de demissão do meu criado. Estou levando isto muito a sério. Eu realmente sinto muito pelo que disse ontem. E preciso realmente da ajuda de vocês."

Pelo que se lembrava, essa era a primeira vez que Ransom dizia essas palavras: *Eu preciso da ajuda de vocês*. E, vejam só, ele não tinha morrido de humilhação.

O primeiro cavaleiro falou de novo.

"Não permita, irmão. Ele não é um verdadeiro morangliano."

"Mas agora eu sou", Ransom insistiu. "E Sir Wendell sabe disso. Ele estava lá, no jantar da casa paroquial, quando nós lemos toda a primeira parte."

"Então prove seu valor", disse o segundo cavaleiro. "No fascículo dezessete, quais foram os três ingredientes que Ulric pegou para a poção da Bruxa de Graymere?"

Maldição. Isso era muito específico. Ransom vasculhou suas lembranças da noite anterior. Ele prestou atenção na história – ele se perdeu nela, na verdade –, mas não tinha feito anotações. "Dedo de duende, pelo de tritão e... urina de unicórnio? Droga, eu não sei."

"Está vendo?", exclamou o cavaleiro. "Ele não é sincero. Aposto que ele nem sabe os Não Duvides."

"Espere", Ransom disse, aprumando-se. "Esses eu sei!"

Ele lembrava dessa parte. Essa era boa. Ulric se despedindo de Cressida antes de partir em sua missão de matar a Besta de Cumbernoth. Ele fez um discurso e tanto.

"Não duvide, minha lady", ele recitou. "Não duvide. Hei de retornar. Não duvide da minha lâmina."

"'Do meu aço'", alguém o corrigiu, finalizando com uma batida em suas costas. "Não duvide do meu aço."

"Certo, certo." Ele se concentrou no chão barrento. "Não duvide do meu aço. Não duvide da minha força. E tem mais alguma coisa, algo sobre o rei, e então 'você será a rainha do meu coração' e termina com, 'Por minha lady e por Morânglia.'" Ele levantou a cabeça. "Pronto, está bom assim?"

"Não." Ransom reconheceu a voz de Wendell Butterfield. "Isso foi patético."

"Ele só está querendo nos usar", disse o primeiro cavaleiro. "Depois que conseguir o que quer, ele vai se esquecer de nós. Vai nos evitar na rua. Debochar de nossos rituais em seus clubes de cavalheiros requintados. Ele não entende o que nós somos."

Ransom sacudiu a cabeça.

"Não, não. Ninguém gosta de mim nesses clubes. Acredite em mim, eu sei o que é ser insultado. Eu fui ferido com gravidade há sete meses e sabe quantas visitas eu recebi? Quantas pessoas vieram me desejar melhoras? Nenhuma. Eu também sou um pária."

"Um pária rico, nobre, com meia dúzia de propriedades", observou Wendell.

"No momento, sim. Mas se meus advogados conseguirem o que querem, eu posso perder tudo. Mas por favor entendam. Não estou pedindo ajuda para mim. Eu preciso proteger a Srta. Goodnight. Se esta reunião não der certo, ela será forçada a vender a casa de seus sonhos. Permitam que eu ingresse em suas fileiras e eu lhes prometo: Nós *estaremos* unidos por um propósito mais elevado. Ela."

Houve um silêncio prolongado.

Ransom não sabia o que mais ele poderia dizer.

"Vou aceitar isso como seu juramento solene." Sir Wendell tocou o ombro de Ransom com uma espada cega. "Eu o faço Sir Ransom, um irmão na Ordem da Papoula e verdadeiro cavaleiro de Morânglia."

Graças a Deus.

"Ordem da Papoula", Ransom repetiu enquanto cortavam as amarras de suas mãos. Ele massageou as assaduras nos pulsos. "Isso significa que agora nós temos que fumar ópio?"

"Não", disse Wendell. Para seu compatriota, ele acrescentou, "Dê-lhe o hidromel."

Uma garrafa de vinho doce e espesso foi oferecida para Ransom, que bebeu um gole dela.

"Nada mal. Receba meu muito obrigado, Sir Wendell."

"Irmão Wendell", o outro o corrigiu. "Você agora é um de nós."

De verdade. Ransom era um deles.

Que inesperado. Ali, ajoelhado na floresta, rodeado por homens que representavam os proscritos das escolas públicas inglesas, Ransom foi tomado pela sensação mais estranha, mais desconhecida.

Aceitação.

"E quando não estamos de guarda", acrescentou Wendell, "sou apenas Wendell Butterfield, jurista."

"Jurista?" Ransom repetiu. "Mas... você quer dizer advogado?"

"Ah, sim, isso mesmo."

"Eu não sabia que permitiam que advogados passassem seu tempo livre marchando pela floresta usando armaduras improvisadas."

"Por que não?", Wendell perguntou. "Nós trabalhamos usando longos robes pretos e perucas empoadas."

Ransom concordou com o argumento.

"E eu posso ser inútil para bancar um criado servindo o jantar, mas posso organizar seus assuntos legais. Se você quiser ajuda, claro."

Wendell colocou algo borrado e cor de pele na frente do rosto de Ransom.

Sua mão.

Ransom sentiu em seu peito uma última pontada de orgulho ferido. Ele não precisava de ajuda para levantar, esse orgulho insistiu. Ele não era inválido nem criança.

Mas ele era humano. Perdidamente apaixonado, pela primeira vez na vida. E correndo perigo de perder tudo. Como disse Duncan, ele precisava de toda ajuda que pudesse conseguir.

Ransom engoliu a vontade instintiva de recusar e aceitou a mão que Wendell lhe oferecia.

Depois que Ransom estava de pé, Wendell pediu aos cavaleiros em círculo que se aproximassem. Suas mãos bateram nos ombros e nas costas de Ransom.

"Todos os cavaleiros, saudação!"

Punhos bateram nos peitos com armadura.

"Por minha lady e por Morânglia!"

## Capítulo Vinte e Cinco

"Izzy, você não vai acreditar nisso." Abigail a puxou em direção à janela da torre.

"O que foi? Ah, por favor me diga que não são os advogados de Londres. Ainda não estamos nem perto de prontos. Não estou vestida. E Ransom nem está aqui."

"Não são os advogados. Olhe."

Izzy enfiou a cabeça pela janela estreita. À distância, serpenteando pela estrada em direção ao barbacã do castelo, vinham as cores alegres e familiares dos Cavaleiros Montados de Morânglia em West Yorkshire. Acompanhados pela seção irmã das Donzelas de Cressida. Seus estandartes tremulavam na brisa e a luz do sol cintilava nas armaduras.

"O duque conseguiu", Abigail comemorou, segurando o braço de Izzy. "Ele os convenceu a voltar."

"Suspeito que você também tenha algo a ver com isso", Izzy disse. "É óbvio que Sir Wendell tem suas próprias razões para voltar. Mas não importa o porquê de eles estarem aqui. Só importa que estejam."

Uma lágrima boba surgiu no canto do olho dela. Mesmo depois de tudo que aconteceu no dia anterior, eles não a abandonaram. Eles continuavam com ela, continuavam seus amigos. Eles ainda acreditavam.

*Não duvide.*

As poucas horas seguintes foram de atividade frenética. A cozinheira e as donzelas se ocuparam da cozinha. Os cavaleiros foram treinados novamente em serviço de mesa. Duncan sumiu com Ransom para que este tomasse banho, fizesse a barba e provasse o paletó, que o criado ajustou antes de lustrar os sapatos. Abigail gastou quase uma hora e muita paciência na missão de domar o cabelo de Izzy.

Quando Izzy ouviu o barulho das rodas da carruagem se aproximando da entrada do castelo, não conseguiu se obrigar a ir olhar. Abigail teve que fazer isso.

"Sim", ela disse. "São eles. Estão aqui."

"Quantos são?", Izzy perguntou.

"Duas carruagens. Três... Não, quatro homens no total."

Quatro no total? Oh, céus. Somente dois eram os advogados. Os outros deviam ser... médicos, testemunhas, talvez assistentes do Lorde Chanceler?

Ela andava de um lado para outro, apenas esperando que tudo estivesse bem lá embaixo. Duncan os receberia e conduziria ao salão e então seria hora de...

Uma batida na porta.

*Ransom.*

"Você está pronta?" Ele lhe ofereceu o braço e juntos percorreram o corredor. "Não se preocupe com nada. Só fique perto de mim."

"Eles não vão estranhar se eu ficar grudada do seu lado o tempo todo?"

Ele entortou o canto da boca.

"Acredite em mim, nenhum dos meus advogados vai ficar surpreso de encontrar uma mulher linda grudada em mim. Isso só vai estimular a impressão de que sou o mesmo de sempre."

A reputação *dele* não era o motivo das preocupações de Izzy. Ela duvidava muito que os advogados estivessem acostumados a vê-lo com mulheres como ela.

"Espere." Izzy o segurou.

"O que foi?"

"Eu... eu tenho que lhe contar algo."

"Hum. Certo. Tenho certeza de que deve ser algo ótimo, mas que tal esperar até depois dessa reunião crucial para a qual estamos nos preparando há uma semana?"

"Não dá para esperar", ela disse, puxando a manga dele. "Tem algo que você precisa saber. Agora mesmo."

Quando Izzy conseguiu, enfim, a atenção dele, quase perdeu a coragem. Ela se obrigou a falar.

"Eu não sou linda. Nem um pouco."

Ele franziu o cenho e apertou os lábios como se fosse fazer uma pergunta, mas esta pareceu ficar... presa na garganta.

"Eu devia ter lhe contado isso há muito tempo. Você não sabe como isso tem me preocupado. É só que... Ninguém nunca me chamou de linda. Ninguém nunca fez com que eu me *sentisse* linda. E eu não resisti e aproveitei, mesmo sabendo que era uma confusão. Mas você precisa saber disso agora. Se nós entrarmos naquela sala juntos, eu agarrada no seu braço... Isso vai ser a evidência mais clara de que você está cego. Eles não vão entender que diabos eu estou fazendo do seu lado."

"Izzy." Ele passou a mão pelo braço dela.

Ela se afastou.

"Eu não estou querendo elogios. Sério. É importante que você acredite e entenda isso. Eu não sou linda, Ransom. Nem bonita ou *bonitinha*. Tampouco atraente. Nem mesmo passável. Eu sou extremamente comum. Sempre fui. Nenhum homem jamais me deu atenção."

"Muito bem. Então você não é linda."

"Não."

"De todos os seus mistérios e revelações..." Ele pousou as mãos nos ombros dela. "*Esse* é o maior segredo que você tem guardado de mim."

"Sim." Ela tentou alcançá-lo.

Ransom firmou as mãos, não permitindo que ela se movesse.

"Não."

Ele a fez recuar e encostar na parede, mas as palavras continuavam transbordando dela. Palavras tolas, inúteis.

"Pareceu inofensivo, no começo. Eu nunca pensei que isso pudesse causar tantos problemas e eu disse a mim mesma que não havia razão para você saber a verdade. Só que agora... agora outras pessoas estão aqui. E você quer que eu me passe por sua amante, e..."

"Eu não quero que você se passe", ele disse. "Você é minha amante."

Ela levou as mãos ao rosto. Maldita vaidade. Agora o futuro dele estava em risco.

"Não acredito que isso esteja acontecendo", ele disse. "Esta... *esta*... é sua grande e vergonhosa confissão. Você me diz que não é linda." Ele riu. "Isso é um absurdo."

"É?"

"Claro. Isso não é nada. Você quer ouvir um segredo realmente horrível, Izzy? Ouça o meu. Eu matei a minha mãe."

Ransom a sentiu se encolher ao ouvi-lo, evidentemente chocada.

Ele não a culpava. Era uma revelação horrível. Não era agradável ouvir aquilo – algo que o castigava há tempos.

"Minha mãe ficou em trabalho de parto por mais de trinta horas para me colocar neste mundo e morreu menos de uma hora depois", ele disse. "Eu a matei. Foi isso que meu pai me disse, nessas mesmas palavras, quando eu tinha idade suficiente para entender."

As lembranças continuavam muito vivas. Toda vez que ele chorava, toda vez que ele tremia de frio, toda vez que caía e queria um pouco de carinho. Seu pai o pegava pelo colarinho e o arrastava pelos chãos de mármore até jogá-lo diante do retrato em tamanho natural da mãe.

*Pare de choramingar, menino. Ela não pode enxugar suas lágrimas agora, pode? Você a matou.*

Deus, como ela estava linda naquele retrato. Cabelo dourado, olhos azuis, em um vestido azul-claro. Um anjo. Ele costumava rezar para ela. Pequenos pedidos blasfemos por milagres, perdão, brinquedos... Qualquer coisa que pudesse mostrar que ela o ouvia.

Mas ela não o ouvia. Ela tinha morrido.

Ele nunca mais rezou para nada desde então.

"Todos os criados", ele disse, "babás, governanta, tutores... eram instruídos severamente para não demonstrar afeto a mim. Nada de abraços ou beijos. Nenhum carinho ou consolo. Porque essas seriam as coisas que minha mãe teria me dado, e eu não as merecia, porque ele me culpava pela morte dela."

Ele sentiu que Izzy ficava sem ar.

"Ransom, isso é horrível."

"É mesmo", ele concordou.

"Ele estava completamente errado em tratar você dessa maneira."

"Estava. Ele foi um vagabundo cruel e nojento. Vamos só dizer que eu não ouvi muitas histórias na hora de dormir."

"Eu... não tem sentido dizer isso, mas eu sinto muito."

"Claro que tem sentido", ele encostou a testa na dela. "Tem todo o sentido. E mais tarde, se você quiser me levar para cama e passar dias acariciando meu cabelo, vou aceitar com alegria." Ele se afastou, colocando certa distância entre os dois. "Mas isso será mais tarde. Neste momento, estamos falando de você. Da Izzy que não é linda."

"Eu conheço mulheres, Izzy", ele continuou. "Já conheci mulheres demais." Ele tinha passado anos procurando pelo conforto físico que lhe foi negado na infância, sempre evitando ligações mais profundas. "E eu percebi, logo naquela primeira tarde, que você é diferente de qualquer uma que eu conheci antes. E isso me deixa feliz. E se os homens nunca prestaram atenção em você, também fico feliz, porque eu sou um malandro egoísta. Do contrário, você estaria com algum outro homem, em vez de estar aqui comigo."

"Mas não importa o quão apertado eu abrace você, o quão fundo eu entre em você, estou sempre sentindo que existe uma pequena parte de você que não consigo alcançar. Alguma coisa que você nunca entrega. Seu coração, eu supus. Ah, mas eu quero isso. Eu quero você toda. Mas eu não consegui pedir essa coisa que eu claramente não mereço."

Ransom sentiu que ela tomava fôlego para protestar, mas ele a interrompeu antes que começasse.

"E isso não tem nada a ver com meu nascimento ou minha infância", ele disse. "Tenho idade suficiente para perceber que o tratamento que recebi do meu pai foi de uma crueldade sem sentido. Mas tem a ver com tudo que aconteceu desde então. Você acha que as feições do seu rosto tornam você comum? Eu sou feio por dentro. A Inglaterra inteira sabe disso. E depois de ler minha correspondência, você também deve saber. Você organizou uma montanha de malfeitos meus. É claro que você levantaria uma muralha ao redor do seu coração. Você é uma mulher inteligente. Como poderia amar isto? Como alguém poderia?"

"Ransom." A voz dela vacilou.

"E agora eu fico sabendo que isso... *isso*... é o que você está guardando. Essa é a razão da sua relutância. Você não se acha bonita o bastante. Para um homem cego. Cristo, Izzy. E eu pensava que *eu* era fútil."

As palavras saíram mais duras do que ele pretendia. Então Ransom as acompanhou de beijos. Suaves, calmantes, no rosto, no pescoço, na curva pálida e ascendente do ombro...

Abençoada seja essa mulher e sua vaidade tola, absolutamente humana. Talvez ele nunca soubesse como ser o homem que ela merecia, mas isso? Isso ele sabia como consertar.

"Izzy", ele gemeu, apertando o corpo contra o dela, "você me deixa louco de desejo. Não consegue imaginar." Ele começou a levantar as saias dela.

"O que você está fazendo?", ela exclamou.

"Isso mesmo que você está pensando."

"Não podemos. Os advogados. Eles estão lá embaixo, esperando."

"Isto aqui é mais importante", ele afirmou.

"É mais importante me agarrar no corredor do que salvar seu título?"

Ele ficou imóvel. Então beijou os lábios dela.

"É", Ransom respondeu, uma afirmação simples, solene e sincera, que ele fazia com tudo que lhe restava. Corpo e alma. Que os advogados e o ducado se danassem. Não havia nada que valesse a pena defender em sua vida se ele não conseguisse fazer Izzy entender isso.

"Eu já não consigo mais julgar a aparência da beleza", ele disse. "Mas eu conheço o som dela. Ela soa como o fluxo de um rio de mel doce e silvestre. A beleza cheira a alecrim e tem sabor de néctar. A beleza espirra como um esquilo."

Ela sorriu. Aquele sorriso lindo. Como ela podia duvidar do efeito que tinha sobre ele?

"É assim que você é comum?" Ele acariciou o seio dela com uma mão, enquanto com a outra abria o fecho da calça. "É assim que eu *não* acho você atraente?"

Não havia tempo para preliminares ou refinamentos. Somente para união.

Ele abriu caminho em meio às anáguas, descobrindo que ela estava tão pronta quanto ele – e pôs as duas mãos no traseiro dela, levantando-a do chão e pressionando-a contra a parede. Ela segurou firme no pescoço de Ransom, envolvendo sua cintura com as pernas.

E então ele entrou.

"Eu te amo."

Dizer aquelas palavras – as palavras que lhe foram negadas por tanto tempo, até que ele negasse que elas tivessem qualquer significado –, droga, como era bom. E dizer aquelas palavras enquanto entrava nela era maravilhoso.

"Eu te amo, Izzy." Ele enfiou fundo e firme, aconchegando-se cada vez mais a cada movimento de seus quadris. "Eu te amo. *Você.* Linda... Sedutora... Inteligente... Maravilhosa... Você."

Ele parou dentro dela, embainhado até a guarda. Ele a apertava contra a parede e os dois se esforçavam para respirar. As coxas dela tremiam de encontro à suas. Não havia como eles ficarem mais próximos. Ele estava o mais dentro dela possível, entrando ao máximo a cada estocada.

Mas seria suficiente? Ele conseguiria tocar o coração dela?

Ransom tinha que saber.

Ele fechou os olhos e encostou a testa na pele doce de Izzy, enquanto aquela voz antiga, insidiosa, trovejava em seu sangue. *Você não merece isto. Você não a merece.*

Mas ele tinha que pedir assim mesmo.

Ele então falou as palavras mais difíceis de todas.

"Me ame."

## Capítulo Vinte e Seis

"Me ame."

As duas palavras saíram como um sussurro rouco, tênue. Mas Izzy sabia o quanto tinham custado a ele.

"Eu amo." Ela abraçou apertado o pescoço dele, para não ser levada embora por aquela torrente de emoções delicadas. Ela o beijou na testa, no rosto. "Oh, Ransom. Eu te amo. Amo sim."

Com uma exclamação trêmula, ele saiu quase totalmente dela, então investiu mais uma vez.

"De novo", ele pediu.

"Eu te amo. Eu te amo."

Ela poderia repetir cem vezes. Ela poderia segurá-lo dentro dela pelo tempo que Ransom desejasse. Mas eles não tinham tanto tempo. Ransom foi rápido e firme, e levou os dois a uma crise silenciosa e belíssima. Izzy cravou os dentes no próprio punho para segurar seu grito.

Então ele saiu do corpo dela, recolocando os pés de Izzy no chão. Ele a manteve nos braços por mais alguns momentos. Só respirando.

"Eu precisava disso", ele falou. "Você não sabe o quanto."

"Acho que nós dois precisávamos", ela sorriu.

Izzy baixou as saias e alisou o pior dos amassados enquanto ele fechava os botões da calça.

"Izzy, isto é o que eu posso lhe dizer com segurança, como homem que entende desse assunto." Ele endireitou o colete com um puxão, depois cada uma das mangas. "Você é uma mulher tão atraente que me deixa descontrolado, tem uma sensualidade palpável. Talvez seus possíveis pretendentes tenham mantido distância por causa dos *Contos*. Talvez seu pai os mantivesse longe com medo de perder você. Eu não sei por que os homens nunca foram atrás de você no passado. Eu só posso dizer por que eles não irão atrás de você no futuro."

"Por quê?"

Ele deu de ombros, como quem diz, *isso não é óbvio?*

"Porque eu não vou deixar", ele respondeu, simplesmente.

"Oh." Encostada na parede, Izzy quase derreteu de ternura.

Ele abriu os braços para que ela o avaliasse.

"Estou bem arrumado? Passável?"

"Você está devastador." Ainda cambaleante, ela levou a mão ao penteado. Ou ao que restava dele. "Meu cabelo. Você vai na frente. Eu vou correr até a torre e..."

"Deixe assim." Ele pegou o braço dela e o passou pelo seu. "Não fique preocupada com as aparências. Fique perto de mim, o tempo todo. Esses advogados não vão ter dúvida do que eu estou fazendo com você." Ele fez uma pausa. "A menos que você esteja preocupada com o que seus amigos vão pensar. Nesse caso..."

"Não estou", ela respondeu, apertando o braço dele. "Não estou nem um pouco preocupada com isso."

Dessa forma, Ransom foi enfrentar seus inquisidores.

Quando ele entrou no salão principal, todo mundo levantou. Ele viu um grupo de quatro figuras cinzentas, perdidas em meio a uma névoa também cinzenta. Maravilha. Ele não conseguia dizer quem era quem. E não fazia ideia de quem eram os outros, depois que Blaylock e Riggett fossem identificados.

Aquelas quatro sombras tenebrosas tinham aparecido para julgar sua vida.

Mas ele tinha Izzy ao seu lado. O rangido sutil dos cavaleiros à sua volta era uma inesperada fonte de segurança.

E ele tinha um novo advogado. Um homem bom. Em quem ele podia confiar.

Ele estava entre amigos.

Um dos visitantes se aproximou dele. Ransom podia sentir o homem avaliando sua aparência, analisando as cicatrizes.

"Alteza, é um alívio vê-lo com saúde tão boa."

Alívio? Ransom bufou. Por algum motivo ele duvidava que alívio era o que aquele homem estava sentindo. Vigarista desprezível.

Izzy apertou os dedos contra o punho dele, fazendo com que Ransom soubesse a identidade do advogado.

"Blaylock", Ransom disse. "Esta é a Srta. Isolde Goodnight. A nova proprietária do Castelo Gostley. Lynforth o deixou para ela em testamento."

"Como vai?" Izzy fez uma mesura.

"Nós trouxemos conosco os Sr. Havers", o homem continuou, "do escritório do Lorde Chanceler."

Havers deu um passo à frente.

"Um prazer, Srta. Goodnight. O Lorde Chanceler manda seus cumprimentos. O filho dele é um grande admirador das histórias do seu pai."

Blaylock completou as apresentações.

"Você deve se lembrar do meu colega, o Sr. Riggett. E este cavalheiro bondoso é o Dr. Mills, do Sanatório Holyfield para Incapazes Mentais."

Ransom saudou aquelas formas vagas com um aceno curto de cabeça.

"Caso as suas apresentações estejam concluídas, vou continuar com as minhas. Este é o Sr. Wendell Butterfield, advogado. Meu novo representante legal. E antes que continuemos com isso, quero deixar uma coisa muito clara. Eu vou responder às suas perguntas. A respeito de como vim parar aqui, sete meses atrás, e por quê. O que tenho feito desde então. A respeito dos meus ferimentos, da minha cegueira" – ele esperou que eles assimilassem a notícia – "e do meu estado mental. Vou me submeter aos seus exames. Mas antes..." Ele estalou os dedos e Wendell colocou os papéis em sua mão. "Vocês vão assinar isso."

"O que é?"

"Este documento cria um fundo irrevogável para a Srta. Goodnight no valor de vinte mil libras."

Blaylock gaguejou.

"Como? Vinte mil..."

"Sua administração negligente fez com que ela herdasse este castelo do padrinho dela e, ao chegar aqui, o encontrasse em um estado vergonhoso de abandono. O mínimo que nós podemos fazer é lhe fornecer os fundos para restaurá-lo."

"Alteza, nós não podemos autorizar..."

"Trata-se do meu dinheiro. Eu sou o duque. Até uma corte decidir o contrário, *eu* autorizo." Ele enfiou os papéis na mão do advogado. "Eu irei assinar, vocês serão testemunhas. Então, e somente então, eu estarei à sua disposição. Se vocês se recusarem...? Eu juro uma coisa: vou lutar com vocês em todas as instâncias e irei processá-los por fraude."

Os advogados confabularam.

O braço de Izzy apertou o dele.

"O que você está fazendo?", ela murmurou.

"Estou garantindo seu futuro aqui neste castelo. Todo o resto é secundário."

"O seu destino não é secundário", ela sussurrou. "Não para mim."

Ransom retribuiu as palavras doces dela com um aperto dos dedos. Mas ele não retirou sua exigência. Vinte mil libras era uma soma significativa, mas seria uma pequena porção do que os advogados controlariam caso tivessem sucesso em tirar a fortuna dele. Ransom contava com a ganância deles para vencer.

"Bem?", ele insistiu. "Talvez eu deva retirar a oferta e prosseguir com a acusação de fraude."

"Isso não será necessário", disse Blaylock. "No interesse da Srta. Goodnight, nós iremos assinar."

"Ótimo." Depois que ele assinou os papéis e os advogados fizeram o mesmo, Ransom conseguiu respirar com mais facilidade. Izzy estava em segurança.

Agora, ele iria fazê-la uma duquesa.

O médico se aproximou.

"Essas acusações de fraude me interessam. Você sempre vê conspirações ao seu redor, Alteza."

Começou o interrogatório.

Ransom sentou no sofá e se ajeitou. Ele respondeu pergunta após pergunta. Que ano era, o monarca atual, a cor do céu. Eles fizeram perguntas sobre seu ferimento e cutucaram a cicatriz.

Ele utilizou cada reserva de paciência que possuía. Ransom podia dizer que eles estavam prontos para atacar ao menor erro ou irregularidade. Com tantas testemunhas, eles não podiam inventar uma acusação de loucura. Se aquilo evoluísse para um julgamento formal, Ransom sabia que ganharia. Mas seria muito mais fácil terminar com aquilo nesse dia.

Depois de cerca de uma hora de interrogatório, ele não aguentava mais ser paciente. Uma dor de cabeça ameaçava a base do seu crânio.

"Alguém, me sirva uma bebida. Uísque."

O médico fez uma anotação.

"Apegado... a uísque."

"Isso não é nenhuma novidade", disse Ransom.

"Eu tenho que admitir", observou o Sr. Havers, "que acho o uniforme dos seus criados... fascinante."

"Ah, isso é um capricho meu", disse Izzy, adotando aquela voz melosa e infantil que Ransom detestava. "Vocês sabem como as maravilhosas histórias do meu pai são importantes para mim. E agora, com este magnífico castelo como cenário, não consegui resistir a dar vida a *Os Contos de Goodnight*. Tenho tanta sorte de poder contar com os cavaleiros e as donzelas ao meu lado. Vocês têm algum doce?"

O médico se inclinou à frente.

"O que acha dessa atmosfera, Alteza? Também gosta de viver em um conto de fadas?"

Um dos cavaleiros – Sir Alfred, pelo que Ransom se lembrava – rangeu e estalou ao se aproximar. Ele colocou um copo de uísque na mão de Ransom. O vidro balançou ao trocar de mão e o líquido molhou os dois.

"Perdão, meu irmão", disse Alfred.

"*Irmão?*"

Droga. Ransom entendeu a pergunta. Era o início de uma ofensiva.

"Aquele criado acabou de chamar você de irmão?", Blaylock perguntou, a voz incisiva.

"Você está testando minha audição, agora?" Ransom tentou parecer entediado. "Eu acredito que sim."

"Certamente você não permite que criados se dirijam a você com tanta intimidade, Alteza. Ou se esqueceu de sua posição?"

"Eu não me esqueci."

"Você aí." Riggett chamou o jovem cavaleiro, que voltava estalando para seu lugar na lateral do salão. "Por que você acabou de chamar sua graça de 'irmão'?"

"P-porque nós somos membros da mesma irmandade", o jovem respondeu. "A Ordem da Papoula."

Quando Ransom ouviu a gargalhada resultante, sua visão não continha mais cinza. Só vermelho.

"Ordem da Papoula?" Blaylock parecia um garotinho guloso com uma tigela de pudim e duas colheres. "Conte-nos mais."

"É a ordem morangliana de cavalaria, meu senhor. Nós temos estandartes, torneios, distintivos e um juramento."

"E o duque participa disso com entusiasmo?"

"Eu... eu não sei." Alfred hesitou.

É claro que ele hesitou. Ransom reconhecia a voz daquele jovem. Ele foi um dos cavaleiros que argumentou contra a inclusão de Ransom. E talvez por uma boa razão. Alfred sabia que aquele momento chegaria, ainda que não soubesse que seria tão cedo.

Ele sabia que Ransom seria testado.

Então, lá estava. Ele poderia ter sua fortuna, seu título e sua autoridade restaurados naquele dia – mas apenas se rejeitasse o trabalho duro de Izzy e tivera tudo que os amigos dela representavam.

No dia anterior ele não tinha tido nenhuma dificuldade em fazer isso. Ele debochou e menosprezou cada pessoa que agora rodeava o salão.

Mas eles voltaram. Por Izzy e por ele. Ele deveria menosprezá-los outra vez?

"Você acredita em mim agora?" Riggett estava ansioso para encerrar a questão. "Ele está confuso, é óbvio. O golpe na cabeça o deixou irremediavelmente confuso. Um julgamento por insanidade é tudo que podemos fazer."

O médico se aproximou.

"Alteza. Você sabe quem é?"

"Sim." Ransom se levantou. "Eu sei exatamente quem sou. Ransom William Dacre Vane, décimo primeiro Duque de Rothbury. Também sou Marquês de Youngham, Conde de Priorwood, Lorde Thackeray. E..."

"E?", o médico o encorajou. "Você também acredita que é alguém mais?"

Ransom ouviu o pequeno chiado de alerta que Izzy produziu. Mas, dane-se, ele tinha feito um juramento. Em nome dela. Ele não podia negar isso.

"Eu sou um Cavaleiro de Morânglia."

Izzy cobriu a boca com a mão.

Ah, não. Ele estava perdido agora.

Ransom bateu no peito e todos os cavaleiros retribuíram a saudação.

Parte de Izzy queria dar vivas e a outra parte queria chorar. Aquele era um gesto valente e encantador da parte dele, mas a que preço?

Os advogados entraram imediatamente em ação.

"Está vendo, Havers? Não temos escolha." Riggett apontou para o duque. "Ele precisa ser julgado por incompetência mental. Tem surtos alucinatórios. Com certeza perigosos."

O médico concordou.

"Na minha opinião como profissional, ele deve ser colocado sob custódia e detido para exames em Londres."

"Por favor", Izzy disse. "Por favor, esperem um momento. Vamos conversar sobre isso. É claro que um asilo não é a resposta."

Mas suas súplicas se perderam na algazarra. Outras objeções as sufocaram.

À volta toda do salão principal, os cavaleiros e as donzelas começavam a se erguer em defesa de Ransom.

Um dos cavaleiros empunhou seu sabre – um sabre que não parecia afiado o bastante para cortar um bolo – e o ergueu.

"Vocês não podem levá-lo!"

"Esta é uma irmandade", gritou outro.

"Eu *sabia* que todo aquele treinamento serviria para alguma coisa."

"Todos por um! Lutaremos até a morte!"

Até Magnus começou a rugir e latir.

Um grito foi ouvido acima dos outros:

"Soltem a doninha!"

"Parem!" Izzy correu até a outra ponta do salão, subiu na mesa e fez uma concha com as mãos ao redor da boca. "Parem!" Ela gritou, com toda a força do seu corpo. "Parem, todos vocês! Parem!"

Eles pararam. E se viraram para ela.

Após conseguir a atenção de todos na sala, Izzy inspirou fundo e levantou as mãos espalmadas à sua frente, como se pudesse usá-las para alisar fisicamente a tensão existente no salão.

"Batalhas não serão necessárias. Exames também não. Isso tudo não passa de uma confusão. O duque está sadio como sempre. Sr. Blaylock, Sr. Riggett, Sr. Havers, Dr. Mills. Vocês têm que acreditar em mim. Eu tenho compartilhado este castelo com o Duque de Rothbury há semanas e eu sei que ele está com a cabeça no lugar. Os cavaleiros, as donzelas, as histórias românticas... ele não acredita em nada disso. Ele *não deveria* acreditar nisso."

"Sabem...", ela continuou e seus olhos passaram pelos cavaleiros e donzelas ali reunidos. "*Contos de Goodnight* eram... bem, eram uma mentira. Eu nunca fui a garotinha inocente com cabelo liso cor de âmbar. Sir Henry não foi um pai dedicado, embora se esforçasse. Eu não queria uma doninha como animal de estimação e não pedi nada disso." Ela fez um gesto mostrando o castelo. "Cressida pode ser corajosa, mas eu tenho pavor do escuro. Ulric pode dizer 'Não duvide', mas eu tenho dúvidas o tempo todo. Tenho duvidado da verdade dos finais felizes. Tenho duvidado da existência do amor eterno. Mais do que tudo, tenho duvidado de mim mesma."

"O duque só está satisfazendo um capricho meu", ela disse para os advogados. "Mas ele sabe que tudo isso é faz de conta. Ele chamou tudo isso de 'merda e bobagens' ontem." Ela olhou para os cavaleiros e donzelas. "Não foi? Vocês estavam todos aqui ontem."

Um murmúrio relutante de confirmação veio de todos os cantos da sala.

"Então, diga-lhes." Ela se dirigiu a Ransom. "Está tudo bem. Eu não preciso que você continue fingindo e você não precisa me proteger. Apenas diga tudo que você vem dizendo há semanas. Você é perfeitamente equilibrado. Romance é uma alucinação." Ela levou a mão à barriga. "Está tudo bem. Mesmo."

Ransom refletiu. Ela viu o peito dele inflar com uma inspiração profunda. Ele coçou o pescoço enquanto fitava o chão.

"Então, Alteza?" Blaylock se adiantou.

*Faça isso*, ela pediu em pensamento, tentando enviar a mensagem através do salão até onde ele se encontrava. *Rejeite tudo isto. Salve-se. Apenas diga a verdade.*

"Eu vou dizer apenas uma coisa." Quando Ransom ergueu a cabeça, um sorriso furtivo brincava em seus lábios. "Não duvide."

O coração dela deu uma cambalhota dentro do peito.

"Não. Não, Ransom, não."

"Não duvide, minha lady. Eu irei voltar."

"Não faça isso", ela pediu. "Não agora."

Ele começou a andar na direção dela, sem parar de recitar. "Não duvide do meu aço. Correntes, flechas, lâminas e pedras. Eu nunca irei conhecer a sensação delas na minha carne."

Não o discurso de Ulric. Qualquer coisa menos isso.

"Não duvide da minha força." A voz dele também estava ficando mais forte. "Nenhuma tempestade... Nenhuma tempestade..."

Ele parou.

Ótimo. Izzy sabia o que vinha a seguir, mas não iria ajudá-lo.

Ele se virou para os cavaleiros em busca de uma dica.

"Nenhum mar virado por tempestade", um deles sussurrou.

"Certo, certo." Ele recuou um passo e recomeçou daquele ponto. "Não duvide da minha força. Nenhum mar virado por tempestade, nenhuma tempestade de areia. Nenhuma montanha alta conseguirá me separar de você."

"Está vendo?" Blaylock cutucou o médico. "Ele está tendo um surto de loucura. Ele pensa que é um personagem em algum conto de fadas."

Ransom não lhes deu atenção. Ele não prestava atenção em ninguém naquela sala, a não ser em Izzy. Sua caminhada em direção a ela era lenta, mas determinada.

No entorno do grande salão, as donzelas pareciam estar a ponto de desmaiar.

"Não duvide do meu coração." Ele declamava em voz alta, com sentimento. Sua voz grave e ressonante era perfeita para o papel. "O tempo pode se acumular em meses e anos. Mas não pode deter o eterno."

"Ransom, por favor", ela sussurrou. "Eles estão pensando que você está louco. Eu mesma estou começando a desconfiar."

Os advogados e o médico foram na direção dele, como se Ransom precisasse ser contido. E eles poderiam tentar segurá-lo. Izzy sabia que ele continuaria em frente.

Na verdade, ele chutou uma cadeira de lado e começou a próxima parte: "Não duvide do meu amor!"

A essa altura, todos os cavaleiros e donzelas estavam participando. É claro que eles sabiam o texto, melhor até que a própria Izzy.

Mas Ransom era o único que sabia que as palavras eram criação dela. Que sempre foram dela. E agora ele as devolvia pra Izzy. Em um gesto de amor e fé, e... E pura insanidade.

Ela colocou a mão sobre o coração. Seu herói.

Uma dúzia de donzelas correu até Izzy, a desceu da mesa e a fez avançar para se encontrar com Ransom no centro do salão.

"Não duvide do meu amor", ele repetiu, com um coro de cavaleiros o apoiando. "Ainda que homens queiram nos separar, a própria morte será um véu fino demais. Pois embora eu vague pela terra em nome do meu rei, você será – agora e sempre – a rainha do meu coração."

Ransom se ajoelhou e beijou a mão dela.

"Não fique brava", ele murmurou ao se erguer. "É o trabalho da sua vida e eles são nossos amigos. Eu não poderia negar tudo isso."

"É claro que não estou brava." Ela pegou o rosto dele entre suas mãos. "Você não sabe o quanto eu o amo neste momento."

"Então diga que aceita se casar comigo. Eu irei até Londres para resolver legalmente isso tudo. E vou voltar com um anel. Diamantes ou safiras?"

"Eu não preciso de um anel. Só quero você."

Havia tempo para roubar um beijo rápido e sincero.

E então eles quiseram levá-lo em custódia.

"Alteza, mantenha a calma." Os advogados se colocaram um de cada lado dele. "Agora nós iremos levá-lo até Londres. Queremos que se consulte com alguns médicos que são muito bons."

Ele repeliu as mãos dos advogados.

"Eu vou para Londres sozinho. Não preciso ser colocado em custódia. Mas sim, podem ter certeza de que nos veremos na corte."

"Na verdade", o Sr. Havers interveio, "não acredito que seja necessária qualquer audiência. Pelo menos não uma de insanidade mental."

"O quê?", Blaylock exclamou. Ele apontou para a cena diante deles. "Mas você presenciou essa... demonstração agora mesmo."

"Eu presenciei. E posso lhe garantir que o Lorde Chanceler não terá nenhum interesse em julgar esse assunto." Havers se virou para Izzy. "Como eu disse para a Srta. Goodnight, o filho dele é um grande admirador desses contos. O jovem caiu de um cavalo na infância e está confinado à sua cama desde então. As histórias têm sido uma bênção para ele."

"Confinado à cama?" Uma suspeita se formou na cabeça de Izzy. "Mas você não pode estar falando de Lorde Peregrine?"

"Ele mesmo", disse Havers. "O Lorde Chanceler não terá nenhuma vontade de julgar este caso. Prender o noivo de Izzy Goodnight por loucura? Ele não aguentaria ouvir as reclamações do filho nos jantares em família. Aliás, toda a Inglaterra reclamaria."

Riggett gesticulava como louco.

"Mas os cavaleiros. As armaduras. A Ordem da Papoula."

"Pelo amor de Deus, homem! São apenas histórias. O resto de nós consegue perceber isso." O Sr. Havers apontou para Ransom. "Olhe para ele. Este homem não está alucinando. Ele está apaixonado!"

Ransom torceu o canto da boca, formando aquele conhecido meio sorriso.

"Bem, essa é uma acusação que eu não posso negar."

Não foi um casamento típico, mas um evento bem discreto.

A cerimônia aconteceu em uma terça-feira de manhã. A noiva vestiu vermelho, para que o noivo pudesse enxergá-la em meio à multidão. Os bancos estreitos da capela da vila ficaram abarrotados de cavaleiros em suas armaduras improvisadas e donzelas usando vestidos medievais.

E depois do café da manhã de casamento na estalagem da vila, o casal feliz trocou a carruagem que os aguardava por uma longa e tranquila caminhada de volta ao castelo, que fizeram de braços dados.

Quando eles se aproximaram do barbacã, Izzy olhou para a antiga fortaleza de pedra. As novas vidraças nas janelas pareciam facetas de um diamante, reluzentes sob o sol da manhã. Tanta coisa tinha mudado desde aquela primeira tarde chuvosa e sombria, quando ela foi deixada ali com nada além de uma doninha, uma carta e seu último fiapo de esperança.

Ransom a deteve no pátio.

"Espere", ele pediu.

Ela olhou para ele. E então passou os momentos seguintes tentando se acalmar. Sua percepção do castelo podia ter mudado, mas não daquele homem. Aquela beleza máscula sempre a deixava com as pernas bambas.

"O que foi?", ela perguntou. "Nós esquecemos alguma coisa na estalagem?"

"Não foi nada. Eu só queria fazer isso outra vez."

Ele se inclinou na direção dela e, com um movimento rápido, pegou-a em seus braços, aconchegando-a junto ao peito.

E dessa vez Izzy conseguiu não desmaiar.

Por pouco.

# Epílogo

*Vários meses mais tarde*

A chama da vela estava quase afogada no castiçal quando Ransom chegou ao trigésimo-quarto degrau.

"Izzy, está tarde. Você deveria vir para a cama."

"Eu sei." Izzy recolocou a pena no tinteiro e apoiou os cotovelos na escrivaninha. Com um suspiro de cansaço, ela fechou os olhos e massageou as têmporas.

Ele parou atrás dela. Suas mãos fortes seguraram com firmeza os ombros de Izzy.

"Você tem trabalhado demais nas últimas semanas."

"Eu sei disso também." Ela pegou a pena e recomeçou a escrever. "Desculpe. É só que eu estou desesperada para escrever episódios suficientes para alguns meses, antes de o bebê chegar. O trabalho está mais devagar do que eu gostaria. Além disso, tem centenas de cartas que preciso responder."

Ransom usou os polegares para massagear os músculos da nuca de Izzy, extraindo assim um suspiro profundo do peito dela.

"O que eu posso fazer?", ele perguntou.

"Essa massagem é um ótimo começo." Ela remexeu na pilha de envelopes. "Talvez você possa me ajudar a responder esta carta de Lorde Peregrine?"

"Qual foi o enigma que ele propôs desta vez?"

"É a minha vez de propor um enigma, na verdade, e não consigo pensar em nada." Ela bateu com a pena no mata-borrão. "Ah. Já sei." Ela baixou a pena e começou a escrever. "'Você preferiria encontrar em sua cama uma doninha ou um polvo?'" Ela escreveu a despedida da carta e a colocou de lado.

"Isso é injusto. Ele pode *escolher*? Eu não posso escolher", Ransom reclamou.

"Não, você não pode. Você tem que ficar com os dois." Sorrindo, Izzy pegou uma revista na pilha de correspondência. "Agora, *aqui* tem uma coisa que você vai achar interessante. É uma carta para o editor da *Revista dos Cavalheiros*. E é a meu respeito."

"Leia, então."

Izzy abriu a revista em uma página marcada e leu em uma voz impostada e afetada de barítono.

"'Da mesma forma que muitos leitores fiéis da sua publicação, fiquei encantado de ver que a filha amada da Inglaterra, a pequena Izzy Goodnight, recentemente tornada Duquesa de Rothbury, resolveu tomar a pena e continuar escrevendo sobre o mundo maravilhoso que Sir Henry criou para ela e para nós. Eu li os primeiros episódios com muita expectativa e muito interesse, mas sinto dizer que eles não me impressionaram.'"

"Imbecil impertinente", Ransom bufou.

"Ele tem direito a uma opinião. Vamos ver... aqui." Ela engrossou a voz de novo. "Embora ela tenha ascendido rapidamente a um patamar social do qual seu pai nunca desfrutou, esses primeiros capítulos deixam tristemente claro que Sua Graça nunca lhe será igual em termos literários. Sua escrita empalidece em comparação à riqueza da prosa de Sir Henry, embora eu sofra ao dizer isso."

"Eu vou fazer com que ele sofra", Ransom resmungou.

"Ah, mas fica melhor", ela disse, pulando algumas linhas. "Ele continua, 'A *Jornada do Cavaleiro das Sombras*, contudo, possui alguns brilhos promissores. Com maturidade e tempo para aperfeiçoar seu ofício, talvez a duquesa possa aspirar a ser metade do escritor que seu pai foi – e só isso seria um verdadeiro feito para qualquer escritor tão jovem e *feminino*.' Está assinado O Muito Honorável Edmund Creeley, de Chatton, Kent."

Rindo, ela colocou a revista de lado.

Ransom não riu. Ele não disse nada.

"Bem?", ela o instigou. "Não achou divertido? Não tem uma resposta?"

"Ah, mas eu tenho uma resposta. O Muito Honorável Edmund Creeley pode pegar sua pena e..."

Os palavrões que vieram a seguir fizeram Izzy levar as mãos à barriga, como se pudesse cobrir as orelhas sensíveis do filho ainda não nascido. O bebê, contudo, esperneou com alegria em seu ventre.

Oh, céus. Parecia que aquela criança puxaria para o pai.

Aquilo não a chateava nem um pouco.

"Nós vamos rir por último", Izzy lembrou o marido. "O Sr. Creeley vai ser obrigado a engolir suas palavras, ainda que não... essas outras coisas que você mencionou. Ele vai saber a verdade quando chegar a hora. Assim como todo muno."

Ransom tinha dado um final ao conto de fadas pessoal de Izzy, e ela jurou não o desperdiçar. Ela iria reivindicar seu trabalho e continuar as histórias que amava – da mesma forma que tantas outras pessoas as amavam. Mas ela queria avançar com cuidado, com respeito por Cressida e Ulric, pela memória de seu pai e por aquele quarto roxo – e, principalmente, pelos leitores que fizeram de *Os Contos de Goodnight* se não "verdadeiros", verdadeiramente importantes.

Então, em vez de retomar a história onde os contos originais tinham parado, ela começou uma nova história: *A Jornada do Cavaleiro das Sombras*.

Ela não tinha dúvida que muitos leitores – os que fossem mais perspicazes do que Edmund Creeley — começariam a perceber a verdade. Alguns já tinham escrito para ela manifestando suas suspeitas. Mas por enquanto Izzy se fazia de desentendida.

Ela pretendia contar as mesmas aventuras pelo ponto de vista do Cavaleiro das Sombras, até o momento daquela cena culminante no parapeito. E então, quando os dois contos se interligassem, ela tiraria a máscara, revelando a verdadeira identidade do cavaleiro...

E de Izzy.

Quando a verdade surgisse, com certeza haveria um certo escândalo. Izzy estava mais preocupada com a reação de Ransom do que com seus próprios sentimentos. Ela leu a carta do Sr. Creeley para ele como uma espécie de preparação.

"É melhor você se preparar, Ransom. Quando esse episódio for publicado, daqui a alguns anos, ninguém vai me dar os parabéns. Tenho certeza de que vou receber muitas cartas desagradáveis."

Ele ficou em silêncio por um momento.

"Ótimo."

"Ótimo?'

"Sim, ótimo. Porque eu decidi que a melhor reação a uma carta desagradável é beijar. E eu gosto de ter motivos para beijar você."

"Eu acho que esta carta desagradável em especial merece mais de um beijo. Algo em torno de dez ou doze."

"Não vou parar até você contar cem", ele disse, provocante. "Mais tarde."

"Mas tarde?" Ela fez um bico.

"Neste momento eu quero lhe mostrar uma coisa. Uma surpresa."

Izzy não podia negar que se sentia intrigada, enquanto o seguia escada abaixo. Ela desceu lentamente, com cuidado. Seu centro de equilíbrio mudava a cada dia.

"Que surpresa poderia ser melhor do que cem beijos?", ela perguntou, seguindo Ransom pelo corredor.

"Esta, eu espero."

Ele parou diante de um quarto especial. O que eles haviam designado como quarto do bebê. Ransom abriu a porta.

Ela juntou as palmas das mãos.

"Está pronto?"

Izzy tinha sido estritamente proibida de se envolver nas principais reformas – pó e perigo demais, disse Ransom. Ela não discutiu. Izzy ficou feliz de se concentrar na escrita. E ela gostou de ver a dedicação crescente dele ao castelo que era seu lar ancestral.

O castelo que agora era o lar dos dois.

"Ficou pronto hoje. Os pintores terminaram esta tarde." Ele acenou para a porta aberta. "Dê uma olhada."

Com um sorriso, Izzy passou pela porta.

E então ficou paralisada no lugar, admirada.

"Oh", ela tomou fôlego. "Oh, Ransom."

"Não comece, agora, a reclamar que estou tratando você como menininha. Eu sei que você está velha demais para ter um quarto roxo com estrelas douradas. Mas eu também sei que esse já foi um sonho seu. Eu pensei que você gostaria de proporcionar isso para os nossos filhos."

Izzy apertou a mão contra o peito, fascinada. O quarto estava lindo. Um berço com uma colcha de retalhos roxa e uma nuvem de tule drapeado. Um tapete macio de ramos entrelaçados e flores belíssimas. Prateleiras e mais prateleiras de livros. E, pintadas no teto, luas prateadas e estrelas douradas. E ainda um ou dois cometas.

Sob uma inspeção mais cuidadosa, alguns desses objetos celestiais pareciam menos precisos do que os outros – desiguais e borrados em certos lugares. Não atendiam aos padrões exigentes que Ransom impunha a todos os seus trabalhadores.

Mas em seu coração, Izzy sabia qual era a explicação para aquelas estrelas imperfeitas.

Deviam ser as que ele mesmo tinha pintado.

Ele se inquietou.

"Você não está dizendo nada."

"Estou fascinada. Existem momentos em que até uma escritora pode ficar sem palavras." Ela fungou para segurar uma lágrima e o abraçou o mais apertado que sua barriga de grávida permitia. "Obrigada. Eu te amo. Este é o melhor presente que eu posso imaginar."

Na verdade, aquele era o presente que ela tinha imaginado durante toda sua vida. E agora ele era real. Eles dariam a seus filhos aquele quarto mágico, em seu próprio castelo. Mas mais importante que isso, ele dariam amor e segurança a seus filhos.

E histórias. Noite após noite de histórias.

Aquele era um verdadeiro final de conto de fadas. Ele tinha lhe dado a parte do "felizes" no dia em que a pediu em casamento. Aquele quarto era o "para sempre".

E o melhor de tudo?

Havia muitos anos entre aquele momento e o "Fim".

## *Agradecimentos*

Meu muito obrigada a Katie Dunneback e Rachael Kelly por me ajudarem com a pesquisa a respeito de baixa visão e o processo de adaptação. Quaisquer erros que eu tenha cometido são só meus.

Tenho uma imensa dívida de gratidão com minha família e meus amigos, e com as pessoas ótimas da HarperCollins, pela paciência enquanto eu escrevia este livro. Bren, Courtney, Carey, Leigh, Laura, Susan, Kara e todo mundo dessa equipe incrível... Vocês me salvaram de muitas maneiras. Eu amo todos vocês.

E por último, todo meu agradecimento e amor ao Sr. Dare – adoro o fato de que vamos envelhecer e desenvolver manias juntos.

## LEIA TAMBÉM

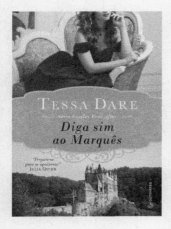

### Diga sim ao Marquês
Tessa Dare
Tradução de A C Reis

Aos 17 anos, Clio Whitmore tornou-se noiva do Marquês de Granville, mas oito anos depois, ainda esperando o noivo marcar a data do casamento, Clio estava decidida a romper o noivado – isso se Rafe Brandon não conseguir impedi-la. Rafe, um dos maiores canalhas de Londres, prometeu ao irmão que cuidaria de tudo durante sua viagem. Isso incluía não permitir que o Marquês perdesse a noiva. Rafe e Clio fazem um acordo: ele terá uma semana para convencê-la a dizer "sim" ao Marquês, ou terá que assinar a dissolução do noivado em nome do irmão. Rafe precisa convencer Clio de que um casamento sem amor é a escolha certa. Mas, acima de tudo, precisa convencer a si mesmo de que não é ele que vai beijar a noiva.

### A noida do Capitão
Tessa Dare
Tradução de A C Reis

Madeline possui muitas habilidades preciosas: é uma excelente desenhista, escreve cartas como ninguém e tem uma criatividade fora do comum. Mas se tem algo em que ela nunca consegue obter sucesso, por mais que tente, é em se sentir confortável quando está cercada por muitas pessoas... Chega a lhe faltar o ar! Um baile para ser apresentada à Sociedade é o sonho de muitas garotas em idade para casar, mas é o pesadelo de Maddie.
E, para escapar dessa obrigação, a jovem cria um suposto noivo: um capitão escocês. Ela coloca todo o seu amor em cartas destinadas ao querido – e imaginário – Capitão Logan MacKenzie e convence toda a sua família de que estão profunda e verdadeiramente apaixonados.
Maddie só não imaginava que o Capitão "MacFajuto" iria aparecer à sua porta, mais lindo do que ela descrevia em suas cartas apaixonadas e pronto para cobrar tudo o que ela lhe prometeu.

### Uma noite para se entregar
Tessa Dare
Tradução de A C Reis

Susanna Finch, filha do Conselheiro Real, é anfitriã da vila Spindle Cove, destino de jovens bem-nascidas, delicadas e com problemas amorosos, e tem o compromisso de transformá-las em grandes mulheres. O lugar é pacato, até a chegada do tenente-coronel Victor Bramwell, que viu sua vida se despedaçar quando uma bala atravessou seu joelho na guerra. O Conselheiro é o único que pode devolver seu comando, mas ao pedir sua ajuda, ganha um título não solicitado de lorde, um castelo, e a missão de estabelecer uma milícia. Susanna não quer aquele homem invadindo sua vida, e Bramwell não está disposto a desistir do que deseja. Os dois se preparam para uma batalha, mas o que não imaginam é que a mesma força que os repele pode se transformar em uma atração incontrolável.

### Uma semana para se perder
Tessa Dare
Tradução de A C Reis

A geóloga Minerva Highwood, solteira convicta de Spindle Cove, vai à Escócia apresentar uma descoberta em um simpósio e, para isso, precisa de alguém que a leve. O Lorde Payne, um libertino de primeira, gostaria de estar em qualquer lugar que não Spindle Cove; Minerva decide, então, que ele é a pessoa ideal para acompanhá-la. Mas como uma solteira poderia viajar com um homem sem reputação? Eles têm uma semana para convencer suas famílias de que estão apaixonados, fugir, correr de bandidos e viajar 400 milhas sem se matar. Tudo isso dividindo uma pequena carruagem de dia e uma cama ainda menor à noite. Talvez uma semana seja tempo suficiente para encontrarem um mundo de problemas. Ou, quem sabe, um amor eterno.

### A dama da meia-noite
**Tessa Dare**
Tradução de A C Reis

A Srta. Kate Taylor encontrou um lar em Spindle Cove, mas nunca parou de buscar a verdade sobre o seu passado. Depois de uma visita a sua ex-professora, que se recusa a lhe dizer qualquer coisa, ela conta com a bondade do Cabo Thorne para voltar para casa em segurança, e uma atração mútua faísca durante a viagem. Ao chegar à pensão onde mora, Kate encontra aristocratas que afirmam ser sua família. Desconfiado, Thorne propõe um noivado fictício à Kate para ficar ao seu lado até descobrir as intenções daquela família. Mas o noivado traz à tona sentimentos genuínos. Thorne se vê, então, na pior guerra que poderia imaginar: ele guarda um segredo sobre Kate e fará de tudo para protegê-la, seja de uma suposta família oportunista... ou dele mesmo.

### A Bela e o Ferreiro
**Tessa Dare**
Tradução de A C Reis

Diana Highwood estava destinada a ter um casamento perfeito com um duque ou um marquês. Entretanto, o amor a encontra no local mais inesperado: o homem por quem ela se apaixona é forte como ferro, belo como ouro e quente como brasa. E está em uma ferraria... Diana está disposta a abandonar todas as suas chances de um casamento aristocrático para viver esse grande amor com Aaron Dawes e, finalmente, ter uma vida livre! Mas serão um pobre ferreiro e sua forja o "felizes para sempre" de uma mulher que poderia ter qualquer coisa? Será que ambos estarão dispostos a arriscar tudo pelo amor e o desejo?

Este livro foi composto com tipografia Electra e impresso
em papel Polen Bold 70 g/m² na Gráfica Rede.